#홈스쿨링
#혼자 공부하기

유형
해결의 법칙

Chunjae
Makes
Chunjae

▼

[유형 해결의 법칙] 초등 수학 1-1

기획총괄　김안나
편집개발　이근우, 한인숙, 서진호, 박웅
디자인총괄　김희정
표지디자인　윤순미, 안채리
내지디자인　박희춘, 이혜미
제작　황성진, 조규영

발행일　2016년 11월 15일 초판　2021년 9월 15일 5쇄
발행인　(주)천재교육
주소　서울시 금천구 가산로9길 54
신고번호　제2001-000018호
고객센터　1577-0902

모든 유형을
다 담은
해결의 법칙

수학

1·1

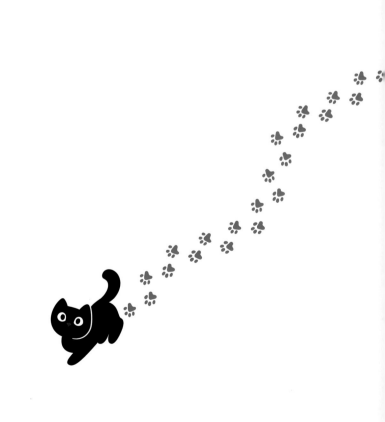

문제 중심 해결서

유형 **해결의 법칙**

1.1

1~2학년군 수학①

개념을 익힐 때나,

실력을 다질 때나, 시험을 앞두고

있을 때 **명쾌한 도움**을 받을 수 있는

문제 중심 해결서 유형 **해결의 법칙**

천재교육 '**해결의 법칙**'과 함께 수학만큼은 미리 꼭 준비하세요!

유형 해결의 법칙 만의 학습 관리

① 핵심 개념

교과서 개념을 만화로 익히고 개념 확인 문제를 풀면서 개념을 제대로 이해했는지 확인할 수 있어요.

▶ 학습게임 제공

② 유형 탐구

다른 교재에서는 볼 수 없는 학교 선생님, 학원 선생님들의 개념 설명과 노하우를 비풀에 담았어요. 다양한 유형의 문제를 풀면서 개념을 완전히 내 것으로 만들어 보세요.

▶ 개념 동영상 강의 제공

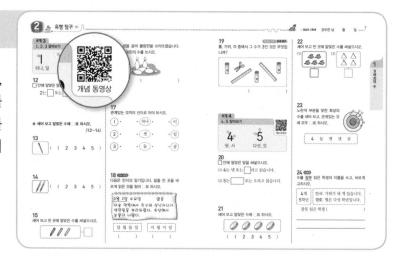

③ 해결의 법칙 특강

최근 새롭게 출제되는 창의융합 문제 유형을 연습할 수 있어요.

▶ 동영상 강의 제공

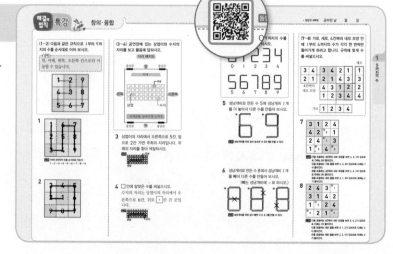

④ 레벨 UP

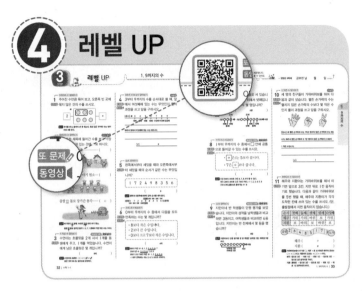

한 단계 더 나아간 응용 유형 문제를 풀면서 어려운 문제도 풀 수 있는 힘을 길러 줍니다.

- 📹 동영상 강의 제공
- 👫 유사문제 제공

⑤ 단원평가

단원평가를 풀면서 앞에서 공부한 내용을 정리해 보세요.

- 📻 학습게임 제공

⑥ 정답과 풀이

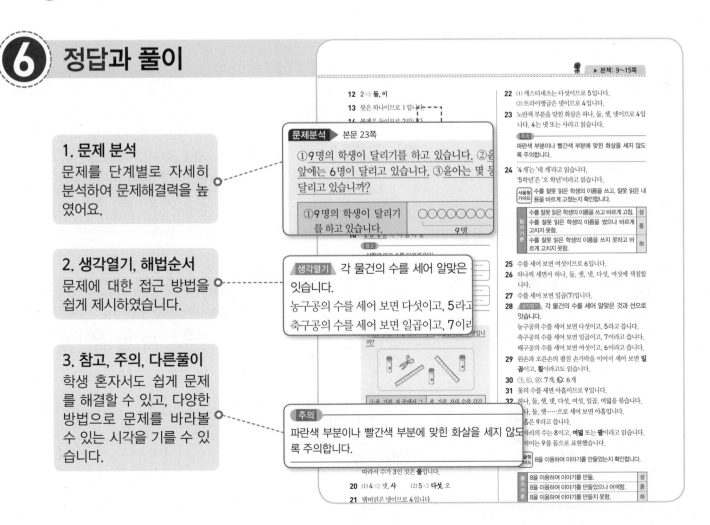

1. 문제 분석
문제를 단계별로 자세히 분석하여 문제해결력을 높였어요.

2. 생각열기, 해법순서
문제에 대한 접근 방법을 쉽게 제시하였습니다.

3. 참고, 주의, 다른풀이
학생 혼자서도 쉽게 문제를 해결할 수 있고, 다양한 방법으로 문제를 바라볼 수 있는 시각을 기를 수 있습니다.

유형 해결의 법칙의 QR 활용법

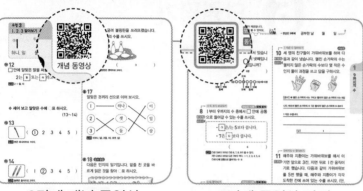

2단계 개념 동영상   3단계 동영상 강의

동영상 강의

선생님의 더 자세한 설명을 듣고 싶거나 혼자 해결하기 어려운 문제는 교재 내 QR 코드를 통해 동영상 강의를 무료로 제공하고 있어요.

해결의 법칙 특강 동영상 강의

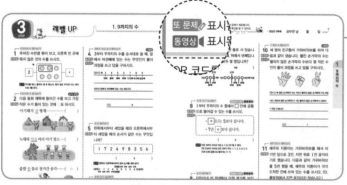

3단계 또 문제

유사문제

3단계에서 비슷한 유형의 문제를 더 풀어 보고 싶다면 QR을 찍어 보세요. 추가로 제공되는 유사문제를 풀면서 앞에서 공부한 내용을 정리할 수 있어요.

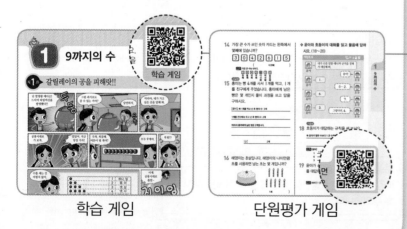

학습 게임   단원평가 게임

학습게임

단원 시작에 있는 QR과 단원 마지막에 있는 QR을 찍어 보세요. 게임을 하면서 개념을 정리할 수 있어요.

차례

C·O·N·T·E·N·T·S

9까지의 수

QR을 찍어 보세요.
재미있는 학습 게임을
할 수 있어요.

학습 게임

제1화 갈릴레이의 공을 피해랏!!

난 발명왕 에디슨! 드디어 타임머신을 발명했다!!
두둠

그럼 과거로도 갈 수 있는 거야?
당연하지.
으쓱

마리야, 네가 가고 싶은 곳을 말해 봐.

공룡시대로 가 보자.
알았어. 지금 당장 가자!

우와, 복잡해. 버튼이 몇 개야?
모두 9개야.

9개??

수를 세는 건 어렵지 않아.

●	1	하나, 일
● ●	2	둘, 이
● ● ●	3	셋, 삼
● ● ● ●	4	넷, 사
● ● ● ● ●	5	다섯, 오
● ● ● ● ● ●	6	여섯, 육
● ● ● ● ● ● ●	7	일곱, 칠
● ● ● ● ● ● ● ●	8	여덟, 팔
● ● ● ● ● ● ● ● ●	9	아홉, 구

이제 공룡시대로 출발~
지이잉

잠시 후
타임머신이 고장났나 봐. 우선 내리자.
끼긱
끼긱

여긴 도대체 어디야?
이건 피사의 사탑이잖아!!

우수수수콩
아얏!
이게 뭐야?

이미 배운 내용	이번에 배울 내용	앞으로 배울 내용
[5세 누리 과정] • 생활 속에서 사용되는 수의 여러 가지 의미 알아보기 • 스무 개 가량의 구체물을 세어 보기	• 0부터 9까지의 수 알고 읽고 쓰기 • 1부터 9까지의 수의 순서를 알고 이용하기 • 1 큰 수와 1 작은 수를 알기 • 0 알고 읽고 쓰기	[1-1 50까지의 수] • 10 알아보기 • 십몇 알아보기 • 19까지의 수를 모으고 가르기 • 몇십, 몇십몇 알아보기 • 50까지의 수의 순서 알아보기 • 50까지의 수의 크기 비교하기

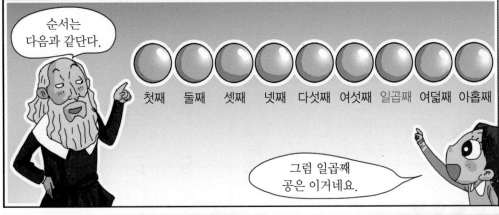

1 STEP 핵심 개념 (1)

❶ 1, 2, 3, 4, 5 알아보기

수를 읽는 방법은 두 가지입니다.

		하나	1	일
🐳	●	하나	1	일
🦑🦑	●●	둘	2	이
🐟🐟🐟	●●●	셋	3	삼
🦐🦐🦐🦐	●●●●	넷	4	사
🌰🌰🌰🌰🌰	●●●●●	다섯	5	오

예제 ❶ 1은 하나 또는 (일 , 삼)이라고 읽습니다.

❷ 6, 7, 8, 9 알아보기

🦗🦗🦗🦗🦗🦗	●●●●● ●	여섯	6	육
🐞🐞🐞🐞🐞🐞🐞	●●●● ●●●	일곱	7	칠
🦋🦋🦋🦋🦋🦋🦋🦋	●●●● ●●●●	여덟	8	팔
🐌🐌🐌🐌🐌🐌🐌🐌🐌	●●●●● ●●●●	아홉	9	구

예제 ❷ 6은 여섯 또는 (육 , 칠)이라고 읽습니다.

셀파 포인트

· 상황에 따라 수를 다르게 읽기

동생 나이는 3살 ⌈ 세 살 (○)
　　　　　　　 ⌊ 삼 살 (×)

우리 반은 3반 ⌈ 세 반 (×)
　　　　　　 ⌊ 삼 반 (○)

약속 시간은 4시 ⌈ 네 시 (○)
　　　　　　　 ⌊ 사 시 (×)

우리 집은 4층 ⌈ 네 층 (×)
　　　　　　 ⌊ 사 층 (○)

· 수를 한자로 나타내기

1 ⇨ 一　　2 ⇨ 二
　한 일　　　두 이

3 ⇨ 三　　4 ⇨ 四
　석 삼　　　넉 사

5 ⇨ 五　　6 ⇨ 六
　다섯 오　　여섯 육

7 ⇨ 七　　8 ⇨ 八
　일곱 칠　　여덟 팔

9 ⇨ 九
　아홉 구

예제 정답

❶ 일에 ○표　❷ 육에 ○표

개념 확인 ① |, 2, 3, 4, 5 알아보기

1-1 수를 쓰는 순서가 바른 것에 ◯표 하시오.

(1)

(   )   (   )

(2)

(   )   (   )

1-2 빈 곳에 수를 바르게 써넣으시오.

(1)

(2)

(3)

개념 확인 ② 6, 7, 8, 9 알아보기

2-1 수를 쓰는 순서가 바른 것에 ◯표 하시오.

(1)

(   )   (   )

(2)

(   )   (   )

2-2 빈 곳에 수를 바르게 써넣으시오.

(1)

(2)

(3)

2-3 수를 바르게 읽은 것에 ◯표 하시오.

6 ⇨ 육	9 ⇨ 칠
( )	( )

2-4 ☐ 안에 알맞은 말을 써넣으시오.

8은 여덟 또는 ☐이라고 읽습니다.

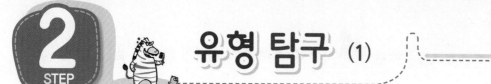
유형 1
하나, 둘, 셋, 넷, 다섯으로 세어 보기

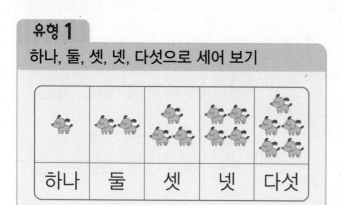

1

수를 바르게 센 것을 찾아 ○표 하시오.

(1)

(하나 둘 셋 넷 다섯)

(2)

(하나 둘 셋 넷 다섯)

2

수를 바르게 센 것은 어느 것입니까? (   )

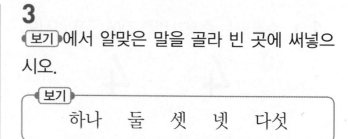

3

보기 에서 알맞은 말을 골라 빈 곳에 써넣으시오.

보기
하나 둘 셋 넷 다섯

(1)

(2)

4

보기 와 같이 수를 세어 쓰시오.

보기
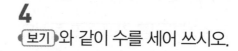
⇨ 하나

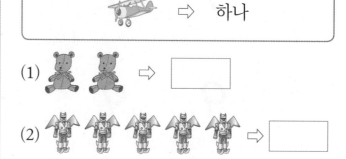

5

수를 바르게 센 것을 찾아 선으로 이어 보시오.

유형 2
여섯, 일곱, 여덟, 아홉으로 세어 보기

| 여섯 | 일곱 | 여덟 | 아홉 |

6 수를 세면서 □ 안에 알맞은 말을 써넣으시오.

사마귀는 하나, 둘, 셋, 넷, 다섯, 여섯,
□ , □ 입니다.

❖ 수를 바르게 센 것을 찾아 ○표 하시오.
(7~8)

7

（　여섯　일곱　여덟　아홉　）

8

（　여섯　일곱　여덟　아홉　）

9
보기 와 같이 수를 세어 쓰시오.

보기
일곱

□

10 수를 바르게 센 것을 찾아 선으로 이어 보시오.

사슴벌레 ·

· 여섯

· 아홉

장수풍뎅이 ·

· 일곱

11 창의·융합 서술형
횡단보도를 건너고 있는 어린이 수를 잘못 세었습니다. 바르게 고치시오.

어린이 수는 여섯입니다.

_____

_____

유형 3
1, 2, 3 알아보기

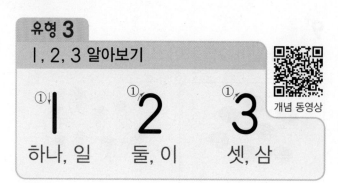

개념 동영상

12

□ 안에 알맞은 말을 써넣으시오.

2는 □ 또는 □ 라고 읽습니다.

❖ 세어 보고 알맞은 수에 ○표 하시오.

(13~14)

13

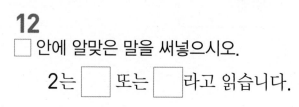 (1 2 3 4 5)

14

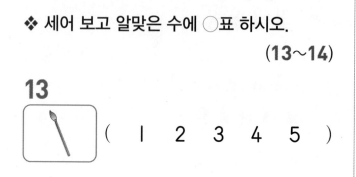 (1 2 3 4 5)

15

세어 보고 빈 곳에 알맞은 수를 써넣으시오.

16

소라가 공을 굴려 볼링핀을 쓰러뜨렸습니다. 쓰러진 볼링핀의 수를 쓰시오.

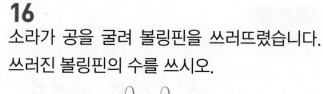

(   )

17

알맞은 것끼리 선으로 이어 보시오.

1 ·	· 하나 ·	· 이
2 ·	· 셋 ·	· 일
3 ·	· 둘 ·	· 삼

18 창의·융합

다음은 민지의 일기입니다. 밑줄 친 곳을 바르게 읽은 것을 찾아 ○표 하시오.

2월 2일 수요일   맑음
미술 학원에서 친구와 장난치다가 색연필을 부러뜨렸다. 속상해서 눈물이 나왔다.

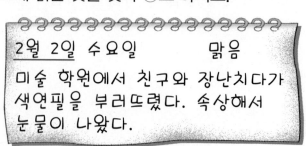

| 둘 월 둘 일 | 이 월 이 일 |
| (   ) | (   ) |

19

해설집 3쪽　문제 분석

풀, 가위, 자 중에서 그 수가 3인 것은 무엇입니까?

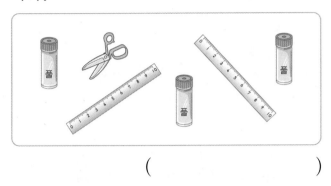

(　　　　　　　)

유형 4

4, 5 알아보기

개념 동영상

넷, 사　　　　　　　다섯, 오

20

☐ 안에 알맞은 말을 써넣으시오.

(1) 4는 넷 또는 ☐ 라고 읽습니다.

(2) 5는 ☐ 또는 오라고 읽습니다.

21

세어 보고 알맞은 수에 ○표 하시오.

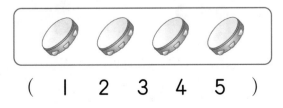

(　1　　2　　3　　4　　5　)

22

세어 보고 빈 곳에 알맞은 수를 써넣으시오.

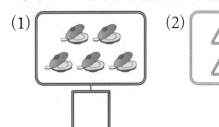

(1) ☐　　　　(2) ☐

23

노란색 부분을 맞힌 화살의 수를 세어 보고, 관계있는 것에 모두 ○표 하시오.

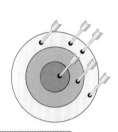

| 4 | 둘 | 셋 | 넷 | 삼 |

24 서술형

수를 잘못 읽은 학생의 이름을 쓰고, 바르게 고치시오.

| 4개 | 민서: 가위가 네 개 있습니다. |
| 5학년 | 영호: 형은 다섯 학년입니다. |

잘못 읽은 학생 (　　　　　　　)

_____

_____

9까지의 수

유형 5

6, 7 알아보기

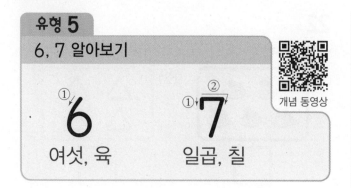

개념 동영상

여섯, 육   일곱, 칠

25

세어 보고 알맞은 수에 ○표 하시오.

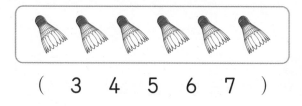

(3   4   5   6   7)

26

주어진 수만큼 색칠하시오.

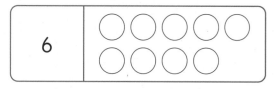

27

세어 보고 빈 곳에 알맞은 수를 써넣으시오.

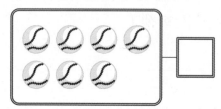

28

알맞은 것끼리 선으로 잇고, ☐ 안에 알맞은 수를 써넣으시오.

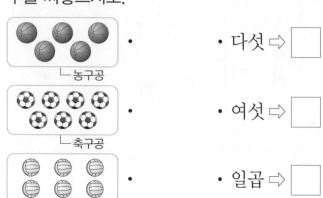

농구공

축구공

배구공

· 다섯 ⇨ ☐

· 여섯 ⇨ ☐

· 일곱 ⇨ ☐

29

펼친 손가락의 수를 세어 두 가지 방법으로 읽어 보시오.

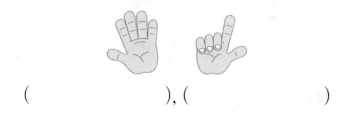

(   ), (   )

30

바둑돌의 수가 나머지와 <u>다른</u> 것을 찾아 기호를 쓰시오.

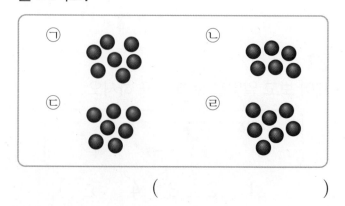

(   )

유형 6
8, 9 알아보기

개념 동영상

여덟, 팔   아홉, 구

31
꽃의 수를 세어 보고 알맞은 수에 ○표 하시오.

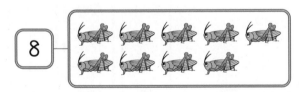

(5   6   7   8   9   )

32
주어진 수만큼 묶어 보시오.

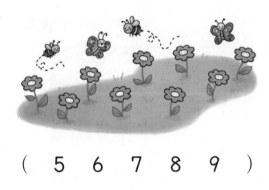

8

33
세어 보고 빈 곳에 알맞은 수를 써넣으시오.

34
그림의 수를 세어 빈 곳에 알맞은 수를 써넣고, 두 가지 방법으로 읽어 보시오.

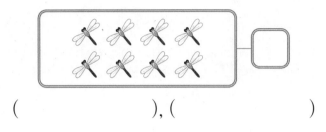

(   ), (   )

35 창의·융합
재석이가 오른쪽과 같이 수를 몸으로 표현했습니다. 재석이가 몸으로 표현한 수는 어떤 수입니까?

(   )

36 익힘책 유형 서술형
보기 와 같이 8로 나타낼 수 있는 물건을 사용하여 이야기를 만들어 보시오.

보기   화분은 8개입니다.

_____

_____

만화로 개념 쏙!

❸ 순서 알아보기

첫째 둘째 셋째 넷째 다섯째 여섯째 일곱째 여덟째 아홉째

예제 ❶ 다섯째 다음 순서는 (셋째 , 여섯째)입니다.

❹ 9까지 수의 순서 알아보기

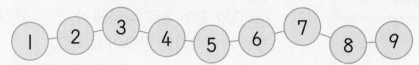

1 2 3 4 5 6 7 8 9

• 수를 순서대로 쓰기

1 - 2 - 3 - 4 - 5 - 6 - 7 - 8 - 9

• 순서를 거꾸로 하여 수를 쓰기

9 - 8 - 7 - 6 - 5 - 4 - 3 - 2 - 1

예제 ❷ 수를 순서대로 쓸 때 6 다음 수는 (7 , 8)입니다.

셀파 포인트

• 기준 넣어 순서 알아보기

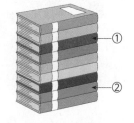

① 빨간색 책은 위에서 셋째
입니다.
└ 기준
② 초록색 책은 아래에서 둘
째입니다.
└ 기준

물건의 수를 셀 때	순서를 나타낼 때	순서를 수로 나타낼 때
하나	첫째	1
둘	둘째	2
셋	셋째	3
넷	넷째	4
다섯	다섯째	5
여섯	여섯째	6
일곱	일곱째	7
여덟	여덟째	8
아홉	아홉째	9

예제 정답

❶ 여섯째에 ○표 ❷ 7에 ○표

개념 확인 ③ 순서 알아보기

3-1 순서에 알맞게 선으로 이어 보시오.

다섯째   둘째   아홉째   여섯째

첫째

3-2 순서에 알맞게 선으로 이어 보시오.

아홉째   셋째   일곱째   여섯째

첫째

개념 확인 ④ 9까지 수의 순서 알아보기

4-1 수를 순서대로 썼으면 ○표, 순서대로 쓰지 않았으면 ×표 하시오.

| 3 | 4 | 5 | 8 | 6 | 7 | (   ) |

| 3 | 4 | 5 | 6 | 7 | 8 | (   ) |

4-2 수를 순서대로 쓰려고 합니다. □ 안에 알맞은 수를 써넣으시오.

(1)

| 1 | 2 | 3 | 4 | □ |

(2)

| 5 | 6 | □ | 8 | 9 |

2 STEP

유형 탐구 (2)

유형 7
순서 알아보기 (1)

비툴

첫째　둘째　셋째　넷째　다섯째

└─ '하나째'라고 읽으면 안 됩니다.

1 익힘책 유형

순서에 알맞게 이어 보시오.

첫째　셋째　둘째　다섯째　넷째

❖ 놀이공원 입장권을 사기 위해 친구들이 줄을 섰습니다. 물음에 답하시오. (2~3)

첫째

현욱　유리　정훈　민아　찬빈

2 교과서 유형

둘째에 서 있는 친구는 누구입니까?

(　　　　　　　　)

3 교과서 유형

민아는 몇째에 서 있습니까?

(　　　　　　　　)

4
진우는 앞에서 몇째로 달리고 있습니까?

영수　진태　진우　민호　은희

(　　　　　　　　　　　)

❖ 그림을 보고 물음에 답하시오.
(5~6)

5
노란색 모형은 아래에서 몇째입니까?

(　　　　　　　　　　　)

6 서술형
초록색 모형은 몇째인지 다음 말을 사용하여 2가지 문장을 완성하시오.

| 위에서　아래에서　둘째　넷째 |

초록색 모형은 ＿＿＿＿＿＿＿＿＿

＿＿＿＿＿＿＿＿＿＿＿＿＿＿＿

초록색 모형은 ＿＿＿＿＿＿＿＿＿

＿＿＿＿＿＿＿＿＿＿＿＿＿＿＿

❖ 마트에서 물건을 사고 계산하려고 합니다. 계산대의 줄이 다음과 같을 때 물음에 답하시오. (**7~8**)

첫째

7

1번 계산대에 서면 계산 순서는 몇째입니까?

(   )

8

2번 계산대에 서면 계산 순서는 몇째입니까?

(   )

9

왼쪽에서 넷째에 있는 수를 두 가지 방법으로 읽어 보시오.

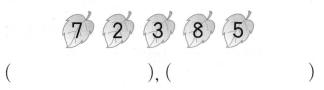

(   ), (   )

유형 8

순서 알아보기 (2)

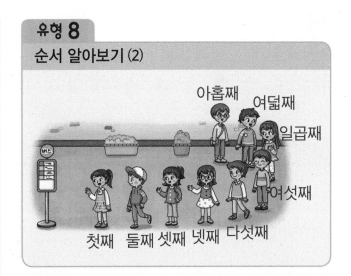

10

빈 곳에 알맞은 말을 써넣으시오.

첫째	둘째	셋째	넷째	다섯째

여섯째			아홉째

11

왼쪽에서 여섯째 깃발에 색칠해 보시오.

12

위에서부터 세었을 때 색칠한 칸의 순서를 찾아 ○표 하시오.

여섯째	일곱째
여덟째	아홉째

1. 9까지의 수 | **19**

13

순서에 맞게 □ 안에 알맞은 말을 써넣으시오.

첫째

17

□ 안에 알맞은 순서를 써넣으시오.

호랑이

호랑이는 왼쪽에서 [   ]입니다.

호랑이는 오른쪽에서 [   ]입니다.

❖ 다음을 보고 물음에 답하시오. (14~16)

연수 재석 지호 민정 정민 호준 철민 수진

14

왼쪽에서 일곱째는 누구입니까?

(   )

15

연수는 오른쪽에서 몇째입니까?

(   )

16

나는 왼쪽에서 여섯째에 서 있습니다. 내 이름은 무엇입니까?

(   )

❖ 원영이네 반 학생 9명이 한 줄로 서 있습니다. 물음에 답하시오. (18~19)

앞   뒤

18

원영이는 앞에서 일곱째입니다. 원영이보다 앞에 서 있는 학생은 몇 명입니까?

(   )

19

병우는 앞에서 넷째입니다. 병우보다 뒤에 서 있는 학생은 몇 명입니까?

(   )

유형 9
순서에 맞는 그림 색칠하기

┌─ 넷은 수를 나타내므로 그림 4개를 색칠합니다.

넷(사)	● ● ● ● ○
넷째	○ ○ ○ ● ○

└─ 넷째는 순서를 나타내므로 넷째에 있는 그림 1개에만 색칠합니다.

❖ 왼쪽에서부터 세었습니다. 알맞게 색칠하시오. (20~21)

20

여섯(육)	♡ ♡ ♡ ♡ ♡ ♡ ♡ ♡
여섯째	♡ ♡ ♡ ♡ ♡ ♡ ♡ ♡

21

여덟(팔)	☆ ☆ ☆ ☆ ☆ ☆ ☆ ☆ ☆
여덟째	☆ ☆ ☆ ☆ ☆ ☆ ☆ ☆ ☆

22
오른쪽에서부터 세었습니다. 둘째에 색칠한 사람은 누구입니까?

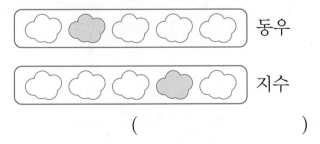

동우

지수

(　　　　　)

유형 10
9까지 수의 순서 알아보기

1부터 9까지의 수를 순서대로 쓰면
1-2-3-4-5-6-7-8-9

23 익힘책 유형
순서에 알맞게 수를 써 보시오.

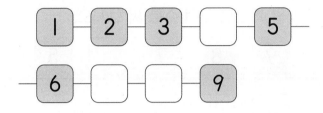

24
기차에 수를 순서대로 적었는데 몇 개는 지워져서 보이지 않습니다. 코끼리가 타고 있는 기차에는 어떤 수가 적혀 있었습니까?

└─코끼리

(　　　　　　　　)

25 익힘책 유형 창의·융합
은혁이네 교실 뒤에 있는 사물함입니다. 사물함의 번호를 수의 순서대로 써넣으시오.

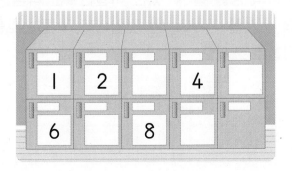

유형 11
순서를 거꾸로 하여 수 쓰기

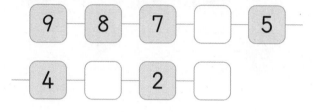

순서를 거꾸로 하여 1부터 9까지의 수를 쓰면

9 − 8 − 7 − 6 − 5 − 4 − 3 − 2 − 1

26
순서를 거꾸로 하여 수를 써 보시오.

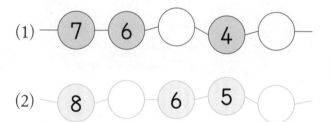

27 익힘책 유형
순서를 거꾸로 하여 빈 곳에 알맞은 수를 써 넣으시오.

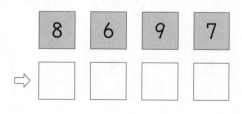

(1) — 7 — 6 — ◯ — 4 — ◯ —

(2) — 8 — ◯ — 6 — 5 — ◯ —

28
비밀의 방을 열 수 있는 비밀번호는 다음 수의 순서를 거꾸로 한 것입니다. 비밀번호를 차례로 쓰시오.

| 8 | 6 | 9 | 7 |

⇨ ☐ ☐ ☐ ☐

유형 12
수를 순서대로 이어 보기

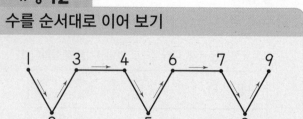

❖ 수를 순서대로 이어 보시오. (29~30)

29 교과서 유형

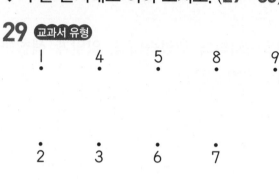

30 교과서 유형

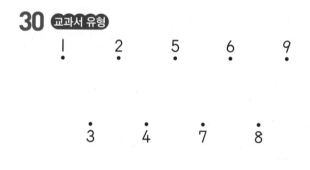

31 창의·융합
수를 순서대로 이어 그림을 완성하시오.

유형 13
생활에 사용된 수의 순서

비풀

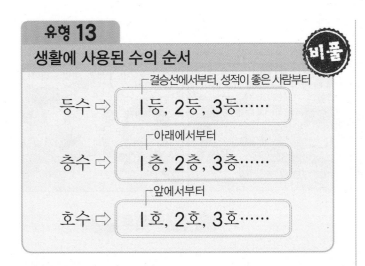

등수 ⇨ ┌결승선에서부터, 성적이 좋은 사람부터
1등, 2등, 3등……

층수 ⇨ ┌아래에서부터
1층, 2층, 3층……

호수 ⇨ ┌앞에서부터
1호, 2호, 3호……

32
알맞은 것끼리 선으로 이어 보시오.

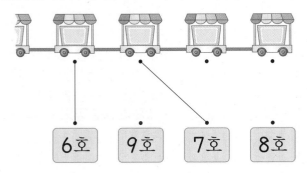

| 6호 | 9호 | 7호 | 8호 |

33 서술형
다연이와 같이 생활에 사용된 수의 순서를 사용하여 이야기를 만들어 보시오.

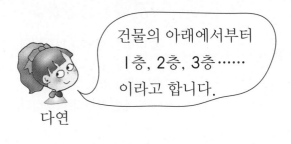

건물의 아래에서부터
1층, 2층, 3층……
이라고 합니다.

다연

_____

_____

_____

❖ 그림을 보고 물음에 답하시오. (34~35)

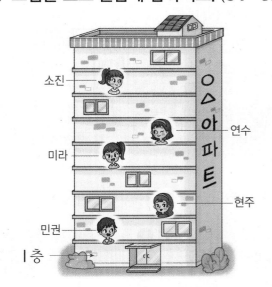

소진
연수
미라
현주
민권
1층

○△아파트

34
연수는 몇 층에 살고 있습니까?

(　　　　　　　)

35
8층에 살고 있는 어린이는 누구입니까?

(　　　　　　　)

36
해설집 6쪽　문제 분석

9명의 학생이 달리기를 하고 있습니다. 윤아의 앞에는 6명이 달리고 있습니다. 윤아는 몇 등으로 달리고 있습니까?

(　　　　　　　)

1

9까지의 수

만화로 개념 쏙!

❺ **l 큰 수, l 작은 수 알아보기**

3

3보다 l 큰 수는 4

8

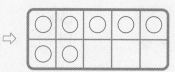

8보다 l 작은 수는 7

예제 ❶

4

4보다 l 작은 수는 (5 , 3)입니다.

❻ **0 알아보기**

2

l

0

① 0
영

아무것도 없는 것을 0이라 쓰고 영이라고 읽습니다.

예제 ❷ l 보다 l 작은 수는 (0 , l)입니다.

❼ **두 수의 크기 비교**

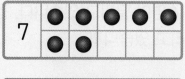

⟹ 7은 6보다 큽니다.
6은 7보다 작습니다.

셀파 포인트

• l 큰 수, l 작은 수

l—2—3—4—5—
6—7—8—9

① l 큰 수는 수를 순서대로 썼을 때 바로 뒤의 수입니다.
② l 작은 수는 수를 순서대로 썼을 때 바로 앞의 수입니다.

• 하나씩 짝지었을 때 남는 쪽이 큰 수이고, 모자라는 쪽이 작은 수입니다.

① 나비는 벌보다 많습니다.
⟹ 7은 6보다 큽니다.
② 벌은 나비보다 적습니다.
⟹ 6은 7보다 작습니다.

예제 **정답**

❶ 3에 ◯표 ❷ 0에 ◯표

1
9까지의 수

개념 확인 5 | 큰 수, | 작은 수 알아보기

5-1 빈 곳에 2보다 | 큰 수만큼 ◯를 그려 넣고 □ 안에 알맞은 수를 써넣으시오.

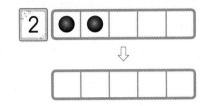

2보다 | 큰 수는 □입니다.

5-2 빈 곳에 5보다 | 작은 수만큼 ◯를 그려 넣고 □ 안에 알맞은 수를 써넣으시오.

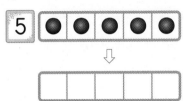

5보다 | 작은 수는 □입니다.

개념 확인 6 0 알아보기

6-1 0을 쓰는 방향이 바른 쪽에 ◯표 하시오.

(　　　) 0 (　　　)

6-2 0을 바르게 읽은 것에 ◯표 하시오.

(　　　) (　　　)

개념 확인 7 두 수의 크기 비교

7-1 그림을 보고 알맞은 말에 ◯표 하시오.

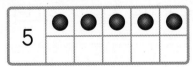

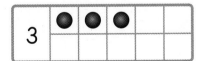

5는 3보다 (큽니다 , 작습니다).

7-2 그림을 보고 알맞은 말에 ◯표 하시오.

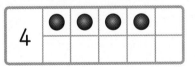

4는 7보다 (큽니다 , 작습니다).

유형 14
Ⅰ 큰 수 알아보기 [비법]

3 → 4 → 5 → 6 → 7 → 8
Ⅰ큰수 Ⅰ큰수 Ⅰ큰수 Ⅰ큰수 Ⅰ큰수

수를 순서대로 썼을 때

바로 뒤의 수가 Ⅰ 큰 수입니다.

❖ Ⅰ부터 9까지의 수를 순서대로 썼습니다.
   □ 안에 알맞은 수를 써넣으시오. (1~2)

Ⅰ 2 3 4 5 6 7 8 9

1 [익힘책 유형]
4보다 Ⅰ 큰 수는 □입니다.

2
7보다 Ⅰ 큰 수는 □이고, 8보다 Ⅰ 큰 수는

□입니다.

3
5보다 Ⅰ 큰 수를 나타내는 것에 ◯표 하시오.

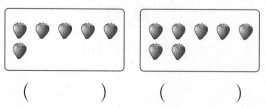

(　　　)　　　(　　　)

4 [서술형]
종국이는 5보다 Ⅰ 큰 수를 적었고 지효는 종
국이보다 Ⅰ 큰 수를 적었습니다. 지효가 적은
수는 무엇인지 풀이 과정을 쓰고 답을 구하시오.

[풀이]

[답]

유형 15
Ⅰ 작은 수 알아보기 [비법]

3 → 4 → 5 → 6 → 7 → 8
Ⅰ작은수 Ⅰ작은수 Ⅰ작은수 Ⅰ작은수 Ⅰ작은수

수를 순서대로 썼을 때

바로 앞의 수가 Ⅰ 작은 수입니다.

❖ Ⅰ부터 9까지의 수를 순서대로 썼습니다.
   □ 안에 알맞은 수를 써넣으시오. (5~6)

Ⅰ 2 3 4 5 6 7 8 9

5 [익힘책 유형]
6보다 Ⅰ 작은 수는 □입니다.

6
3보다 Ⅰ 작은 수는 □이고, 3보다 Ⅰ 큰 수

는 □입니다.

7 익힘책 유형

I 작은 수와 I 큰 수를 써넣으시오.

| I 작은 수 | | I 큰 수 |

8

다연이는 연필을 4자루 가지고 있고, 현수는 다연이보다 I자루 적게 가지고 있습니다. 현수는 연필을 몇 자루 가지고 있습니까?

(　　　　　　　　)

9 창의·융합　해설집 7쪽 | 문제 분석

다음을 보고 소희네 가족은 몇 명인지 구하시오.

(　　　　　　　　)

유형 16

0 알아보기

개념 동영상

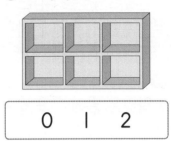

10

책꽂이에 꽂혀 있는 책의 수를 세어 보고, 알맞은 수에 ○표 하시오.

```
0   I   2
```

11

다음 중 0을 나타내는 것을 찾아 기호를 쓰시오.

> ㉠ 교실에 학생이 한 명도 없습니다.
> ㉡ 금붕어를 한 마리 사 왔습니다.

(　　　　　　　　)

12

I 작은 수와 I 큰 수를 써넣으시오.

| I 작은 수 | | I 큰 수 |

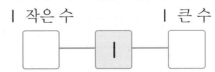

유형 17

수의 크기 비교 – 그림으로 알아보기 비품

물건의 수를 비교하는 말	수의 크기를 비교하는 말
많습니다, 적습니다	큽니다, 작습니다

하나씩 짝지었을 때,

남는 쪽의 수 ⇨ 더 큰 수

모자란 쪽의 수 ⇨ 더 작은 수

13 교과서 유형

그림을 보고 알맞은 말에 ○표 하시오.

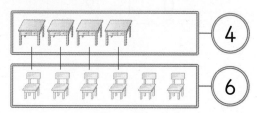

④
⑥

(1) 책상은 의자보다 (많습니다 , 적습니다).

　4는 6보다 (큽니다 , 작습니다).

(2) 의자는 책상보다 (많습니다 , 적습니다).

　6은 4보다 (큽니다 , 작습니다).

14 익힘책 유형

수만큼 ○를 그리고, 알맞은 말에 ○표 하시오.

5

8

　5는 8보다 (큽니다 , 작습니다).

　8은 5보다 (큽니다 , 작습니다).

15

수만큼 ○를 그리고, 더 작은 수에 △표 하시오.

9	
6	

유형 18

수의 크기 비교 – 순서로 알아보기 비품

$$\underleftarrow{\underset{\text{작은 수}}{1\ 2\ 3}}\ 4\ 5\ 6\ \underrightarrow{\underset{\text{큰 수}}{7\ 8\ 9}}$$

수를 순서대로 썼을 때,

앞에 있을수록 ⇨ 더 작은 수

뒤에 있을수록 ⇨ 더 큰 수

16 교과서 유형

알맞은 수를 찾아 선으로 잇고, 알맞은 말에 ○표 하시오.

1　2　3　4　5　6　7　8　9

8은 3보다 (큽니다 , 작습니다).

3은 8보다 (큽니다 , 작습니다).

17 익힘책 유형

더 큰 수에 ○표 하시오.

(1) | 4 | 7 |
|---|---|

(2) | 9 | 5 |
|---|---|

18

가장 큰 수에 ○표, 가장 작은 수에 △표 하시오.

(1)
| 8 | 5 | 6 |

(2)
| 4 | 9 | 2 |

19 창의·융합

여학생 5명과 남학생 4명이 모여 앉아 자기 소개를 하고 있습니다. 여학생이 더 많습니까, 남학생이 더 많습니까?

(   )

20

동물원에 사자 6마리, 코끼리 3마리, 기린 7마리가 있습니다. 가장 많은 동물은 무엇입니까?

(   )

21

다음 중 6보다 작은 수를 모두 찾아 쓰시오.

② ④ ⑨ ⑦ ⓪

(   )

22

다음 대화를 읽고 공책을 더 많이 산 사람을 쓰시오.

미진: 나는 공책을 3권 샀어.
주성: 나는 공책을 7권보다 한 권 더 적게 샀어.

(   )

23 서술형

0부터 9까지의 수 중에서 ☐ 안에 들어갈 수 있는 수는 모두 몇 개인지 풀이 과정을 쓰고 답을 구하시오.

☐ 은/는 6보다 큰 수입니다.

[풀이]

[답]

(1~2) 다음과 같은 규칙으로 1부터 9까지의 수를 순서대로 이어 보시오.

규칙

위, 아래, 왼쪽, 오른쪽 칸으로만 이동할 수 있습니다.

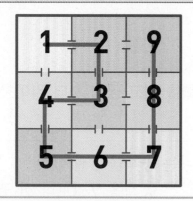

1

1	6	7
2	5	8
3	4	9

2

3	4	5
2	1	6
9	8	7

(3~4) 공연장에 있는 상엽이와 수지의 자리를 보고 물음에 답하시오.

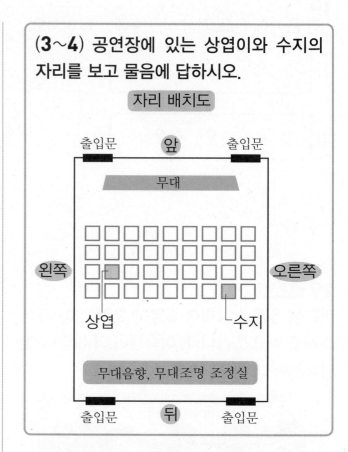

3 상엽이의 자리에서 오른쪽으로 5칸, 앞으로 2칸 가면 주희의 자리입니다. 주희의 자리를 찾아 색칠하시오.

4 □ 안에 알맞은 수를 써넣으시오.
수지의 자리는 상엽이의 자리에서 오른쪽으로 6칸, 뒤로 □칸 간 곳입니다.

(5~6) 성냥개비로 0부터 9까지의 수를 만들었습니다. 물음에 답하시오.

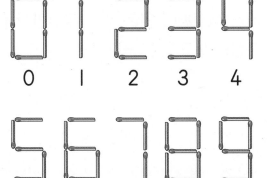

0   1   2   3   4

5   6   7   8   9

5 성냥개비로 만든 수 5에 성냥개비 1개를 더 놓아서 다른 수를 만들어 보시오.

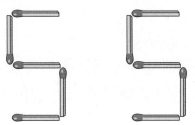

6 성냥개비로 만든 수 8에서 성냥개비 1개를 빼어 다른 수를 만들어 보시오.

(빼는 성냥개비에 ×표 하시오.)

(7~8) 가로, 세로, 4칸짜리 네모 모양 안에 1부터 4까지의 수가 각각 한 번씩만 들어가게 하려고 합니다. 규칙에 맞게 수를 써넣으시오.

세로

3	4
2	1

4칸짜리 네모 모양

3	4	2	1
2	1	4	3
4	3	1	2
1	2	3	4

1
3
2
4

가로

1	2	3	4

7

3	1	2	4
4	2		1
2	4		3
1		4	

8

2	4	3	
3	1	4	2
1		2	4
	2	1	

5까지의 수 알아보기

1 주어진 수만큼 묶어 보고, 오른쪽 빈 곳에
또 문제 묶지 않은 것의 수를 쓰시오.

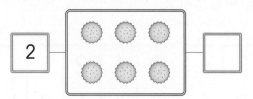

9까지의 수 알아보기 창의·융합

2 다음 동화 제목에 들어간 수를 보고 가장
또 문제 작은 수가 들어 있는 것에 ○표 하시오.

아기돼지 삼 형제 ……………… (　　　)

늑대와 일곱 마리 아기 염소 … (　　　)

좁쌀 한 톨로 장가간 총각 …… (　　　)

1 작은 수 알아보기 해설집 9쪽 문제 분석

3 수연이는 초콜릿을 2개 사서 1개를 동
또 문제 생에게 주고, 1개를 먹었습니다. 수연이
에게 남은 초콜릿은 몇 개입니까?
(　　　)

9까지 수의 순서 알아보기 서술형

4 3부터 9까지의 수를 순서대로 쓸 때, 앞
또 문제 에서 여섯째에 있는 수는 무엇인지 풀이
동영상 과정을 쓰고 답을 구하시오.

[풀이]

_____

_____

_____

[답]

순서 알아보기

5 왼쪽에서부터 세었을 때와 오른쪽에서부
또 문제 터 세었을 때의 순서가 같은 수는 무엇입
니까?

| 1 | 7 | 2 | 4 | 9 | 8 | 3 | 5 | 6 |

(　　　)

수의 크기 비교하기

6 0부터 9까지의 수 중에서 다음을 모두
또 문제 만족하는 수는 몇 개입니까?
동영상

• 8보다 작은 수입니다.
• 2보다 큰 수입니다.
• 0보다 크고 7보다 작은 수입니다.

(　　　)

또 문제 표시된 문제의 쌍둥이 문제가 제공됩니다.
동영상 표시된 문제의 동영상 특강을 볼 수 있어요.
QR 코드를 찍어 보세요.

▶ 정답은 9쪽에   공부한 날   월   일

1
9까지의 수

순서 알아보기

7 은희네 모둠 친구들이 한 줄로 서 있습니다. 은희는 앞에서 셋째, 뒤에서 넷째입니다. 은희네 모둠은 모두 몇 명입니까?

또 문제
동영상

(   )

수의 크기 비교하기   해설집 10쪽 문제 분석

8 1부터 9까지의 수 중에서 □ 안에 공통으로 들어갈 수 있는 수를 쓰시오.

또 문제
동영상

> • □은/는 5보다 큽니다.
> • 7은 □보다 큽니다.

(   )

순서 알아보기   해설집 10쪽 문제 분석

9 지민이네 반 학생들이 단원 평가를 보았습니다. 지민이의 성적을 남학생들과 비교하면 3등이고, 여학생들과 비교하면 6등입니다. 지민이는 반 전체에서 몇 등을 했습니까?

또 문제
동영상

(   )

1 작은 수 알아보기   서술형

10 세 명의 친구들이 가위바위보를 하여 다음과 같이 냈습니다. 펼친 손가락의 수는 펼치지 않은 손가락의 수보다 몇 작은 수인지 풀이 과정을 쓰고 답을 구하시오.

또 문제
동영상

[풀이]

[답]

9까지의 수 알아보기

11 해주와 지환이는 가위바위보를 해서 이기면 앞으로 3칸, 지면 뒤로 1칸 움직이기로 했습니다. 다음과 같이 가위바위보를 5번 했을 때, 해주와 지환이가 각각 도착한 칸에 쓰여 있는 수를 쓰시오. (단, 출발점에서 지면 움직이지 않습니다.)

또 문제

순서	첫째	둘째	셋째	넷째	다섯째
해주	가위	가위	바위	보	가위
지환	보	바위	보	바위	보

출발 2 6 4 8 5 1 7 3 도착

해주 (   )
지환 (   )

1 수를 바르게 센 것을 찾아 ○표 하시오.

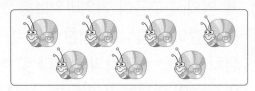

(여섯   일곱   여덟   아홉)

창의·융합

2 호랑이의 말에서 밑줄 친 말이 나타내는 수를 쓰시오.

어흥!! 떡 하나 주면 안잡아 먹지~!

(   )

3 수영장에 있는 사람의 수를 세어 두 가지 방법으로 읽어 보시오.

(   ), (   )

서술형

4 조각의 수를 잘못 세었습니다. 바르게 고치시오.

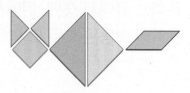

조각의 수는 **9**개입니다.

_____

_____

5 소연이는 앞에서 몇째로 달리고 있습니까?

(   )

6 왼쪽에서부터 세었습니다. 알맞게 색칠하시오.

일곱(칠)	◯◯◯◯◯◯◯◯◯◯
일곱째	◯◯◯◯◯◯◯◯◯◯

7 순서에 알맞게 수를 써 보시오.

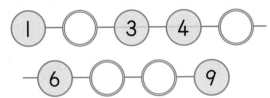

8 그림의 수보다 1 작은 수와 1 큰 수를 써 넣으시오.

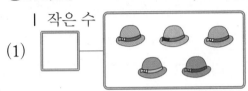

(1) 1 작은 수

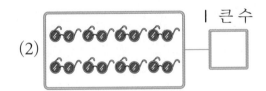

(2) 1 큰 수

9 다음 물음에 답하시오.

(1) 더 큰 수에 ◯표 하시오.

| 4 | 6 |

(2) 더 작은 수에 △표 하시오.

| 8 | 9 |

10 6을 바르게 설명한 것은 어느 것입니까? ……………………(　)

① 4 바로 앞의 수입니다.
② 4 바로 뒤의 수입니다.
③ 7보다 1 큰 수입니다.
④ 7보다 1 작은 수입니다.
⑤ 8보다 1 큰 수입니다.

서술형
11 보기와 같이 주어진 수를 넣어 이야기를 만들어 보시오.

보기
⑥ 나는 머리핀을 6개 가지고 있습니다.

⑨ ＿＿＿＿＿＿＿＿＿＿＿＿

12 가장 큰 수에 ◯표, 가장 작은 수에 △표 하시오.

| 7 | 9 | 4 | 3 | 6 |

13 나뭇가지에 나뭇잎 1장이 달려 있었습니다. 바람이 불자 이 나뭇잎이 떨어졌습니다. 나뭇가지에 남은 나뭇잎은 몇 장입니까?

(　　　　　　　)

1
9
까
지
의
수

창의·융합

14 바이올린의 줄은 4개이고 거문고의 줄은 6개입니다. 어느 악기의 줄이 더 많습니까?

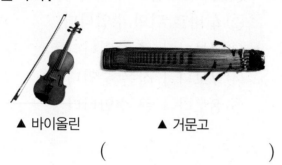

▲ 바이올린   ▲ 거문고

(   )

15 나머지 두 사람과 다른 수를 말하고 있는 사람은 누구입니까?

> 용미: 5 바로 뒤의 수야.
> 동수: 4보다 l 큰 수야.
> 미란: 7보다 l 작은 수야.

(   )

서술형

16 보기와 같이 주어진 그림을 보고 알맞은 수를 사용하여 이야기를 만들어 보시오.

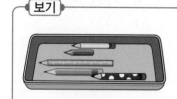

보기

필통에 연필 5자루가 들어 있습니다.

_____

_____

17 2 부터 9 까지의 숫자 카드 중 한 장을 뽑아 더 큰 수가 나오면 이기는 놀이를 합니다. 경진이가 6 을 뽑았을 때, 경진이를 이기려면 어떤 수가 적힌 숫자 카드를 뽑아야 하는지 모두 쓰시오.

2 3 4 5 6 7 8 9

(   )

18 3보다 크고 8보다 작은 수는 모두 몇 개입니까?

(   )

19 동물 친구들이 달리기 시합을 하였습니다. 토끼는 앞에서 다섯째로 달리고 있습니다. 토끼 앞에는 몇 마리가 달리고 있습니까?

(   )

20 l부터 9까지의 수를 큰 수부터 차례로 늘어놓았습니다. 큰 쪽에서부터 일곱째 수는 무엇입니까?

(   )

단원평가 1. 9까지의 수 ❷회

1 주어진 수만큼 묶어 보시오.

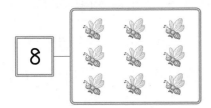

8

❖ 그림을 보고 물음에 답하시오. (2~3)

2 문어( )와 가오리( )의 수를 세어 □ 안에 알맞은 수를 써넣으시오.

3 소라( )보다 많은 것을 찾아 ○표 하시오.

(   ) (   ) (   )

4 쌓기나무를 5개 쌓았습니다. 위에서 둘째에 있는 쌓기나무에 색칠하시오.

5 1 작은 수와 1 큰 수를 써넣으시오.

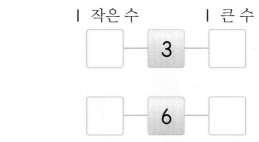

1 작은 수   1 큰 수

3

6

6 1부터 9까지의 수를 순서대로 이어 그림을 완성하시오.

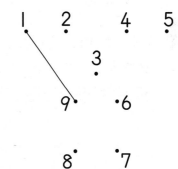

창의·융합

7 다음은 '잘잘잘' 노래의 일부분입니다. 다음에서 '잘'이라는 글자가 몇 번 나옵니까?

하 나 하면 할 머 니 가 지팡이를 짚는다고 잘잘잘

둘   하면 두부 장수 두부를 판 다고 잘잘잘

(   )

8 강아지는 여우보다 몇 층 위에 살고 있습니까?

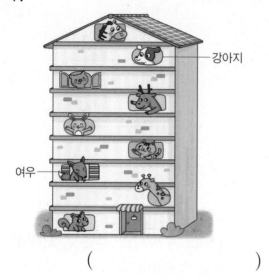

강아지

여우

(   )

9 6보다 큰 수가 쓰여 있는 컵은 모두 몇 개입니까?

(   )

10 대추 씨앗과 배 씨앗이 있습니다. 어느 씨앗의 수가 더 많습니까?

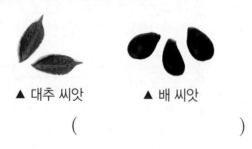

▲ 대추 씨앗   ▲ 배 씨앗

(   )

11 수 4에 대해 설명하고 있습니다. □ 안에 알맞은 수를 써넣으시오.

> 선생님: 4에 대해 설명해 보세요.
>
> 은주: 4는 □보다 1 큰 수예요.
>
> 종원: 4는 □보다 1 작은 수예요.

12 신발 4켤레가 있습니다. 이 신발을 한 상자에 한 켤레씩 모두 담았더니 상자가 1개 남았습니다. 상자는 몇 개 있었습니까?

한 켤레   (   )

서술형

13 미선이가 설명한 수를 다른 방법으로 설명하시오.

5보다 1 큰 수야.

미선

_____

_____

14 가장 큰 수가 쓰인 숫자 카드는 왼쪽에서 몇째에 있습니까?

| 3 | 0 | 4 | 2 | 6 | 1 | 5 |

（　　　　　　）

서술형
15 홍미는 빵 4개를 사서 1개를 먹고, 1개를 친구에게 주었습니다. 홍미에게 남은 빵은 몇 개인지 풀이 과정을 쓰고 답을 구하시오.

[풀이]

_____

_____

[답]

16 해영이는 8살입니다. 해영이의 나이만큼 초를 사용하면 남는 초는 몇 개입니까?

（　　　　　　）

17 9명의 학생이 한 줄로 서 있습니다. 우진이는 앞에서 넷째에 서 있습니다. 우진이의 뒤에는 몇 명이 서 있습니까?

（　　　　　　）

❖ **윤아와 호동이의 대화를 읽고 물음에 답하시오. (18~20)**

서술형
18 호동이가 대답하는 규칙을 써 보시오.

_____

_____

19 윤아가 4라고 말하면 호동이는 어떤 수를 대답하겠습니까?

（　　　　　　）

20 호동이가 9라고 대답했다면 윤아는 어떤 수를 말한 것입니까?

（　　　　　　）

1단원이 끝났습니다. QR코드를 찍으면 재미있는 게임을 할 수 있어요.

1
9까지의 수

2 여러 가지 모양

QR을 찍어 보세요.
재미있는 학습 게임을
할 수 있어요.

학습 게임

제2화 알몸으로 거리를 누비는 아르키메데스!!

고장난 부분은 다 고쳤니?

응. 이제 출발할 수 있어.

잠시 후

드디어 도착!!

척

내가 좋아하는 공룡을 만날 수 있는 거야?

근데 여긴…?

유레카!! 유레카!!

후다닥

응?

꺄아악~ 변태다!

유레카 유레카

헉~ 알몸으로 거리를 뛰어 다니다니!!

으악!!

픽

헉!

으~ 누가 구멍을 파놨냐!!

위험하니까 구멍을 메워야겠어.

저기 목공소에 있는 재료를 살펴보자.

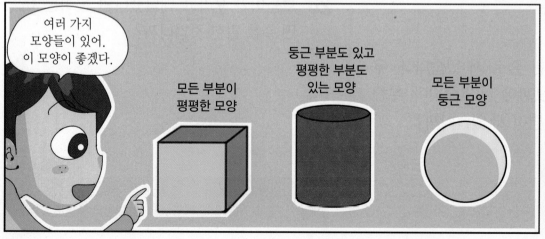

여러 가지 모양들이 있어. 이 모양이 좋겠다.

모든 부분이 평평한 모양

둥근 부분도 있고 평평한 부분도 있는 모양

모든 부분이 둥근 모양

쿵

딱 맞네.

1 STEP

 **핵심 개념** (1)

❶ 여러 가지 모양 찾아보기

 ⇨

 ⇨

 ⇨

예제 ❶ 모양은 (, , ⬤)입니다.

❷ 여러 가지 모양 알아보기

보이는 모양	전체 모양	특징
		모든 부분이 평평합니다.
		둥근 부분도 있고 평평한 부분도 있습니다.
		모든 부분이 둥급니다.

예제 ❷ 에 그려진 모양은 (, ,)입니다.

셀파 포인트

· **모양의 이름 정하기**

학생 스스로 모양의 이름을 정할 수도 있고, 모둠이나 반에서 의견을 모아 모양에 맞는 이름을 정할 수도 있습니다.

예 🔲 모양 ⇨ 상자 모양

🔲 모양 ⇨ 둥근기둥 모양

⬤ 모양 ⇨ 공 모양

· 🔲, 🔲, ⬤ 모양 쌓아 보고 굴려 보기

🔲 : 잘 쌓을 수 있습니다.

🔲 : 세우면 잘 쌓을 수 있습니다.

⬤ : 잘 굴러갑니다.

🔲 : 눕히면 잘 굴러갑니다.

예제 정답

❶ 🎲 에 ○표

❷ 🔲 에 ○표

개념 확인 ❶　여러 가지 모양 찾아보기

❖ 천재 문구점입니다. 물음에 답하시오. (1-1～1-2)

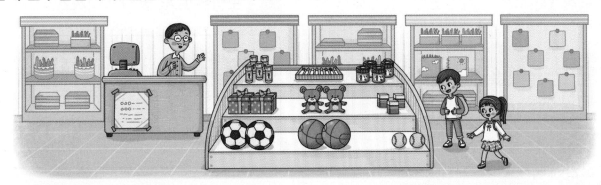

1-1 왼쪽과 모양이 같은 물건에 ○표 하시오.

(1) 　　

(2) 　　

1-2 왼쪽과 모양이 같은 물건에 ○표 하시오.

(1) 　　

(2) 　　

2
여러 가지 모양

개념 확인 ❷　여러 가지 모양 알아보기

2-1 어떤 모양의 일부분입니다. 알맞은 모양을 찾아 ○표 하시오.

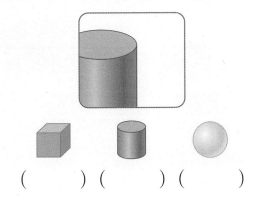

(　　　) (　　　) (　　　)

2-2 물건이 가려져서 일부분만 보입니다. 어떤 모양인지 찾아 ○표 하시오.

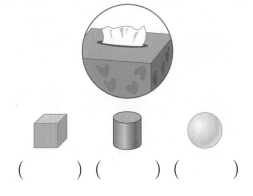

(　　　) (　　　) (　　　)

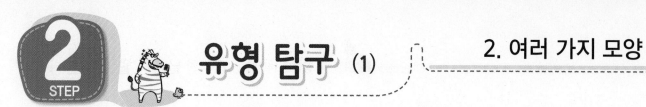

유형 1

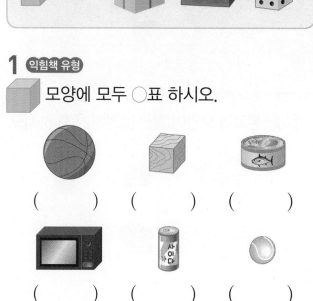

1 익힘책 유형

모양에 모두 ◯표 하시오.

( )　( )　( )

( )　( )　( )

2

다음 중 　모양이 <u>아닌</u> 것은 어느 것입니까? ……………………………… ( )

① ② ③ ④ ⑤

3

모양은 모두 몇 개입니까?

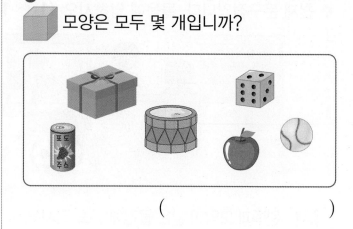

( )

유형 2

4 창의·융합

준현이의 책상 위에 여러 가지 물건들이 있습니다. 　모양을 모두 찾아 ◯표 하시오.

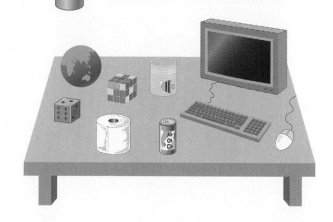

5

다음 중 모양은 어느 것입니까? (　　　)

① 　② 　③

④ 　⑤

6

 모양은 모두 몇 개입니까?

(　　　　　　　　　)

7 서술형

다음 물건이 모양이 아닌 이유를 쓰시오.

_____

_____

_____

유형 3

 모양 찾아보기

 모양 ⇨

8

 모양에 ◯표 하시오.

(　　　)　（　　　)　（　　　)

9

 모양이 <u>아닌</u> 것에 ✕표 하시오.

(　　　)　（　　　)　（　　　)

10

 모양에 모두 ◯표 하시오.

(　　　)　（　　　)　（　　　)

유형 4

□ 모양, ⬭ 모양, ○ 모양 찾아보기

11 익힘책 유형

왼쪽과 같은 모양에 ○표 하시오.

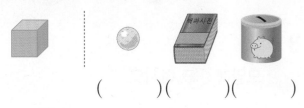

(   )(   )(   )

❖ 그림을 보고 물음에 답하시오. (12~14)

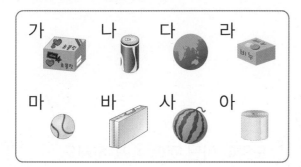

12

□ 모양을 모두 찾아보시오.

(   )

13

⬭ 모양을 모두 찾아보시오.

(   )

14

○ 모양을 모두 찾아보시오.

(   )

15

□, ⬭, ○ 모양의 수를 각각 세어 보시오.

□ ☐개   ⬭ ☐개   ○ ☐개

유형 5
여러 가지 모양 알아보기

16

다음은 모두 어떤 모양인지 찾아 ○표 하시오.

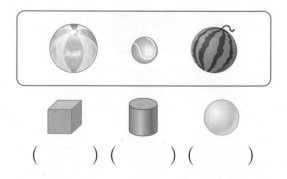

(   ) (   ) (   )

17
케이크와 같은 모양에 ○표 하시오.

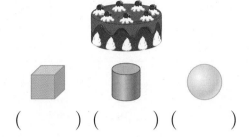

(　　) (　　) (　　)

18
같은 모양을 찾아 선으로 이어 보시오.

19
모양이 나머지와 <u>다른</u> 하나에 ×표 하시오.

(　　) (　　) (　　) (　　)

20 창의·융합
다음 사진에서 찾을 수 있는 모양에 모두 ○표 하시오.

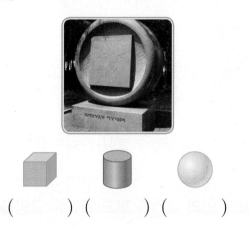

(　　) (　　) (　　)

21 서술형
다음 물건을 같은 모양끼리 모았습니다. 어떤 모양이 가장 적은지 풀이 과정을 쓰고 답을 구하시오.

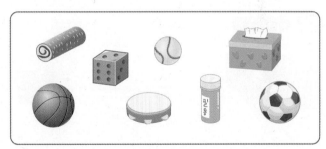

[풀이]

_____

_____

_____

[답] _____

유형 6
일부분을 보고 모양 알아보기

 ⇨ 뾰족한 부분, 평평한 부분이 있습니다.

 ⇨ 평평한 부분, 둥근 부분이 있습니다.

 ⇨ 모든 부분이 둥급니다.

 개념 동영상

❖ 상자 안의 물건을 보고 알맞은 모양을 찾아 선으로 이어 보시오. **(22~24)**

22 교과서 유형

 • •

23 교과서 유형

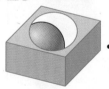 • •

24 교과서 유형

 • •

25
오른쪽과 같은 모양을 찾아 기호를 쓰시오.

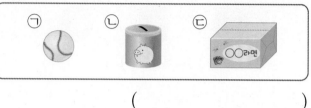

( )

26
오른쪽 상자 안의 물건과 같은 모양의 물건을 모았습니다. 잘못 모은 물건을 찾아 ×표 하시오.

( ) ( ) ( )

27
오른쪽 모양의 물건 3가지를 주변에서 찾아 쓰시오.

( )

❖ 다음 두 사진은 같은 사진의 일부분입니다. 물음에 답하시오. (28~30)

28

위의 사진에서 공통으로 찾을 수 있는 모양에 ◯표 하시오.

(　　) (　　) (　　)

29 서술형

위의 28과 같이 답한 이유를 쓰시오.

_____

_____

30

위의 28에서 찾은 모양의 물건 3가지를 주변에서 찾아 쓰시오.

(　　　　　　　　　　　　)

유형 7
설명을 듣고 모양 알아보기

개념 동영상

① 모두 평평한 부분으로 이루어져 있습니다.
② 뾰족한 부분이 있습니다.

① 위와 밑은 평평합니다.
② 옆은 둥글고 기둥처럼 보입니다.

① 전체가 둥근 모양입니다.
② 뾰족하거나 평평한 부분이 없습니다.

❖ 도현이는 , ,  모양의 물건이 들어 있는 상자 안에 손을 넣어 물건을 만져 보고 설명하였습니다. 알맞은 모양을 찾아 선으로 이어 보시오. (31~33)

31

뾰족한 부분이 있어. 　·　·　

32

평평한 부분도 있고 둥근 부분도 있어. 　·　·　

33

모든 부분이 둥글어. 　·　·　

2
여러 가지 모양

34

다음은 모양 중 어떤 모양에 대한 설명입니까?

> • 평평한 부분이 있습니다.
> • 뾰족한 부분이 없습니다.

( )

35

상자 안에 손을 넣어 만진 물건에 대하여 말한 것입니다. 이 물건은 , , 모양 중 어떤 모양입니까?

> "어느 부분을 만져도 둥글어."
> "평평한 부분이 없어."

( )

36

다음에서 설명하는 모양과 같은 모양을 찾아 ○표 하시오.

> • 평평한 부분이 있습니다.
> • 뾰족한 부분이 있습니다.

( ) ( ) ( )

37 익힘책 유형

다음 설명에 알맞은 모양의 물건 **3**가지를 주변에서 찾아 쓰시오.

> 평평한 부분도 있고 둥근 부분도 있습니다.

( )

유형 8

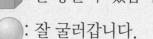 을 쌓아 보고 굴려 보기

개념 동영상

: 잘 쌓을 수 있습니다.

: 잘 굴러갑니다.

: 세우면 잘 쌓을 수 있고 눕히면 잘 굴러갑니다.

38

 모양은 세우기와 눕히기 중 어떻게 해야 잘 굴러갑니까?

세우기 눕히기

( )

39

쌓을 수 있는 물건을 모두 찾아 ○표 하시오.

( ) ( ) ( )

40

다음 중 굴리면 잘 굴러가지 <u>않는</u> 물건을 모두 찾아보시오.

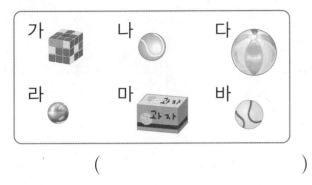

( )

41 서술형

위의 **40**에서 찾은 물건은 왜 잘 굴러가지 않는지 이유를 쓰시오.

_____

_____

42

해설집 16쪽 문제 분석

동훈이가 설명하는 모양을 그려 보시오.

이 모양은 세우면 정리가 잘 되지만 눕히면 굴러가서 정리하기가 힘들어.

동훈

43 교과서 유형

다음은  모양 중 어떤 모양에 대한 설명입니까?

- 모든 부분이 평평합니다.
- 어느 쪽을 바닥에 놓고 굴려도 잘 굴러가지 않습니다.

( )

44 창의·융합 서술형

자동차 바퀴가 ▨ 모양으로 바뀐다면 어떻게 될지 써 보시오.

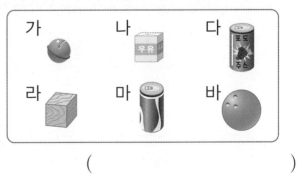

_____

_____

45

굴리면 잘 굴러가면서 평평한 부분이 <u>없는</u> 물건을 모두 찾아보시오.

가 나 다
라 마 바

( )

2

여러 가지 모양

2. 여러 가지 모양 | **51**

만화로 개념 쏙!

❸ 여러 가지 모양 만들기

• 한 가지 모양으로 만들기

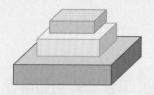 

▢ 모양: **3**개   ● 모양: **4**개

• 여러 가지 모양으로 만들기

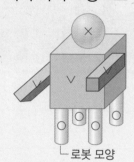
└ 로봇 모양

 모양 (∨표시): **3**개

 모양 (○표시): **4**개

 모양 (✕표시): **1**개

예제 ❶ 위의 로봇 모양을 만드는 데 가장 적게 사용한 모양은

(, ,)입니다.

❹ 주어진 모양을 사용하여 모양 만들기

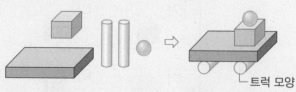
└ 트럭 모양

예제 ❷ 위의 트럭 모양을 만드는 데 모양을 (1개 , 2개)
사용하였습니다.

셀파 포인트

• ▢, ▧, ● 모양을 사용하여 여러 가지 모양을 만들 수 있습니다.

• ▢, ▧, ● 모양의 수를 셀 때에는 모양별로 ∨, ○, ✕와 같이 표시하면서 세어 봅니다.

예제 정답

❶ ● 에 ○표

❷ 2개에 ○표

개념 확인 3 여러 가지 모양 만들기

3-1 다음 모양을 만드는 데 사용한 모양을 찾아 ◯표 하시오.

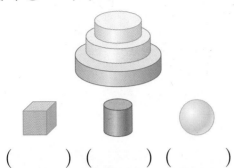

(   ) (   ) (   )

3-2 모양만 사용하여 다음 모양을 만들었습니다. 모양 몇 개를 사용했습니까?

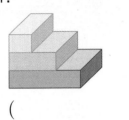

(   )

3-3 모양을 모두 찾아 ◯표 하시오.

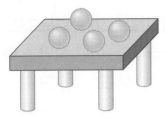

3-4 모양을 몇 개 사용했습니까?

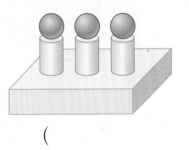

(   )

개념 확인 4 주어진 모양을 사용하여 모양 만들기

4-1 오른쪽 모양을 모두 사용하여 만들 수 있는 모양을 찾아 ◯표 하시오.

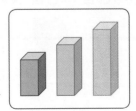

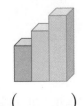　　

(   )   (   )

4-2 왼쪽 모양을 모두 사용하여 만들 수 있는 모양을 찾아 선으로 이어 보시오.

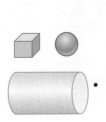

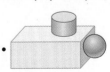

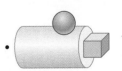

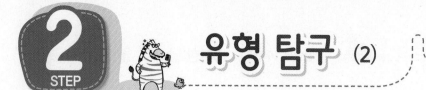

유형 9
한 가지 모양으로 만들기

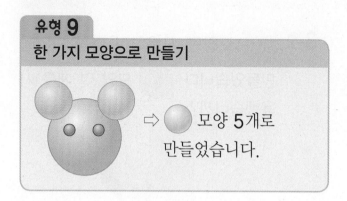

⇨ ◯ 모양 5개로 만들었습니다.

1

한 가지 모양으로만 만든 것입니다. 어떤 모양을 사용하여 만든 것인지 찾아 ◯표 하시오.

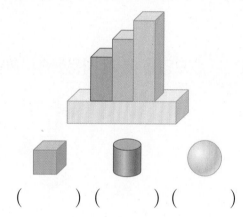

(   ) (   ) (   )

2

 모양을 몇 개 사용하여 만들었습니까?

(   )

3

한 가지 모양으로만 만든 것을 찾아 ◯표 하시오.

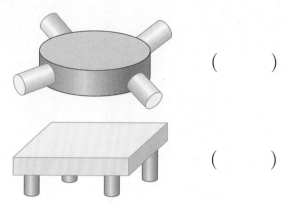

(   )

(   )

❖ 모양이 같은 재활용품으로 다음과 같이 만들었습니다. 어떤 모양을 몇 개 사용하였는지 알아보시오. (4~5)

4

사용한 모양을 찾아 ◯표 하시오.

(   ) (   ) (   )

5 창의·융합

위의 **4**에서 찾은 모양을 몇 개 사용했습니까?

(   )

유형 10
여러 가지 모양으로 만들기

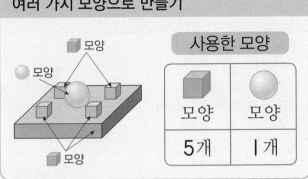

사용한 모양	
모양	모양
5개	1개

6
다음 모양을 만드는 데 사용한 모양을 모두 찾아 ○표 하시오.

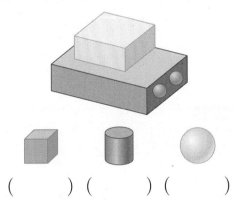

(   ) (   ) (   )

7
해설집 17쪽 | 문제 분석

다음 모양을 만드는 데 사용하지 <u>않은</u> 모양을 찾아 ×표 하시오.

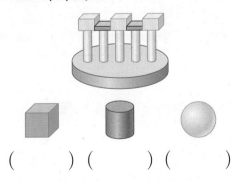

(   ) (   ) (   )

❖ 다음 모양을 만드는 데 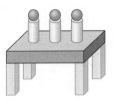, , 모양을 각각 몇 개 사용했는지 알아보시오. **(8~10)**

8
모양을 몇 개 사용했습니까?

(   )

9
모양을 몇 개 사용했습니까?

(   )

10
모양을 몇 개 사용했습니까?

(   )

11 서술형
가에도 사용하고 나에도 사용한 모양은 무엇인지 풀이 과정을 쓰고 답을 구하시오.

가 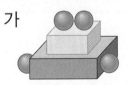   나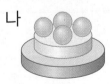

[풀이]

_____

_____

[답]

12 서술형

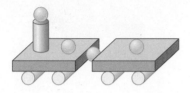 , , 모양을 사용하여 다음 모양을 만들었습니다. 가장 많이 사용한 모양은 무엇인지 풀이 과정을 쓰고 답을 구하시오.

[풀이]

_____

_____

[답]

유형 11

주어진 모양을 사용하여 모양 만들기

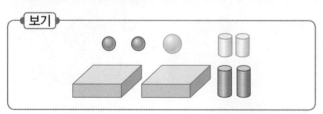

13 익힘책 유형

보기 의 모양을 모두 사용하여 만들 수 있는 모양에 ◯표 하시오.

보기

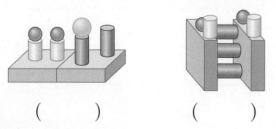

(   )   (   )

14

주어진 모양을 모두 사용하여 만들 수 있는 모양을 찾아 선으로 이어 보시오.

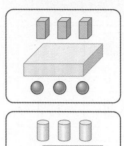

·   ·

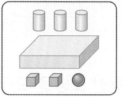

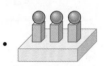

·   ·

15 창의·융합

고무찰흙으로 모양 2개, 모양 4개, 모양 3개를 만들었습니다. 고무찰흙으로 만든 모양을 모두 사용하여 만든 것은 어느 것입니까?

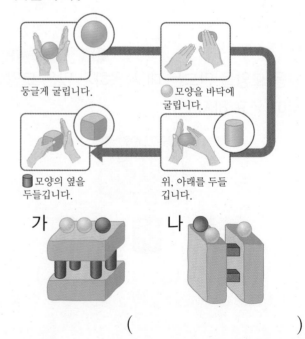

둥글게 굴립니다.   ◯ 모양을 바닥에 굴립니다.

▩ 모양의 옆을 두들깁니다.   위, 아래를 두들깁니다.

가   나

(   )

유형 12
재미있는 모양 맞추기

비법

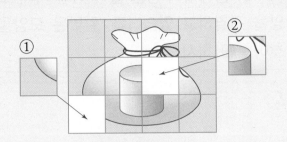

- 주머니의 옆 부분은 둥근 모양이므로 ①번 조각을 맞춰야 합니다.
- 주머니 속의 모양은 평평한 부분도 있고 둥근 부분도 있습니다. 따라서 ②번 조각을 맞춰야 합니다.

16
다음 퍼즐을 보고, 빈 곳에 들어갈 퍼즐 조각의 번호를 쓰시오.

①   ②   ③

④   ⑤

17
두 그림에서 서로 다른 부분을 모두 찾아 ◯표 하시오.

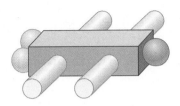

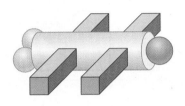

18
다음 퍼즐을 보고, 빈 곳에 들어갈 퍼즐 조각의 번호를 각각 쓰시오.

①   ②

③   ④

⑤

2

여러 가지 모양

(1~3) 빈 곳에 퍼즐 조각을 넣어 ,
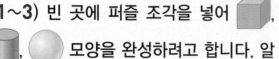, 모양을 완성하려고 합니다. 알맞은 조각을 찾아 ◯표 하시오.

1

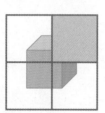

(   ) (   ) (   )

2

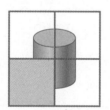

(   ) (   ) (   )

3

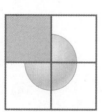

(   ) (   ) (   )

(4~6) 종이에 구멍을 뚫어 여러 가지 모양을 관찰하고 있습니다. 알맞은 모양을 찾아 ◯표 하시오.

4

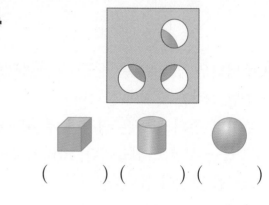

(   ) (   ) (   )

5

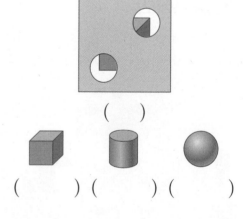

(   ) (   ) (   )

6

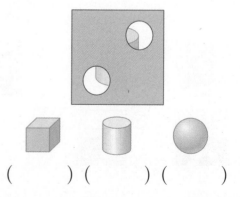

(   ) (   ) (   )

(7~8) 다음과 같이 두 조각을 이어 붙여서 주어진 모양을 만들려고 합니다. 필요 없는 조각을 찾아 ×표 하시오.

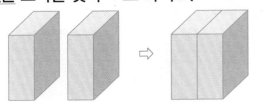

7

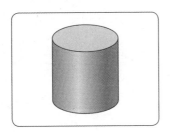

(   )   (   )   (   )

8

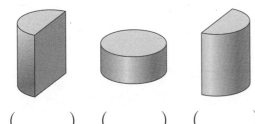

(   )   (   )   (   )

(9~10) 손전등으로 모양을 앞쪽에서 비추었을 때 뒤쪽에 나타나는 그림자는 각각 다음과 같습니다. 손전등으로 물건을 앞에서 비추었을 때 뒤쪽에 나타나는 그림자를 찾아 ○표 하시오.

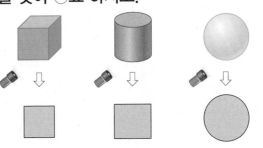

9

(   )   (   )   (   )

10

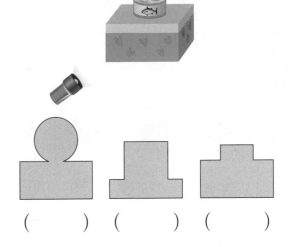

(   )   (   )   (   )

2

여러 가지 모양

일부분을 보고 모양 알아보기

1 모양의 일부분이 오른쪽과 같은 물건은 모두 몇 개입니까?

또 문제

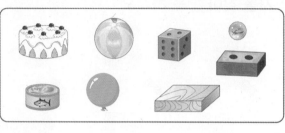

(   )

여러 가지 모양 알아보기   창의·융합

2 같은 모양을 가지고 있는 어린이끼리 짝이 됩니다. 누구와 누구가 짝이 되는지 모두 쓰시오.

또 문제

 수진   동우   형규   경현

(   ),
(   )

여러 가지 모양 찾아보기

3 그림에서 가장 많은 모양은 어떤 모양입니까?

또 문제 / 동영상

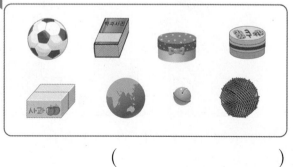

(   )

여러 가지 모양 알아보기   서술형

4 다음 악기는 같은 모양입니다. 이 모양의 특징을 써 보시오.

또 문제 / 동영상

_____

_____

_____

설명을 듣고 모양 알아보기   해설집 20쪽   문제 분석

5 두 어린이가 준비물에 대해 이야기하고 있습니다. 준비물로 가져갈 수 있는 물건은 모두 몇 개입니까?

또 문제

평평한 부분이 있는 물건을 가져 오는 거지?

선생님께서 둥근 부분도 있어야 한다고 하셨어.

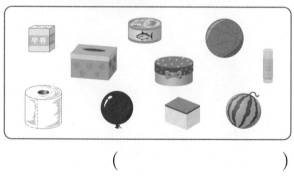

(   )

또 문제 표시된 문제의 쌍둥이 문제가 제공됩니다.
동영상 표시된 문제의 동영상 특강을 볼 수 있어요.
QR 코드를 찍어 보세요.

▶ 정답은 19쪽에   공부한 날   월   일

6 여러 가지 모양을 이용하여 비행기를 만들었습니다. 가장 많이 사용한 모양은 어떤 모양인지 풀이 과정을 쓰고 답을 구하시오.

여러 가지 모양 만들기   서술형

또 문제
동영상

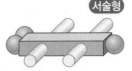

[풀이]

_____

_____

[답]

7 다음을 만드는 데 사용한 모양의 수가 나머지와 다른 하나를 찾아 ○표 하시오.

여러 가지 모양 만들기

또 문제
동영상

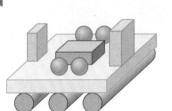

 (   )

 (   )

 (   )

8 주어진 모양을 모두 사용하여 만들 수 있는 모양을 찾아 선으로 이어 보시오.

여러 가지 모양으로 만들기

또 문제

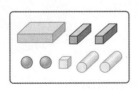

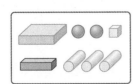

9 모양 순서를 정해 순서에 따라 모양을 늘어놓았습니다. □ 안에 들어갈 모양의 물건 3가지를 주변에서 찾아 쓰시오.

모양 순서에 맞는 모양 찾기   해설집 21쪽 문제 분석

또 문제
동영상

(   )

10 다음은 쌓을 수 없는 모양을 몇 개 사용하여 만들었습니까?

여러 가지 모양 만들기   해설집 21쪽 문제 분석

또 문제

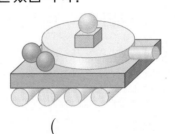

(   )

11 보기 의 모양을 모두 사용하여 만들 수 있는 모양은 어느 것입니까?

여러 가지 모양으로 만들기

또 문제
동영상

보기

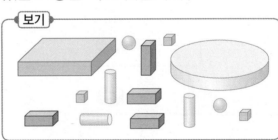

가   나

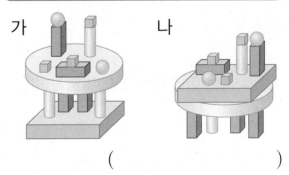

(   )

2

여
러

가
지

모
양

❖ 보기 와 같은 모양을 찾아 ◯표 하시오.

(1~3)

1

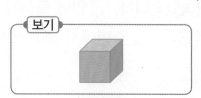

(   ) (   ) (   )

2

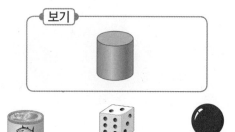

(   ) (   ) (   )

3

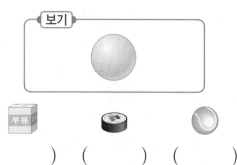

(   ) (   ) (   )

4 다음은 어떤 모양을 모아 놓은 것입니까?

(   )

5 같은 모양을 찾아 선으로 이어 보시오.

 ·   ·

 ·   ·

 ·   ·

6 모양 물건을 모았습니다. 잘못 모은

물건을 찾아 ×표 하시오.

(   ) (   ) (   ) (   )

7 오른쪽 상자 안의 물건
과 같은 모양을 찾아 ◯
표 하시오.

(   ) (   ) (   )

8  모양에 □표, 모양에 △표, 모양에 ○표 하시오.

(　　　)(　　　)(　　　)(　　　)

❖ 그림을 보고 물음에 답하시오. (9~11)

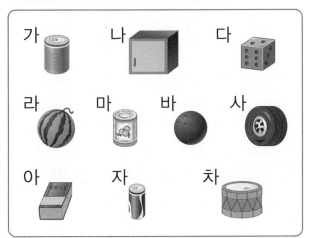

9 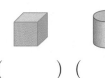 모양을 모두 찾아보시오.

(　　　　　　　　　　　)

10 모양은 모두 몇 개입니까?

(　　　　　　　)

11 쌓을 수 있는 것을 모두 찾아보시오.

(　　　　　　　)

12 설명하는 모양을 찾아 선으로 이어 보시오.

| 모든 부분이 둥급니다. | ・ | | ・ | |

| 평평한 부분도 있고 둥근 부분도 있습니다. | ・ | | ・ | |

| 뾰족한 부분이 있습니다. | ・ | | ・ | |

창의·융합

13 오른쪽과 같이 콩을 넣은 깡통을 흔들면 소리를 만들 수 있습니다. 이 깡통은 어떤 모양인지 찾아 ○표 하시오.

(　　　) (　　　) (　　　)

서술형

14 오른쪽 배구공은 왜 잘 쌓을 수 없는지 이유를 쓰시오.

_____

_____

서술형

15 어떤 모양의 일부분을 나타낸 것입니다. 이 모양의 특징을 설명하시오.

_____

_____

서술형

16  모양을 더 많이 사용한 쪽은 어느 것인지 풀이 과정을 쓰고 답을 구하시오.

가   나

[풀이]

_____

_____

_____

[답] _____

17 모양 순서를 정해 순서에 따라 모양을 늘어놓았습니다. □ 안에 들어갈 모양의 물건에 ○표 하시오.

(   ) (   ) (   )

❖ **모양을 보고 물음에 답하시오. (18~19)**

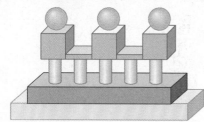

18 다음 모양을 각각 몇 개 사용하여 만들었습니까?

(   )

(   )

(   )

19 가장 많이 사용한 모양은 어떤 모양입니까?

(   )

20 민정이는 상자 속의 물건을 만져 보고 다음과 같이 설명하였습니다. 민정이가 만진 물건과 같은 모양의 물건 **2**가지를 주변에서 찾아 쓰시오.

"평평한 부분이 있어."
"뾰족한 부분이 있어."

(   )

단원평가

2. 여러 가지 모양 ❷회

점수

1 오른쪽과 같이 벽돌을 쌓고 있습니다. 벽돌과 같은 모양을 찾아 ○표 하시오.

(   ) (   ) (   )

2 다음 중 모양이 나머지와 <u>다른</u> 하나는 어느 것입니까? ·················(   )

①
②
③
④
⑤

3 모양이 같은 것끼리 선으로 이어 보시오.

 ·   ·   ·

 ·   ·   ·

 ·   ·   ·

4 오른쪽 모양을 만드는 데 사용한 모양은 무엇입니까?

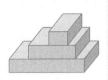

(   )

❖ 어떤 모양의 일부분을 나타낸 것입니다. 모양이 같은 물건을 찾아 ○표 하시오.

(5~6)

5

(   ) (   )

6

(   ) (   )

창의·융합 서술형

7 계단이 있는 집 모양을 만들려고 합니다. 계단으로 사용하기에 알맞은 모양에 ○표 하고, 그 이유를 쓰시오.

(   ) (   )

_____

_____

2

여
러
가
지
모
양

8 설명을 읽고, 알맞은 모양을 찾아 선으로 이어 보시오.

세우면 잘 쌓을 수 있고 눕히면 잘 굴러갑니다. •

•

잘 굴러가지만 쌓을 수 없습니다. •

•

❖ 재민이와 동훈이가 여러 가지 모양에 대해 말하고 있습니다. 틀린 부분을 찾아 바르게 고치시오. (9~10)

9 서술형

⬤ 모양은 어느 방향으로도 잘 굴러갑니다. 그래서 정리하기가 편리합니다.

재민

_____

_____

10 서술형

🟦 모양은 평평한 부분으로만 되어 있어 잘 굴러갑니다.

동훈

_____

_____

창의·융합

11 다음 사진에서 찾을 수 있는 모양에 모두 ○표 하시오.

(   ) (   ) (   )

12 현우가 검은 상자 안에 손을 넣어 물건을 만졌더니 평평한 부분이 없었습니다. 현우가 만진 물건의 모양을 찾아 ○표 하시오.

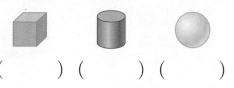

(   ) (   ) (   )

13 쌓을 수 <u>없는</u> 물건을 찾아 기호를 쓰시오.

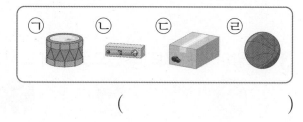

(   )

14 다음 설명에 알맞은 물건 2가지를 주변에서 찾아 쓰시오.

모든 부분이 평평합니다.

(   )

15 정윤이와 정현이가 가지고 있는 물건입니다. 정윤이도 가지고 있고 정현이도 가지고 있는 모양은 어떤 모양입니까?

정윤   정현

(   )

16 오른쪽은 어떤 모양의 일부분입니다. 다음 모양을 만드는 데 오른쪽 모양을 몇 개 사용했습니까?

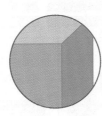

(   )

17 주어진 모양을 모두 사용하여 만들 수 있는 모양을 찾아 선으로 이어 보시오.

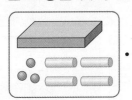   ·   ·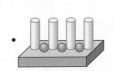

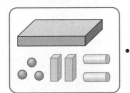   ·   ·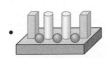

서술형
18 물건을 다음과 같이 나누어 모았습니다. 어떻게 물건을 나눈 것인지 설명해 보시오.

_____

_____

19 두 그림에서 서로 다른 부분을 모두 찾아 ○표 하시오.

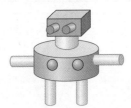 

창의·융합 서술형
20 다음을 보고 ⬛ 모양과 🛢 모양의 다른 점을 써 보시오.

_____

_____

2단원이 끝났습니다. QR코드를 찍으면 재미있는 게임을 할 수 있어요.

2 여러 가지 모양

3 덧셈과 뺄셈

QR을 찍어 보세요.
재미있는 학습 게임을
할 수 있어요.

학습 게임

제3화 우리보다 똑똑한 침팬지를 건드리다!

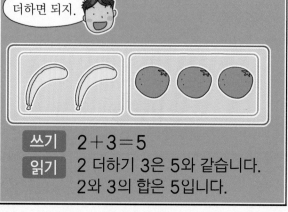

이미 배운 내용	이번에 배울 내용	앞으로 배울 내용
[1-1 9까지의 수] · 9까지의 수와 순서 · 9까지의 수의 크기 비교	· 9까지의 수를 모으고 가르기 · 더하기와 덧셈하기 · 빼기와 뺄셈하기 · 0을 더하거나 빼기	[1-2 덧셈과 뺄셈] · (두 자리 수)+(한 자리 수) · (두 자리 수)+(두 자리 수) · (두 자리 수)−(한 자리 수) · (두 자리 수)−(두 자리 수)

만화로 개념 쏙!

셀파 포인트

❶ 2, 3, 4, 5를 모으고 가르기

• 2를 모으고 가르기

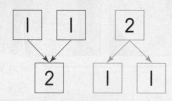

• 3을 모으고 가르기

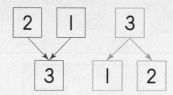

• 모으기 모양

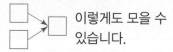

이렇게도 모을 수 있습니다.

• 4를 모으고 가르기

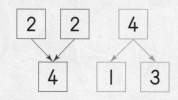

• 5를 모으고 가르기

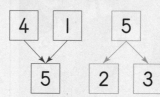

• 가르기 모양

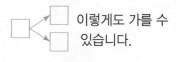

이렇게도 가를 수 있습니다.

예제 ❶ 5가 되도록 모으는 방법은 (한 가지 , 여러 가지)입니다.

❷ 6, 7, 8, 9를 모으고 가르기

• 6을 모으고 가르기

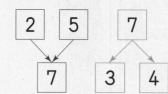

• 7을 모으고 가르기

• 가르기와 모으기의 관계

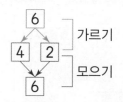

가르기 한 두 수를 모으면 처음 수가 됩니다.

• 8을 모으고 가르기

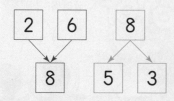

• 9를 모으고 가르기

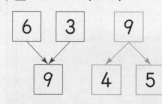

예제 ❷ 9를 가르는 방법은 (한 가지 , 여러 가지)입니다.

예제 정답

❶ 여러 가지에 ○표
❷ 여러 가지에 ○표

개념 확인 1 2, 3, 4, 5를 모으고 가르기

1-1 모으기 하여 빈 곳에 알맞은 수만큼 ◯를 그리시오.

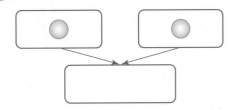

1-2 모으기 하여 빈 곳에 알맞은 수만큼 ▢를 그리시오.

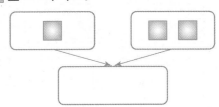

1-3 가르기 하여 빈 곳에 알맞은 수만큼 ◯를 그리시오.

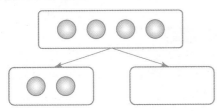

1-4 가르기 하여 빈 곳에 알맞은 수만큼 ▢를 그리시오.

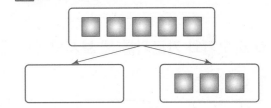

개념 확인 2 6, 7, 8, 9를 모으고 가르기

2-1 모으기 하여 빈 곳에 알맞은 수만큼 ▲를 그리시오.

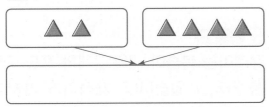

2-2 모으기 하여 빈 곳에 알맞은 수만큼 ★을 그리시오.

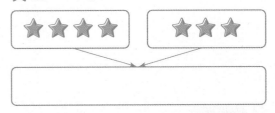

2-3 가르기 하여 빈 곳에 알맞은 수만큼 ▲를 그리시오.

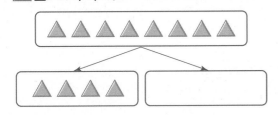

2-4 가르기 하여 빈 곳에 알맞은 수만큼 ★을 그리시오.

3

덧셈과 뺄셈

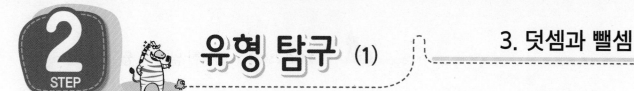
유형 1
그림을 보고 2, 3을 모으고 가르기

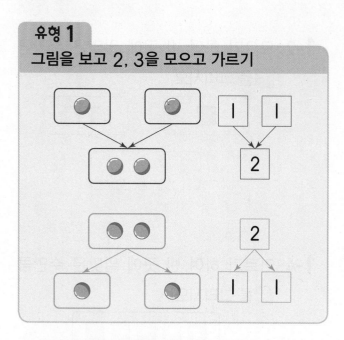

❖ 모으기와 가르기를 해 보시오. (1~2)

1 익힘책 유형

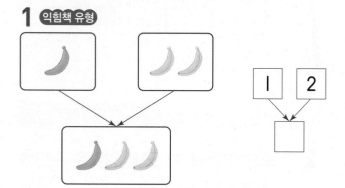

2 익힘책 유형

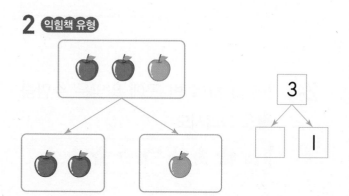

❖ 모으기와 가르기를 해 보시오. (3~4)

3 교과서 유형

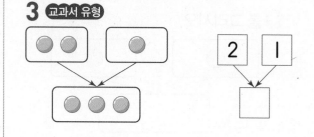

4 교과서 유형

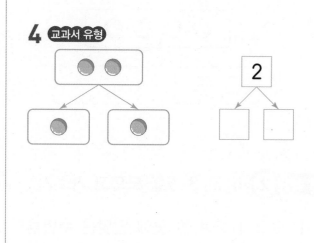

5 창의·융합
재석이는 복숭아 씨앗 2개와 포도 씨앗 1개를 가지고 있습니다. 재석이가 가지고 있는 씨앗을 모으면 몇 개입니까?

▲ 복숭아 씨앗   ▲ 포도 씨앗

(   )

▸ 정답은 25쪽에　공부한 날　　월　　일

2, 3을 모으고 가르기

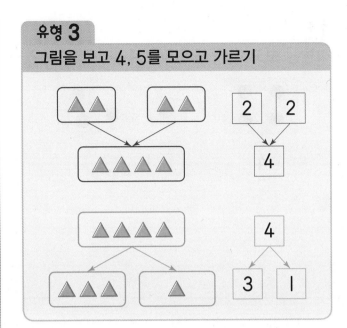

6

모으기를 해 보시오.

(1)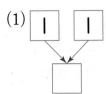

(2)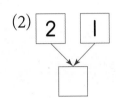

7

가르기를 해 보시오.

(1)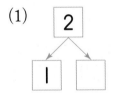

(2)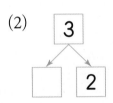

8

보영이의 생일잔치에 남자 친구 1명, 여자 친구 2명이 왔습니다. 보영이의 생일잔치에 온 친구를 모으면 몇 명입니까?

(　　　　　　　　)

그림을 보고 4, 5를 모으고 가르기

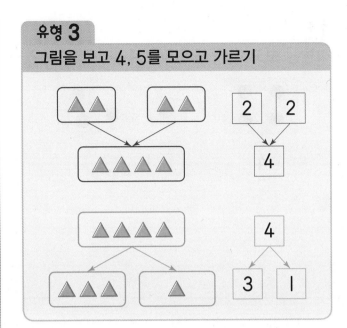

❖ 모으기와 가르기를 해 보시오. (9~10)

9

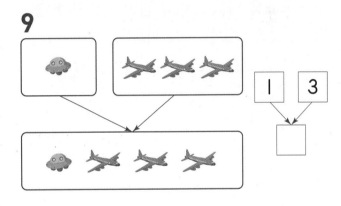

10

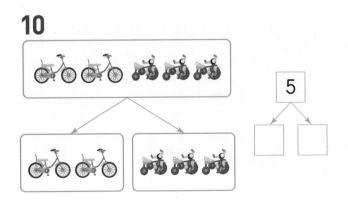

3

덧셈과 뺄셈

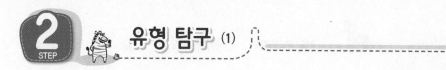

11

그림을 보고 빈 곳에 알맞은 수를 써넣으시오.

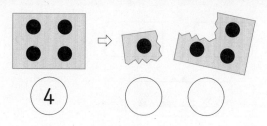

12

구슬 4개를 다음 그림과 같이 가르기 했습니다. 빈 곳에 알맞은 수를 써넣으시오.

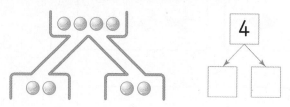

13

왼쪽의 빈 곳에 알맞은 수만큼 ○를 그리고, 오른쪽의 빈 곳에 알맞은 수를 써넣으시오.

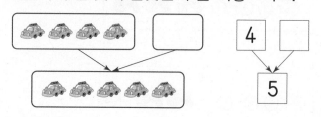

유형 4

4, 5를 모으고 가르기

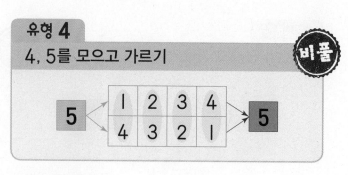

14 교과서 유형

모으기와 가르기를 해 보시오.

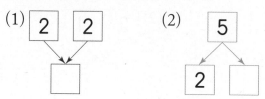

15

4를 위와 아래의 두 수로 가르기 해 보시오.

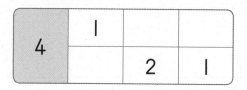

16

두 수를 모으기 하면 모두 어떤 수가 됩니까?

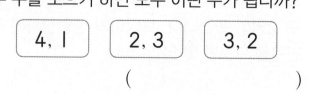

(   )

17 창의·융합 서술형

영민이와 동생은 사탕 4개를 나누어 먹으려고 합니다. 동생이 더 많이 먹으려면 동생이 먹어야 하는 사탕은 몇 개인지 풀이 과정을 쓰고 답을 구하시오.

[풀이]

[답]

유형 5

그림을 보고 6, 7을 모으고 가르기

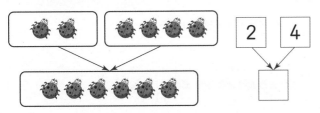

18 익힘책 유형

모으기를 해 보시오.

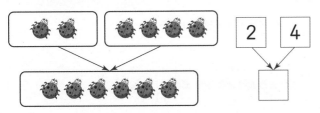

19

가르기를 해 보시오.

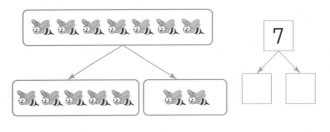

20

두 주사위의 눈을 모으기 하면 7이 되는 것에 ○표 하시오.

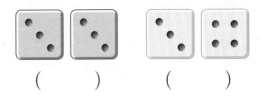

(　　)　　(　　)

유형 6

6, 7을 모으고 가르기

21 교과서 유형

모으기와 가르기를 해 보시오.

(1)
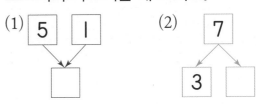

(2)

22

모으기 하여 6이 되는 두 수를 찾아 ○표 하시오.

| 2 | 5 | 7 | 3 | 4 |

23

7을 가르기 해 보시오. (단, 0은 사용하지 않습니다.)

24 창의·융합 서술형

구슬 6개를 양손에 나누어 쥐었습니다. 왼손에 구슬이 4개 있다면, 오른손에 있는 구슬은 몇 개인지 풀이 과정을 쓰고 답을 구하시오.

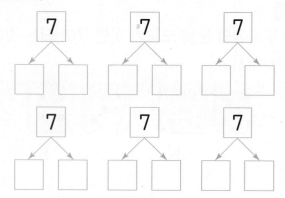

왼손   오른손

[풀이]

[답]

25 해설집 26쪽 **문제 분석**

㉠과 ㉡을 모으기 하면 얼마입니까?

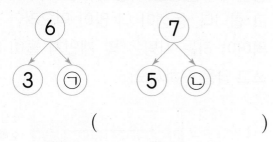

(   )

유형 7

그림을 보고 8, 9를 모으고 가르기

❖ 모으기와 가르기를 해 보시오. (26~27)

26

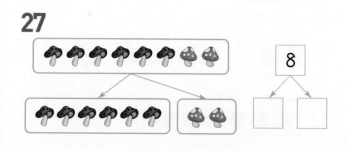

27

28

바둑돌을 모으면 모두 몇 개입니까?

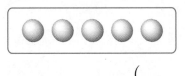 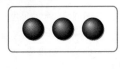

(　　　　　　　)

29

9를 ◯과 ◉으로 가르기 한 것입니다. 빈 곳에 알맞은 수를 써넣으시오.

1	◯	◉	◉	◉	◉	◉	◉	◉	8
2	◯	◯	◉	◉	◉	◉	◉	◉	7
3	◯	◯	◯	◉	◉	◉	◉	◉	6
4	◯	◯	◯	◯	◉	◉	◉	◉	5
5	◯	◯	◯	◯	◯	◉	◉	◉	
6	◯	◯	◯	◯	◯	◯	◉	◉	
7	◯	◯	◯	◯	◯	◯	◯	◉	
8	◯	◯	◯	◯	◯	◯	◯	◉	

(왼쪽 9)

유형 8

8, 9를 모으고 가르기　비법

30 교과서 유형

모으기와 가르기를 해 보시오.

(1)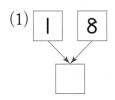

(2)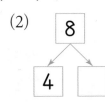

31

9를 두 수로 가르기 한 것입니다. 틀린 것을 찾아 ×표 하시오.

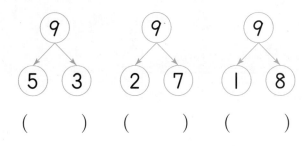

(　　) 　(　　) 　(　　)

32

가르기와 모으기를 했습니다. 빈 곳에 알맞은 수가 더 큰 것의 기호를 쓰시오.

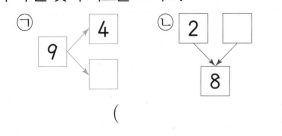

(　　　　　　　)

33

가르기를 해 보시오.

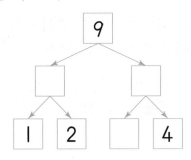

만화로 개념 쏙!

❸ 덧셈식을 쓰고 읽기

 ⇒

모형은 모두 **5**개이므로 토끼는 **5**마리입니다.

쓰기	읽기
$3+2=5$	3 더하기 2는 5와 같습니다. 3과 2의 합은 5입니다.

예제 ❶ $4+3$은 (4와 3 , 4 더하기 3)이라고 읽습니다.

❹ 그림을 그려서 덧셈하기

• 전체 꽃의 수 알아보기

꽃의 수만큼 ●을 그립니다.

빨간꽃(4)　　노란꽃(3)　　　$4+3=7$

❺ 모으기를 이용하여 덧셈하기

• 전체 나비의 수 알아보기

모으기를 이용합니다.

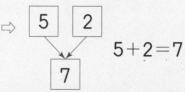

$5+2=7$

노란 나비(5)　　흰나비(2)

예제 ❷ 덧셈을 할 때에는 (모으기 , 가르기)를 이용합니다.

셀파 포인트

더하기는 +로, 같다는 =로 나타냅니다.

• '='의 앞에 있는 덧셈과 뒤에 있는 수는 서로 같습니다.

• 덧셈을 사용하는 경우

① 더해지는 경우

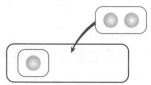

② 모으는 경우

⇨ 두 경우 모두 '1 + 2'로 나타냅니다.

예제 정답
❶ 4 더하기 3에 ○표
❷ 모으기에 ○표

▶ 정답은 26쪽에   공부한 날   월   일

개념 확인 3 덧셈식을 쓰고 읽기

3-1 □ 안에 알맞은 수를 써넣으시오.

$$2+6=8$$

(1) 2 더하기 6은 □과 같습니다.

(2) 2와 6의 합은 □입니다.

3-2 □ 안에 알맞은 말을 써넣으시오.

$$4+2=6$$

(1) 4 □ 2는 6과 같습니다.

(2) 4와 2의 □은 6입니다.

개념 확인 4 그림을 그려서 덧셈하기

4-1 그림을 보고 덧셈을 하시오.

 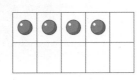

$$3+1=\boxed{}$$

4-2 그림을 보고 덧셈을 하시오.

 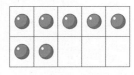

$$2+5=\boxed{}$$

개념 확인 5 모으기를 이용하여 덧셈하기

5-1 모으기를 하고 덧셈을 하시오.

$$2+3=\boxed{}$$

5-2 모으기를 하고 덧셈을 하시오.

$$6+3=\boxed{}$$

3

덧셈과 뺄셈

유형 9
이야기 만들기 – 덧셈

앉아 있는 나비(**3**마리) ⚫⚫⚫ ┐ 모두
날아온 나비(**2**마리) ⚫⚫ ┘ **5**마리

❖ 그림을 보고 ☐ 안에 알맞은 수를 써넣으시오. (**1~3**)

1 교과서 유형

미끄럼틀에서 내려오는 어린이가 **|**명, 미끄럼틀을 올라가는 어린이가 **|**명입니다. 미끄럼틀에서 노는 어린이는 모두 ☐명입니다.

2 교과서 유형

어린이 **2**명이 그네를 타고 있습니다. 어린이 ☐명이 그네를 타려고 왔습니다. 그네에서 노는 어린이는 모두 ☐명입니다.

3 교과서 유형

시소를 타고 있는 어린이는 여자가 **2**명, 남자가 ☐명입니다. 시소를 타고 있는 어린이는 모두 ☐명입니다.

4 창의·융합 서술형
그림을 보고 덧셈과 관련된 이야기를 완성하시오.

횡단보도를 한쪽에서 **3**명이 건너고 반대쪽에서 **5**명이 건넙니다.

_____

유형 10
더하기 알아보기

비품

┌─── 더하기는 +로 나타냅니다.

쓰기 3+1

읽기 3 더하기 1

5

그림을 보고 ☐ 안에 알맞은 수를 써넣으시오.

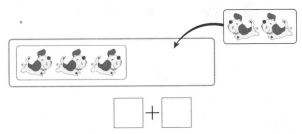

☐ + ☐

6

다음을 읽어 보시오.

| 1+6 | (   )

7

에디슨의 말을 읽고 알맞게 쓰시오.

4 더하기 5를
쓰세요.

에디슨

(   )

8

관계있는 것끼리 선으로 이어 보시오.

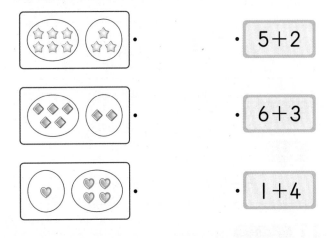

·   · 5+2

·   · 6+3

·   · 1+4

9

다음을 보고 빈 곳에 ○를 알맞게 그려 넣으시오.

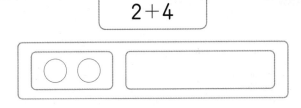

2+4

○ ○

10

☐ 안에 알맞은 수가 더 큰 것의 기호를 쓰시오.

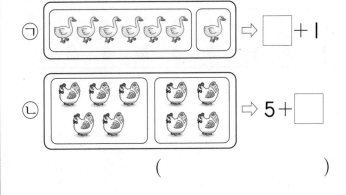

㉠ ⇨ ☐ + 1

㉡ ⇨ 5 + ☐

(   )

3

덧셈과 뺄셈

유형 11
덧셈식을 쓰고 읽기

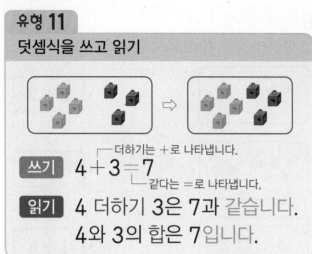

쓰기 ┌ 더하기는 +로 나타냅니다.
$4+3=7$
└ 같다는 =로 나타냅니다.

읽기 4 더하기 3은 7과 같습니다.
4와 3의 합은 7입니다.

11 교과서 유형
그림을 보고 ☐ 안에 알맞은 수를 써넣으시오.

쓰기 $5+3=8$

읽기 ☐ 더하기 ☐ 은 ☐ 과 같습니다.
☐ 와 ☐ 의 합은 ☐ 입니다.

12
그림을 보고 덧셈식을 쓰시오.

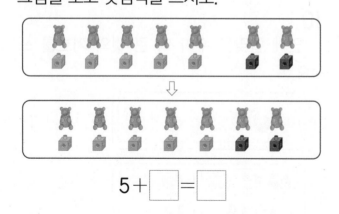

$5+☐=☐$

유형 12
그림을 그려서 덧셈하기

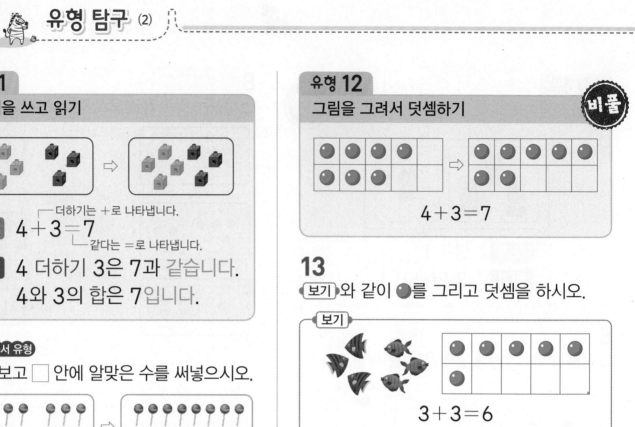

$4+3=7$

13
보기 와 같이 ●를 그리고 덧셈을 하시오.

보기
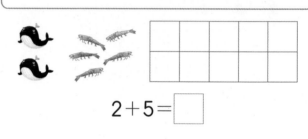

$3+3=6$

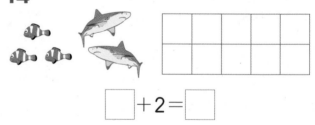

$2+5=☐$

❖ ●를 그리고 덧셈을 하시오. (14~15)

14

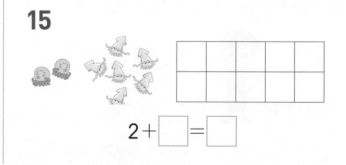

$☐+2=☐$

15

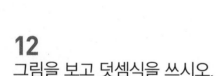

$2+☐=☐$

▶ 정답은 27쪽에 공부한 날   월   일

❖ 그림을 보고 덧셈을 하시오. (16~17)

16

☐ + ☐ = ☐

17

☐ + ☐ = ☐

❖ 식에 알맞게 ●를 그리고 덧셈을 하시오.
                              (18~19)

18 익힘책 유형

4 + 2 = ☐
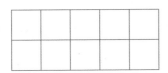

19 익힘책 유형

3 + 6 = ☐
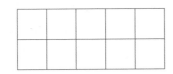

20 창의·융합

남학생 4명과 여학생 5명이 청소를 하고 있습니다. 청소를 하고 있는 남학생과 여학생은 모두 몇 명인지 덧셈식을 만들어 보시오.

☐ + ☐ = ☐

21 익힘책 유형

그림을 보고 덧셈식을 만들어 보시오.

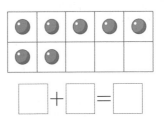

☐ + ☐ = ☐

22 창의·융합

그림을 보고 덧셈식을 만들어 보시오.

☐ + ☐ = ☐ , ☐ + ☐ = ☐

3
덧셈과 뺄셈

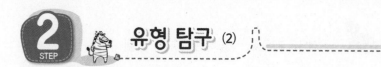

유형 13
모으기를 이용하여 덧셈하기

비품

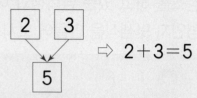

2 3

⇨ 2+3=5

5

2와 3을 모으기 하면 5이므로
2와 3을 더하면 5입니다.

❖ 모으기를 하고 덧셈을 하시오. (23~25)

23

4 1

4+1=

24

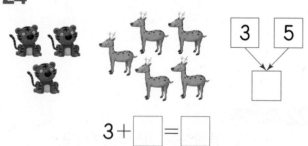

3 5

3+ =

25

6 3

+ =

26 익힘책 유형

모으기를 하고 덧셈을 하시오.

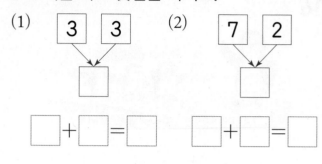

(1) 3 3   (2) 7 2

+ =   + =

❖ 그림을 보고 덧셈을 하시오. (27~28)

27

+ =

28

+ =

29 익힘책 유형

합이 같은 덧셈식을 쓰시오.

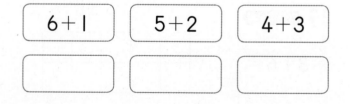

6+1   5+2   4+3

유형 14
덧셈 연습

모두　더 많다
합한다　⇒　덧셈식을 만들어 답을 구합니다.

30
덧셈을 하시오.

(1) $2+1=$ ☐　(2) $3+6=$ ☐

(3) $4+4=$ ☐　(4) $5+2=$ ☐

31
빈 곳에 알맞은 수를 써넣으시오.

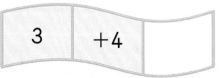

| 3 | +4 | |

32
빈 곳에 알맞은 수를 써넣으시오.

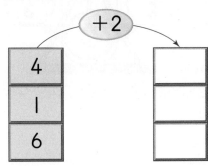

33
필통에 연필이 3자루 있습니다. 연필 3자루를 더 넣었다면 필통에 있는 연필은 모두 몇 자루가 되었습니까?

(　　　　　　　)

34 창의·융합 서술형
남학생 4명과 여학생 5명이 모여서 자기소개 놀이를 하고 있습니다. 남학생과 여학생은 모두 몇 명입니까?

나는 최수현입니다.

[식]

[답]

35
해설집 28쪽 문제 분석

다음 3장의 숫자 카드 중 가장 큰 수와 가장 작은 수를 더하면 얼마입니까?

2　3　7

(　　　　　　　)

(1~2) 도미노의 각 칸에는 눈이 0개부터 9개까지 그려져 있습니다. 이웃한 칸의 눈의 수가 같게 도미노를 놓았습니다. 빈 칸에 알맞은 눈은 모두 몇 개입니까?

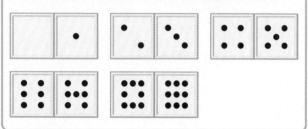

1

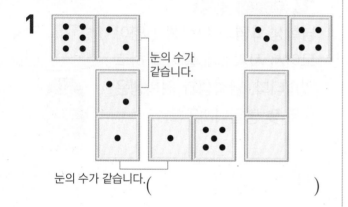

눈의 수가 같습니다.

눈의 수가 같습니다.(   )

2

(   )

(3~4) 주어진 숫자 카드를 한 번씩만 사용하여 마주 보고 있는 두 수의 합이 같도록 하시오.

3   3   4   5   6

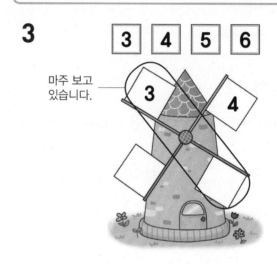

마주 보고 있습니다.

4   1   2   3   4   5   6

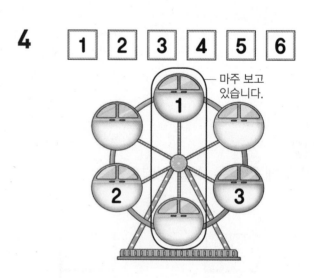

마주 보고 있습니다.

(5~6) ◯ 안의 수는 가로줄 또는 세로줄에 있는 두 수를 더한 것입니다. 빈 곳에 알맞은 수를 써넣으시오.

1	2	③ ―1+2=3
3	4	⑦ ―3+4=7

1+3=4 ④   ⑥ ―2+4=6

(7~8) 가로줄 또는 세로줄에 있는 세 수를 차례로 놓아 덧셈식 □+□=□를 만들려고 합니다. 세 수를 모두 찾아 묶어 보시오.

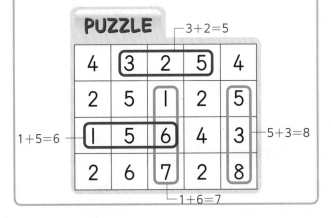

PUZZLE   ―3+2=5

4	3	2	5	4
2	5	1	2	5
1	5	6	4	3	―5+3=8
2	6	7	2	8

1+5=6

―1+6=7

5

5	3
1	2

⑧

③

◯ ◯

6

2	4
3	

⑥

⑥

⑤ ◯

7

PUZZLE

2	1	3	3	5
1	3	5	4	9
5	3	1	7	4
3	6	8	5	9

8

PUZZLE

6	4	1	7	9
5	2	4	1	5
4	6	8	4	3
3	4	7	6	8

3 덧셈과 뺄셈

• 수 모으기

1 다음 중 6보다 작은 수를 찾아 모으기 하
또 문제📝 면 얼마입니까?

| 5 8 9 4 7 |

(   )

• 덧셈하기

2 계산 결과가 큰 것부터 차례로 기호를 쓰
또 문제📝 시오.

ㄱ 7+0   ㄴ 6+3
ㄷ 3+5   ㄹ 5+1

(   )

• 덧셈하기   창의·융합

3 1부터 9까지의 수를 한자로 나타낸 것
또 문제📝 입니다. ☐ 안에 알맞은 수를 써넣으시오.

1	2	3	4	5	6	7	8	9
一	二	三	四	五	六	七	八	九

(1) 四 + 三 = ☐

(2) 二 + 六 = ☐

(3) 五 + 四 = ☐

(4) 一 + 七 = ☐

• 수 모으기

4 두 사람이 가지고 있는 수를 모으기 했습
또 문제📝 니다. 모으기 한 수가 더 큰 사람은 누구
동영상◀ 입니까?

용진   강현

(   )

• 수 가르기

5 보기 와 같이 위의 수를 아래의 두 수로
또 문제📝 가르기 해 보시오.

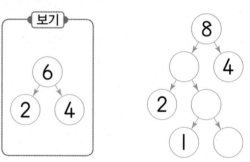

• 수 가르기   서술형

6 3은 1과 2, 2와 1로 가르기 할 수 있습
또 문제📝 니다. 6을 두 수로 가르기 하는 방법은
동영상◀ 모두 몇 가지인지 풀이 과정을 쓰고 답을
구하시오. (단, 0은 사용하지 않습니다.)

[풀이]

_____

_____

[답]

또 문제 ✏ 표시된 문제의 쌍둥이 문제가 제공됩니다.
동영상 ◀ 표시된 문제의 동영상 특강을 볼 수 있어요.
QR 코드를 찍어 보세요.

▶ 정답은 30쪽에   공부한 날   월   일

7 수 모으기
또 문제 ✏
강현이와 동화는 귤을 같은 수만큼 가지고 있습니다. 두 사람이 가지고 있는 귤을 모았더니 8개가 되었습니다. 동화가 가지고 있던 귤은 몇 개입니까?

(   )

8 덧셈하기
또 문제 ✏
동영상 ◀
다음 3장의 숫자 카드 중에서 2장을 골라 합이 가장 큰 덧셈식 □+□를 만들었습니다. 이 덧셈식의 합은 얼마입니까?

| 5 | 1 | 2 |

(   )

9 덧셈하기   서술형
또 문제 ✏
동영상 ◀
기린이 2마리 있습니다. 코끼리는 기린보다 2마리 더 많습니다. 기린과 코끼리는 모두 몇 마리인지 풀이 과정을 쓰고 답을 구하시오.

[풀이]

_____

_____

_____

[답]

10 수 모으기   해설집 31쪽 문제 분석
또 문제 ✏
5, 2, 1과 같이 한 줄에 있는 세 수를 모으기 하면 모두 같은 수가 됩니다. ㉠과 ㉡에 알맞은 수를 각각 구하시오.

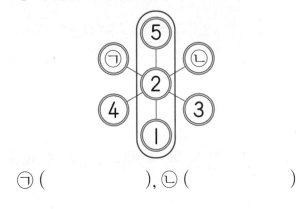

㉠ (   ), ㉡ (   )

11 덧셈하기   해설집 31쪽 문제 분석
또 문제 ✏
동영상 ◀
파란색 색연필 2자루, 빨간색 색연필 6자루가 있습니다. 또, 초록색 사인펜 3자루, 보라색 사인펜 4자루가 있습니다. 색연필과 사인펜 중 어느 것이 더 많습니까?

(   )

12 수 모으기   해설집 32쪽 문제 분석
또 문제 ✏
동영상 ◀
농장에 닭, 토끼, 돼지가 모두 9마리 있습니다. 닭과 토끼를 모으면 5마리이고 토끼와 돼지를 모으면 7마리입니다. 닭과 돼지를 모으면 몇 마리입니까?

(   )

3
덧셈과 뺄셈

만화로 개념 쏙!

❻ 뺄셈식을 쓰고 읽기

남은 모형은 **3**개이므로 남은 사과는 **3**개입니다.

쓰기

$$5-2=3$$

읽기

5 빼기 2는 3과 같습니다.
5와 2의 차는 3입니다.

예제 ❶ 6−3은 (6과 3 , 6 빼기 3)이라고 읽습니다.

❼ 그림을 그려서 뺄셈하기

• 남은 풍선의 수 알아보기

빼는 수만큼 지웁니다.

🔴 🔴 🔴 🔴 ∅

$$5-1=4$$

❽ 가르기를 이용하여 뺄셈하기

• 전체 동물 중 코뿔소의 수 알아보기

가르기를 이용합니다.

```
    8
   / \
  2   6
```

$$8-2=6$$

예제 ❷ 뺄셈을 할 때에는 (모으기 , 가르기)를 이용합니다.

셀파 포인트

빼기는 ―로,
같다는 =로
나타냅니다.

$$-$$
$$=$$

• 뺄셈을 사용하는 경우

① 수가 줄어든 경우

② 두 수를 비교하는 경우

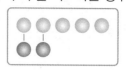

⇨ 두 경우 모두 '5−2'로 나타냅니다.

예제 정답

❶ 6 빼기 3에 ○표
❷ 가르기에 ○표

▶ 정답은 32쪽에 공부한 날   월   일

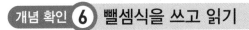 개념 확인 **6** 뺄셈식을 쓰고 읽기

6-1 ☐ 안에 알맞은 수를 써넣으시오.

$$8-5=3$$

(1) 8 빼기 5는 ☐ 과 같습니다.

(2) 8과 5의 차는 ☐ 입니다.

6-2 ☐ 안에 알맞은 말을 써넣으시오.

$$4-3=1$$

(1) 4 ☐ 3은 1과 같습니다.

(2) 4와 3의 ☐ 는 1입니다.

개념 확인 **7** 그림을 그려서 뺄셈하기

7-1 그림을 보고 뺄셈을 하시오.

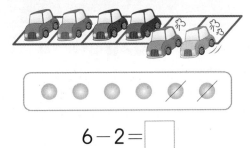

$$6-2=\boxed{}$$

7-2 그림을 보고 뺄셈을 하시오.

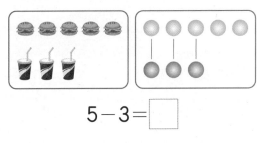

$$5-3=\boxed{}$$

개념 확인 **8** 가르기를 이용하여 뺄셈하기

8-1 가르기를 하고 뺄셈을 하시오.

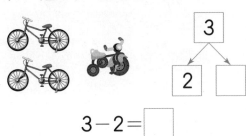

$$3-2=\boxed{}$$

8-2 가르기를 하고 뺄셈을 하시오.

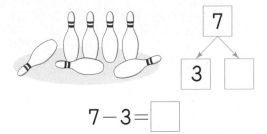

$$7-3=\boxed{}$$

3

덧셈과 뺄셈

유형 15
이야기 만들기 – 뺄셈

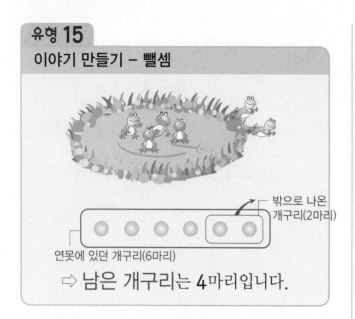

밖으로 나온
개구리(2마리)

연못에 있던 개구리(6마리)

⇨ 남은 개구리는 **4**마리입니다.

❖ 그림을 보고 ☐ 안에 알맞은 수를 써넣으시오. **(1~3)**

1 교과서 유형

사자 **4**마리가 나타나자 사슴 **6**마리가 도망갈 준비를 하고 있습니다. 사슴은 사자보다 ☐ 마리 더 많습니다.

2 교과서 유형

미어캣 **7**마리가 망을 보다가 ☐ 마리가 굴속으로 들어갔습니다. 남아서 망을 보고 있는 미어캣은 ☐ 마리입니다.

3 교과서 유형

수사슴

암사슴

사슴 **6**마리 중에서 수사슴이 **2**마리이고 나머지는 암사슴입니다. 암사슴은 ☐ 마리입니다.

4 창의·융합 서술형

그림을 보고 뺄셈과 관련된 이야기를 완성하시오.

범퍼카를 타는 어린이는 **3**명, 바이킹을 타는 어린이는 **8**명입니다.
_____

▶ 정답은 32쪽에 공부한 날   월   일

유형 16
빼기 알아보기

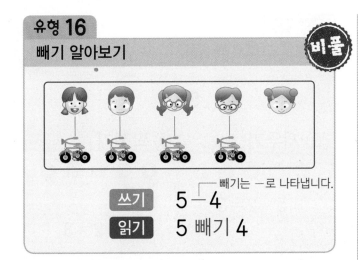

빼기는 —로 나타냅니다.

| 쓰기 | 5 — 4 |
| 읽기 | 5 빼기 4 |

5

다음을 식으로 나타내어 보시오.

5 빼기 2   (   )

6

그림을 보고 □ 안에 알맞은 수를 써넣으시오.

□ — □

7

관계있는 것끼리 선으로 이어 보시오.

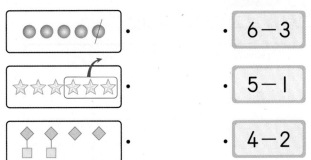

· 6 — 3

· 5 — 1

· 4 — 2

8

그림을 보고 식으로 바르게 나타낸 사람은 누구입니까?

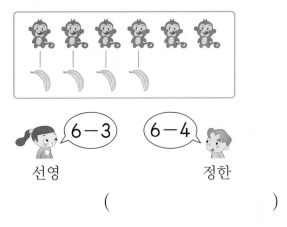

선영 6 — 3   6 — 4 정한

(   )

❖ 그림에 알맞은 뺄셈을 쓰고 읽어 보시오.
(9~10)

9

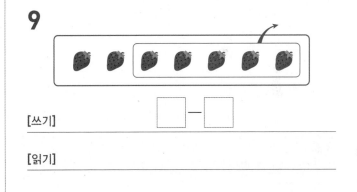

[쓰기]   □ — □

[읽기] _____

10

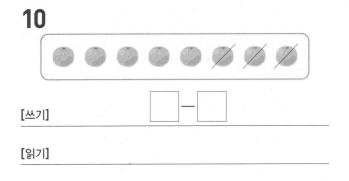

[쓰기]   □ — □

[읽기] _____

3

덧셈과 뺄셈

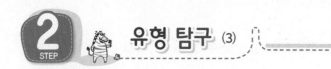

유형 17
뺄셈식을 쓰고 읽기

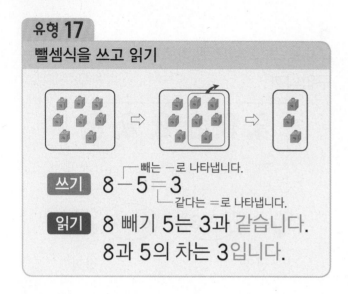

쓰기 8－5＝3

빼는 －로 나타냅니다.
같다는 ＝로 나타냅니다.

읽기 8 빼기 5는 3과 같습니다.
8과 5의 차는 3입니다.

11
그림을 보고 □ 안에 알맞은 수를 써넣으시오.

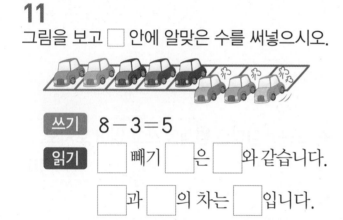

쓰기 8－3＝5

읽기 □ 빼기 □ 은 □ 와 같습니다.

□ 과 □ 의 차는 □ 입니다.

12
그림을 보고 뺄셈식을 쓰시오.

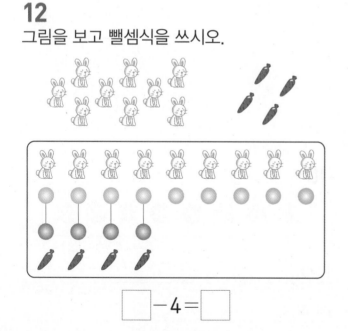

□ －4＝□

유형 18
그림을 그려서 뺄셈하기

비풀

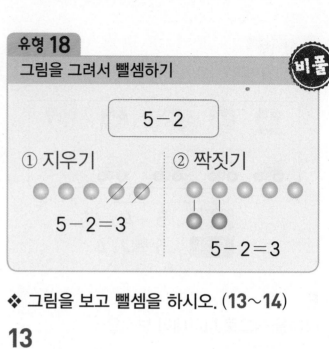

$$5-2$$

① 지우기

5－2＝3

② 짝짓기

5－2＝3

❖ 그림을 보고 뺄셈을 하시오. (13~14)

13

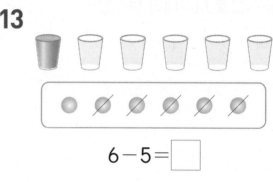

6－5＝□

14

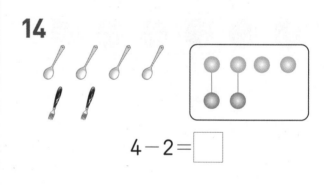

4－2＝□

15 익힘책 유형
그림을 보고 뺄셈을 하시오.

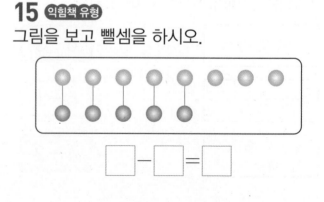

□ －□ ＝□

16
어항에 남은 물고기는 몇 마리인지 뺄셈식으로 나타내시오.

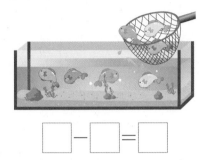

$$\boxed{} - \boxed{} = \boxed{}$$

❖ 식에 알맞게 그림을 그려 뺄셈을 하시오.
(17~18)

17 (익힘책 유형)

$$7 - 5 = \boxed{}$$

18 (익힘책 유형)

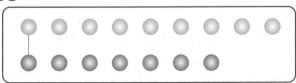

$$9 - 7 = \boxed{}$$

19 (창의·융합)
준하네 반 친구 8명이 수영장에 갔습니다. 전체에서 준비 운동을 하는 어린이 수를 빼어 물놀이하는 어린이 수를 구하는 식을 쓰시오.

준비 운동 하는 어린이

[식] _____

20 (서술형)

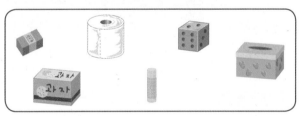 모양은   모양보다 몇 개 더 많은지 풀이 과정을 쓰고 답을 구하시오.

[풀이] _____

_____

[답] _____

21 (창의·융합)
그림을 보고 뺄셈식을 만들어 보시오.

$$\boxed{} - \boxed{} = \boxed{}, \quad \boxed{} - \boxed{} = \boxed{}$$

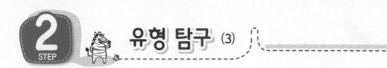
유형 19
가르기를 이용하여 뺄셈하기

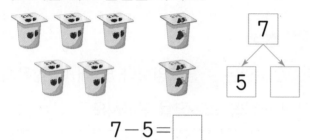

5는 3과 2로 가르기 할 수 있으므로
5에서 3을 빼면 2입니다.

22 교과서 유형
가르기를 하고 뺄셈을 하시오.

7 → 5, □

$7-5=\boxed{}$

23 익힘책 유형
가르기를 하고 뺄셈을 하시오.

(1) 3 → 2, □

$3-2=\boxed{}$

(2) 8 → 4, □

$8-4=\boxed{}$

24
전체 원숭이 중 나무 아래에 있는 원숭이 수를 구하는 뺄셈식을 쓰시오.

$6-\boxed{}=\boxed{}$

25 익힘책 유형
차가 같은 뺄셈식을 쓰시오.

$4-1$	$5-2$	$6-3$

유형 20
뺄셈 연습

남은 것
더 적다 → 뺄셈식을 만들어
빼다 답을 구합니다.

26
뺄셈을 하시오.

(1) $9-6=\boxed{}$ (2) $7-1=\boxed{}$

(3) $4-3=\boxed{}$ (4) $8-5=\boxed{}$

27
뺄셈 결과를 찾아 선으로 이어 보시오.

$8-3$ •   • 3

$6-5$ •   • 1

$7-4$ •   • 5

28

빈 곳에 알맞은 수를 써넣으시오.

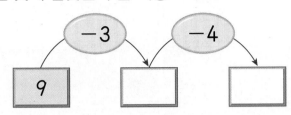

29

빈 곳에 알맞은 수를 써넣으시오.

−2 →	7	8	9

30

계산 결과가 더 큰 쪽에 ○표 하시오.

5 − 1		9 − 6
( )		( )

31

효연이는 줄넘기를 9번 넘었고 준석이는 효연이보다 4번 적게 넘었습니다. 준석이는 줄넘기를 몇 번 넘었습니까?

( )

32 창의·융합 서술형

지연이네 가족은 6명이고 현주네 가족은 4명입니다. 지연이네 가족은 현주네 가족보다 몇명 더 많습니까?

[식]

　　　[답]

33

보기와 같이 계산이 맞도록 필요없는 부분에 ×표 하시오.

보기

8×~~3~~−2=6

7−1−3=6

34 해설집 34쪽 문제 분석

민준이는 색종이 8장을 가지고 있습니다. 그중 3장으로 학을 접고, 4장으로 비행기를 접었습니다. 남은 색종이는 몇 장입니까?

( )

핵심 개념 (4)

1 STEP

❾ 0이 있는 덧셈

$$0+2=2 \qquad 2+0=2$$

0에 어떤 수를 더하거나 어떤 수에 0을 더하면 항상 어떤 수가 됩니다.

예제 ❶ 어떤 수에 0을 더하면 (어떤 수 , 0)입니다.

❿ 0이 있는 뺄셈

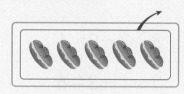

$$5-5=0 \qquad 5-0=5$$

전체에서 전체를 모두 빼면 0이 되고, 어떤 수에서 0을 빼면 그 값은 변하지 않습니다.

예제 ❷ 전체에서 전체를 모두 빼면 (전체 , 0)입니다.

⓫ 덧셈식 만들기, 뺄셈식 만들기

$$5+1=6$$
$$5+2=7$$
$$5+3=8$$

1씩 커짐   1씩 커짐

$$5-1=4$$
$$5-2=3$$
$$5-3=2$$

1씩 커짐   1씩 작아짐

셀파 포인트

• 0이 있는 덧셈

$$0+(어떤 수)=(어떤 수)$$
$$\Rightarrow 0+★=★$$

$$(어떤 수)+0=(어떤 수)$$
$$\Rightarrow ★+0=★$$

• 0이 있는 뺄셈

$$(전체)-(전체)=0$$
$$\Rightarrow ★-★=0$$

$$(어떤 수)-0=(어떤 수)$$
$$\Rightarrow ★-0=★$$

• 합이 5인 덧셈식 만들기

$$1+4=5$$
$$2+3=5$$
$$3+2=5$$
$$4+1=5$$

1씩 커게   1씩 작게

예제 정답

❶ 어떤 수에 ◯표
❷ 0에 ◯표

개념 확인 9 0이 있는 덧셈

9-1 그림을 보고 덧셈을 하시오.

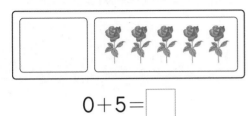

$$0+5=\boxed{}$$

9-2 그림을 보고 덧셈을 하시오.

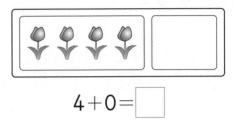

$$4+0=\boxed{}$$

개념 확인 10 0이 있는 뺄셈

10-1 그림을 보고 뺄셈을 하시오.

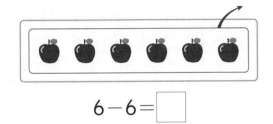

$$6-6=\boxed{}$$

10-2 그림을 보고 뺄셈을 하시오.

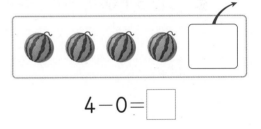

$$4-0=\boxed{}$$

개념 확인 11 덧셈식 만들기, 뺄셈식 만들기

11-1 그림을 보고 덧셈을 하시오.

$$3+1=\boxed{}$$
$$3+2=\boxed{}$$
$$3+3=\boxed{}$$

11-2 그림을 보고 뺄셈을 하시오.

$$6-1=\boxed{}$$
$$6-2=\boxed{}$$
$$6-3=\boxed{}$$

3

덧셈과 뺄셈

유형 탐구 (4)

유형 21
0이 있는 덧셈 비풀

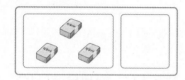

$$0+(어떤 수)=(어떤 수)$$
$$(어떤 수)+0=(어떤 수)$$

1 교과서 유형
그림을 보고 덧셈을 하시오.

$$3+0=\boxed{}$$

2 익힘책 유형
덧셈을 하시오.

(1) $0+2=\boxed{}$　　(2) $5+0=\boxed{}$

3
□ 안에 알맞은 수를 써넣으시오.

(1) $\boxed{}+6=6$　　(2) $8+\boxed{}=8$

4
빈 곳에 알맞은 수를 써넣으시오.

5
도미노의 눈의 수의 합이 큰 것부터 차례로 기호를 쓰시오.

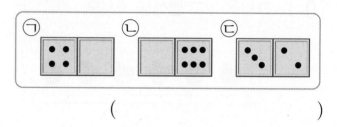

(　　　　　)

유형 22
0이 있는 뺄셈 비풀

$$(전체)-(전체)=0$$
$$(어떤 수)-0=(어떤 수)$$

6 교과서 유형
그림을 보고 뺄셈을 하시오.

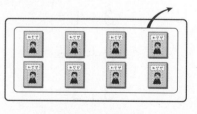

$$8-8=\boxed{}$$

100 | 수학 1-1

7 (익힘책 유형)

뺄셈을 하시오.

(1) $2 - 0 = \boxed{}$ (2) $6 - 6 = \boxed{}$

8

□ 안에 알맞은 수를 써넣으시오.

(1) $3 - \boxed{} = 3$ (2) $7 - \boxed{} = 0$

9 (창의·융합)

무씨 5개를 준비했습니다. 며칠 후에 무씨 5개에서 싹이 났습니다. 싹이 나지 않은 무씨는 몇 개입니까?

1

하루 동안 무씨를 물에 담가 둡니다.

2

밑이 평평한 그릇에 솜을 깝니다.

3

불린 무씨를 서로 붙지 않게 하여 잘 놓습니다.

4

무씨가 잘 자라도록 물을 줍니다.

(   )

10   (해설집 35쪽) (문제 분석)

도연이는 별 모양 쿠키 1개와 달 모양 쿠키 3개를 만든 다음 동생에게 몇 개를 주었더니 0개가 되었습니다. 동생에게 준 쿠키는 몇 개입니까?

(   )

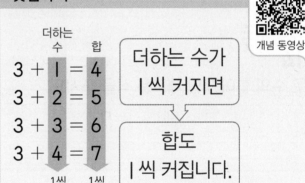

유형 23
덧셈하기

더하는 수   합

$3 + 1 = 4$
$3 + 2 = 5$
$3 + 3 = 6$
$3 + 4 = 7$

1씩 커짐   1씩 커짐

더하는 수가 1씩 커지면

↓

합도 1씩 커집니다.

개념 동영상

11 (익힘책 유형)

덧셈을 하시오.

$5 + 1 = \boxed{}$ $5 + 3 = \boxed{}$

$5 + 2 = \boxed{}$ $5 + 4 = \boxed{}$

12 (서술형)

위의 11을 보고 알 수 있는 점을 쓰시오.

덧셈식에서 더하는 수가 1씩 커지면

3
덧셈과 뺄셈

❖ 오른쪽 덧셈식은 앞의 더해지는 수가 1씩 커지고 있고 뒤의 더하는 수가 1씩 작아지고 있습니다. 물음에 답하시오. (13~15)

```
┌ 더해지는 수
2 + 5 = 7
       └ 더하는 수
3 + 4 = 7
4 + 3 = 7
5 + 2 = 7
```

13
위의 덧셈식에서 합은 같습니까, 다릅니까?

(   )

14
두 수의 합이 7인 새로운 식을 쓰시오.

$$\boxed{} + \boxed{} = 7$$

15 창의·융합
위의 식을 다음과 같이 2개씩 묶었습니다. 무엇을 알 수 있습니까?

```
2 + 5 = 7      3 + 4 = 7
5 + 2 = 7      4 + 3 = 7
```

두 수를 바꾸어 더한 식이에요.

⇨ 두 수를 바꾸어 더해도 그 값은 (같습니다 , 다릅니다).

유형 24
뺄셈하기

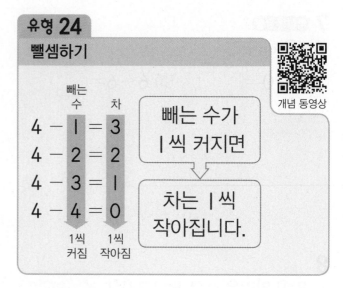

개념 동영상

```
    빼는
    수     차
4 - 1 = 3
4 - 2 = 2
4 - 3 = 1
4 - 4 = 0

1씩    1씩
커짐   작아짐
```

빼는 수가 1씩 커지면
↓
차는 1씩 작아집니다.

16 익힘책 유형
뺄셈을 하시오.

$7 - 3 = \boxed{}$ $7 - 5 = \boxed{}$

$7 - 4 = \boxed{}$ $7 - 6 = \boxed{}$

17 서술형
위의 **16**을 보고 알 수 있는 점을 쓰시오.
뺄셈식에서 빼는 수가 1씩 커지면

18 서술형
다음 뺄셈을 하고, 알 수 있는 점을 쓰시오.

$5 - 5 = \boxed{}$ $5 - 2 = \boxed{}$

$5 - 4 = \boxed{}$ $5 - 1 = \boxed{}$

$5 - 3 = \boxed{}$ $5 - 0 = \boxed{}$

뺄셈식에서 빼는 수가 1씩 작아지면

❖ 오른쪽 뺄셈식은 앞의 빼어지는 수와 뒤의 빼는 수가 각각 1씩 작아지고 있습니다. 물음에 답하시오. (19~21)

┌ 빼어지는 수
$9 - 6 = 3$
└ 빼는 수
$8 - 5 = 3$
$7 - 4 = \boxed{}$
$6 - 3 = \boxed{}$

19
위 식의 □ 안에 알맞은 수를 써넣으시오.

20
위의 뺄셈식에서 차는 같습니까, 다릅니까?
(　　　　　　　　　　)

21
두 수의 차가 3인 새로운 식을 쓰시오.

$\boxed{} - \boxed{} = 3$

$\boxed{} - \boxed{} = 3$

22
두 수의 차가 5인 뺄셈식을 완성하시오.

$9 - 4 = 5$
$8 - 3 = 5$
$\boxed{} - \boxed{} = 5$
$\boxed{} - \boxed{} = 5$

유형 25
덧셈식과 뺄셈식 완성하기
비품

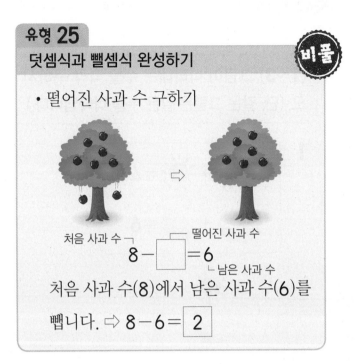

• 떨어진 사과 수 구하기

┌ 처음 사과 수　┌ 떨어진 사과 수
$8 - \boxed{} = 6$
└ 남은 사과 수

처음 사과 수(8)에서 남은 사과 수(6)를 뺍니다. ⇨ $8 - 6 = \boxed{2}$

❖ 그림을 보고 □ 안에 알맞은 수를 써넣으시오. (23~24)

23 교과서 유형

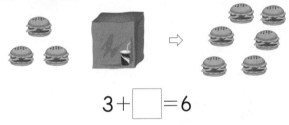

$3 + \boxed{} = 6$

24 교과서 유형

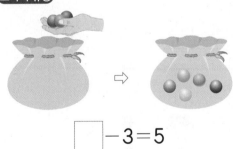

$\boxed{} - 3 = 5$

25
□ 안에 알맞은 수를 써넣으시오.

(1) $\boxed{} + 1 = 2$　　(2) $9 - \boxed{} = 2$

3
덧셈과 뺄셈

(1~3) 그림이 나타내는 수를 각각 구하시오. (단, 같은 그림은 같은 수를 나타냅니다.)

1

 (   )

🌙 (   )

2

(   )

(   )

3

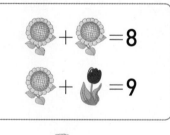

(   )

 (   )

(4~5) 사다리를 타고 내려가면서 계산하여 □ 안에 알맞은 수를 써넣으시오.

> **사다리 타는 방법**
> 1. 아래로 내려가다 만나는 다리는 반드시 건넙니다.
> 2. 아래와 옆으로만 이동합니다.
> 3. 지나는 길에 있는 식을 모두 계산합니다.

4

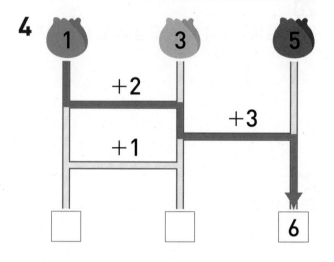

5

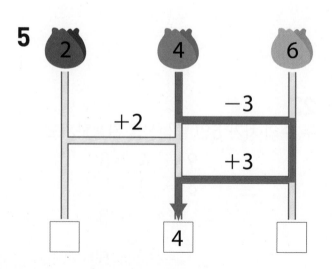

(6~7) 다음은 성냥개비로 0부터 9까지의 수를 만든 것입니다. 물음에 답하시오.

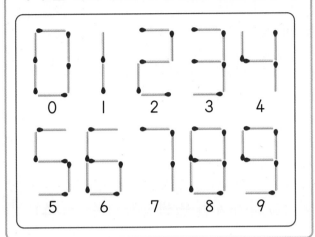

6 성냥개비 1개를 더 놓아 올바른 식이 되도록 만들어 보시오.

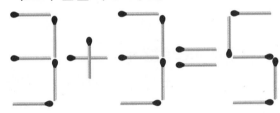

7 성냥개비 1개를 빼 내어 올바른 식이 되도록 만들려고 합니다. 빼 내야 할 성냥개비에 ×표 하시오.

(8~9) 가로줄 또는 세로줄에 있는 세 수를 차례로 놓아 뺄셈식 □-□=□를 만들려고 합니다. 세 수를 모두 찾아 묶어 보시오.

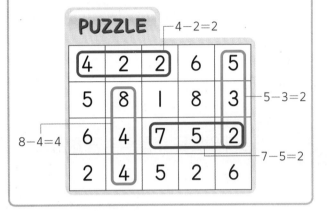

8

PUZZLE

7	6	5	8	4
3	2	1	5	2
5	1	7	3	5
9	1	6	4	2

9

PUZZLE

5	3	6	4	3
6	9	4	5	2
3	8	2	7	4
3	5	1	4	1

3

덧셈과 뺄셈

• 덧셈식과 뺄셈식 만들기

1 □ 안에 ＋와 －를 알맞게 써넣으시오.

또 문제✎

(1) 2 □ 3＝5   (2) 4 □ 2＝2

(3) 8 □ 5＝3   (4) 1 □ 6＝7

• 덧셈식 만들기

2 ㉠과 ㉡에 알맞은 수를 각각 구하시오.

또 문제✎

$$5＋1＝1＋\boxed{㉠}＝\boxed{㉡}$$

㉠ (   )

㉡ (   )

• 덧셈식과 뺄셈식 만들기

3 다음 3장의 숫자 카드를 한 번씩 사용하여

또 문제✎ 덧셈식과 뺄셈식을 각각 만들어 보시오.

$$\boxed{2}\quad\boxed{8}\quad\boxed{6}$$

□＋□＝□ , □－□＝□

• 뺄셈하기

해설집 38쪽 **문제 분석**

4 다음 중 가장 큰 수와 둘째로 작은 수의

또 문제✎
동영상◀ 차를 구하시오.

$$\boxed{4}\quad\boxed{7}\quad\boxed{6}\quad\boxed{2}$$

(   )

• 덧셈식과 뺄셈식 만들기

5 0부터 9까지의 수 중에서 두 수를 골라

또 문제✎ 다음 식을 모두 만들어 보시오. (단, 같은
수를 여러 번 사용할 수 있습니다.)

(1) 합이 4인 덧셈식 (□＋□＝4)

_____

_____

(2) 차가 4인 뺄셈식 (□－□＝4)

_____

_____

• 덧셈식과 뺄셈식 완성하기

6 민정이는 우표를 3장 가지고 있었습니다.

또 문제✎ 우표를 몇 장 더 샀더니 모두 9장이 되었
습니다. 더 산 우표는 몇 장입니까?

(   )

• 덧셈식과 뺄셈식 완성하기

서술형

7 현진이가 가지고 있던 풍선 중에서 4개

또 문제✎
동영상◀ 를 터뜨렸더니 3개가 남았습니다. 현진
이가 처음에 가지고 있던 풍선은 몇 개인
지 풀이 과정을 쓰고 답을 구하시오.

[풀이]

_____

_____

_____

[답] _____

또 문제 표시된 문제의 쌍둥이 문제가 제공됩니다.
동영상 표시된 문제의 동영상 특강을 볼 수 있어요.
QR 코드를 찍어 보세요.

▶ 정답은 38쪽에   공부한 날   월   일

• 덧셈식과 뺄셈식 완성하기

8 두 상자에 수를 넣으면 다음과 같이 나옵니다. ㉠에 알맞은 수를 구하시오. (단, ★은 같은 수입니다.)

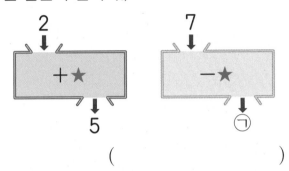

( )

• 덧셈식과 뺄셈식 완성하기   창의·융합

9 여학생 4명과 남학생 5명이 대문 놀이를 하고 있습니다. 잠시 후에 몇 명이 교실로 들어가서 2명이 남았습니다. 교실로 들어간 학생은 몇 명입니까?

( )

• 뺄셈하기   해설집 39쪽 문제 분석

10 연필을 미선이는 8자루, 진우는 3자루 가지고 있습니다. 미선이가 진우에게 연필을 2자루 주면, 미선이와 진우 중 누가 연필을 더 많이 가지게 됩니까?

( )

• 덧셈하기, 뺄셈하기   해설집 40쪽 문제 분석

11 혜진이와 승주가 과녁맞히기 놀이를 하였습니다. 혜진이는 빨간색 화살을 사용하였고, 승주는 파란색 화살을 사용하였습니다. 누구의 점수가 몇 점 더 높습니까?

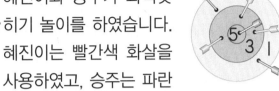

( ), ( )

• 뺄셈하기

12 다음 4장의 숫자 카드 중에서 2장을 골라 차가 가장 큰 뺄셈식을 만들었습니다. 이 뺄셈식의 차는 얼마입니까?

| 5 | 2 | 7 | 3 |

( )

• 덧셈식과 뺄셈식 알아보기   서술형

13 어떤 수에서 3을 빼야 할 것을 잘못하여 더했더니 8이 되었습니다. 바르게 계산하면 얼마인지 풀이 과정을 쓰고 답을 구하시오.

[풀이]

[답]

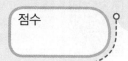
1 모으기와 가르기를 해 보시오.

(1)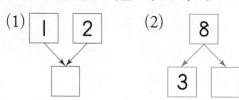

(2)

2 뺄셈식을 2가지로 읽어 보시오.

$$9-4=5$$

3 덧셈을 하시오.

(1) $3+4=$

(2) $2+7=$

4 뺄셈을 하시오.

(1) $7-2=$

(2) $5-0=$

5 어떤 수를 다음 두 수로 가르기 했습니다. 어떤 수를 가르기 했습니까?

| 1, 3 | 2, 2 | 3, 1 |

( )

6 □ 안에 들어갈 수가 나머지와 <u>다른</u> 것은 어느 것입니까? ·····················( )

① $2+3=$ ② $1+4=$

③ $4+2=$ ④ $5+0=$

⑤ $3+2=$

7 □ 안에 들어갈 수가 더 큰 것은 ㉠과 ㉡ 중 어느 것입니까?

$6-1=$ ㉠

$4+2=$ ㉡

( )

8 다음 중 계산한 값이 6인 것을 모두 찾아 ○표 하시오.

| 3+4 | 7-1 | 3+3 |
| 8-2 | 2+4 | 9-5 |

9 빈칸에 알맞은 수를 써넣으시오.

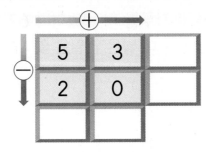

10 9가 되도록 두 수를 모으기 해 보시오.
(단, 0은 사용하지 않습니다.)

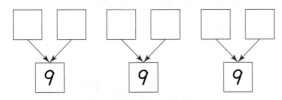

11 □ 안에 +와 −를 알맞게 써넣으시오.

(1) 4 □ 2=2

(2) 3 □ 2=5

12 연필 5자루를 수정이와 현민이가 나누어 가지려고 합니다. 수정이가 2자루를 가지면 현민이는 몇 자루를 가지게 됩니까?

(　　　　　)

창의·융합
13 준현이는 학교 가는 길에 녹색 어머니 4명과 교통 경찰관 2명을 만났습니다. 준현이가 만난 녹색 어머니와 교통 경찰관은 모두 몇 명입니까?

(　　　　　)

서술형
14 놀이터에 어른 5명, 어린이 2명이 있습니다. 어른은 어린이보다 몇 명 더 많습니까?

[식]

[답]

서술형

15 두 주사위 눈의 수의 합이 **7**인 것을 찾으려고 합니다. 풀이 과정을 쓰고 답을 구하시오.

가   나   다

[풀이]

[답]

16 모으기 하여 **6**이 되는 두 수를 찾아 ○표 하시오.

| 1 | 2 | 3 | 5 | 8 |

서술형

17 덧셈을 하고, 알 수 있는 점을 쓰시오.

$4+5=$ [ ] $4+3=$ [ ]

$4+4=$ [ ] $4+2=$ [ ]

덧셈식에서 더하는 수가 **1**씩 작아지면

18 다음 **3**장의 숫자 카드를 한 번씩 사용하여 덧셈식과 뺄셈식을 만들어 보시오.

| 2 | 7 | 5 |

⇨ [ ]＋[ ]＝[ ] , [ ]－[ ]＝[ ]

19 필통에 연필이 **2**자루 들어 있습니다. 연필 몇 자루를 더 넣었더니 **6**자루가 되었습니다. 더 넣은 연필은 몇 자루입니까?

(   )

창의·융합 **서술형**

20 남자 어린이 **3**명, 여자 어린이 **4**명이 닭잡기놀이를 하고 있습니다. 잠시 후에 **1**명이 집으로 돌아갔습니다. 남은 어린이는 몇 명인지 풀이 과정을 쓰고 답을 구하시오.

꼬꼬댁 꼬꼬댁

너 잡아 먹자!

[풀이]

[답]

단원평가

3. 덧셈과 뺄셈 **2**회

점수

1 가르기를 잘못한 것을 찾아 ×표 하시오.

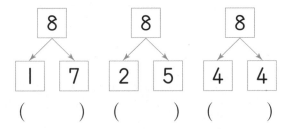

8	8	8
1 7	2 5	4 4
( )	( )	( )

2 덧셈과 뺄셈을 하시오.

(1) $5+2=$ ☐

(2) $8-3=$ ☐

3 덧셈 결과를 찾아 선으로 이어 보시오.

2+3 ·   · 7

1+6 ·   · 3

0+3 ·   · 5

4 ☐ 안에 들어갈 수가 더 큰 식의 기호를 쓰시오.

㉠ ☐ $+0=5$ ㉡ $6-$ ☐ $=0$

( )

5 가르기를 해 보시오.

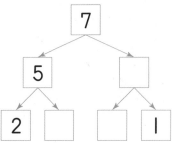

7 → 5, ☐ → 2, ☐, ☐, 1

6 계산 결과가 같은 것끼리 같은 색을 칠하시오.

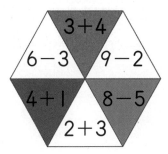

3+4
6−3   9−2
4+1   8−5
2+3

7 사탕 5개를 형과 동생이 나누어 가지려고 합니다. 형이 4개를 가지면 동생은 몇 개를 가지게 됩니까?

( )

서술형

8 아빠펭귄 2마리가 아기펭귄을 돌보고 있습니다. 아기펭귄은 아빠펭귄보다 6마리 더 많습니다. 아기펭귄은 몇 마리입니까?

[식]

[답]

3

덧셈과 뺄셈

9 세 수로 덧셈식과 뺄셈식을 만들어 보시오.

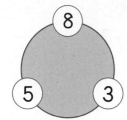

□ + □ = □

□ - □ = □

10 각각의 주머니에 공이 2개씩 들어 있습니다. 공에 쓰여 있는 두 수를 모으기 한 값이 <u>다른</u> 주머니의 기호를 쓰시오.

( )

11 같은 모양끼리 가르려고 합니다. 빈 곳에 알맞은 모양을 그려 넣고, 가르기를 해 보시오.

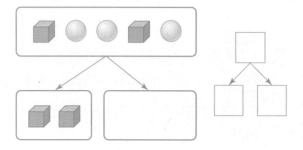

12 뺄셈을 하고, 알 수 있는 점을 쓰시오.

$9 - 5 = 4$ | $7 - 3 = \square$

$8 - 4 = 4$ | $6 - 2 = \square$

뺄셈식에서 앞의 빼어지는 수와 뒤의 빼는 수를 각각 1씩 작게 하면

_____

_____

_____

13 위의 **12**를 보고 두 수의 차가 4인 새로운 식을 써 보시오.

□ - □ = □

14 수진이는 가지고 있던 제비꽃 중에서 2송이로 제비꽃 씨름을 했더니 6송이가 남았습니다. 수진이가 처음에 가지고 있던 제비꽃은 몇 송이입니까?

( )

▸ 정답은 41쪽에

15 가로줄 또는 세로줄에 나란히 붙어 있는 수를 모으기 하고 있습니다. 모으기 하여 7이 되는 두 수를 모두 묶어 보시오.

1	6	2	4	3
3	4	5	7	1
2	1	2	3	5

16 1, 2, 6과 같이 한 줄에 있는 세 수를 모으기 하면 모두 9가 됩니다. ㉠, ㉡에 알맞은 수를 각각 구하시오.

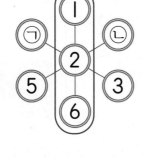

㉠ (   )

㉡ (   )

17 다음 4장의 숫자 카드 중에서 2장을 골라 합이 가장 작은 덧셈식을 만들었습니다. 이 덧셈식의 합은 얼마입니까?

2 3 4 5

(   )

서술형

18 사탕을 경민이는 5개, 현지는 6개 가지고 있었는데 현지가 사탕 3개를 먹었습니다. 경민이와 현지 중 누가 사탕을 몇 개 더 많이 가지고 있는지 풀이 과정을 쓰고 답을 구하시오.

[풀이]

_____

_____

[답] _____ , _____

19 성민이는 맨 아래 계단에서 몇 계단 위에 있습니까?

(   )

20 카드 7장을 형과 동생이 나누어 가졌습니다. 형이 동생보다 3장을 더 가졌다면 형은 카드를 몇 장 가졌습니까?

(   )

3단원이 끝났습니다. QR코드를 찍으면 재미있는 게임을 할 수 있어요.

3
덧셈과 뺄셈

3. 덧셈과 뺄셈 **113**

4 비교하기

QR을 찍어 보세요. 재미있는 학습 게임을 할 수 있어요.

학습 게임

제4화 라이트 형제의 좌충우돌 비행기 만들기

이거 타임머신이 제대로 되긴 되는 거야?

세워서 알아봐야겠다.

부아아앙

우악! 부딪히겠어.

앗! 비행기가 추락한다!

슈우욱

헉! 빨리 가 보자!

탁 탁 탁

으~ 큰일날 뻔 했다.

도대체 몇 번째 실패야?

너 때문에 또 실패한 거잖아.

형 때문이야!

무거운 걸 갖고 타지 말라니까 형이 사과를 가지고 타서……

너는 귤 가지고 탔잖아.

사과가 귤보다 더 무겁다고.

어떻게 알아?

그건 들었을 때 힘이 더 드는 게 더 무거운 거죠.

더 무겁다   더 가볍다

봐! 내 말이 맞지?

흐음… 그런가?

혹시 최초의 비행기를 만든 라이트 형제 맞나요?

헤~

라이트 형제는 나도 알아.

우리가 이렇게 유명했었나?

이미 배운 내용	이번에 배울 내용	앞으로 배울 내용
[5세 누리과정] • 일상생활에서 길이, 크게, 무게 등의 속성을 비교하고, 순서를 지어보기	• 길이, 높이, 키 비교하기 • 무게, 넓이 비교하기 • 담을 수 있는 양, 담긴 양 비교하기	[2-1 길이 재기] • 1 cm 알아보기 • 길이 재기 • 길이 어림하기

STEP 1

만화로 개념 쏙!

새로 산 연필인데 진짜 길지? / 내 연필보다 더 짧은데? / 아냐, 내 연필이 더 길어! / 비교해 볼까? / 어떻게? / 한쪽 끝을 맞추고 반대쪽 끝을 비교하면 돼. / 뭐야! 뒤에 붙인 그 지우개는?? / 원래 연필 뒤에 지우개 붙어 있잖아!

❶ 길이 비교하기 — 한쪽 끝이 맞추어져 있을 때 반대쪽 끝을 비교합니다.

• **두 가지일 때**

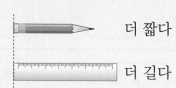

더 짧다
더 길다

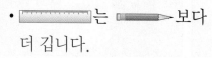 는 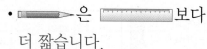 보다 더 깁니다.

•  은 ▭ 보다 더 짧습니다.

• **세 가지일 때**

가장 길다
가장 짧다

자가 가장 깁니다.

예제 ❶ 위 그림에서 지우개가 가장 (깁니다 , 짧습니다).

❷ 무게 비교하기 — 들었을 때 힘이 더 드는 것이 더 무겁습니다.

• **두 가지일 때**

더 무겁다   더 가볍다

• 은 보다 더 무겁습니다.

• 는 보다 더 가볍습니다.

• **세 가지일 때**

가장 무겁다   가장 가볍다

귤이 가장 가볍습니다.

예제 ❷ 위 그림에서 수박이 가장 (무겁습니다 , 가볍습니다).

셀파 포인트

• 양쪽 끝이 모두 맞추어져 있을 때는 많이 구부러져 있을수록 더 깁니다.

더 길다
더 짧다

• **두 가지의 높이 비교**

더 높다   더 낮다

• **두 사람의 키 비교하기**

더 작다 ⌐ ⌐ 더 크다

예제 정답

❶ 짧습니다에 ○표
❷ 무겁습니다에 ○표

▶ 정답은 43쪽에 공부한 날   월   일

개념 확인 ① 길이 비교하기

1-1 그림을 보고 길이를 비교하여 알맞은 말에 ◯표 하시오.

클립은 못보다 더
(깁니다 , 짧습니다).

1-2 그림을 보고 길이를 비교하여 빈칸에 알맞은 말을 써넣으시오.

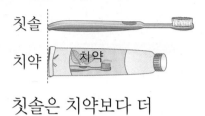

칫솔은 치약보다 더

1-3 더 긴 것에 ◯표 하시오.

(1) （   ）

（   ）

(2) （   ）

（   ）

1-4 더 짧은 것에 △표 하시오.

(1) （   ）

（   ）

(2) （   ）

（   ）

개념 확인 ② 무게 비교하기

2-1 더 무거운 것에 ◯표 하시오.

(1)

（   ）　（   ）

(2)

（   ）　（   ）

2-2 더 가벼운 것에 △표 하시오.

(1)

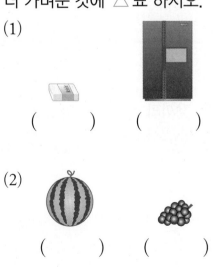

（   ）　（   ）

(2)

（   ）　（   ）

2 STEP

유형 탐구 (1)

유형 1

길이 비교하기 – 두 가지

한쪽 끝을 맞추어 비교합니다.

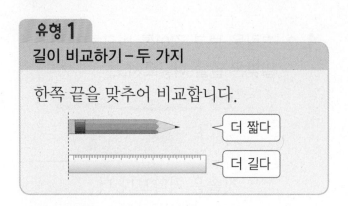

1 교과서 유형

더 긴 것에 ◯표 하시오.

(   )   (   )

2

더 짧은 것에 △표 하시오.

(   )

(   )

3

관계있는 것끼리 선으로 이어 보시오.

·   · 더 길다

·   · 더 짧다

4

더 짧은 것에 △표 하시오.

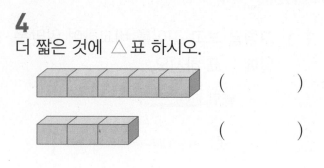

(   )

(   )

5

칫솔과 빗자루의 길이를 비교하여 ☐ 안에 알맞은 말을 써넣으시오.

칫솔

빗자루

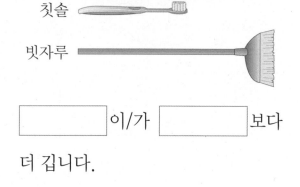

☐ 이/가 ☐ 보다

더 깁니다.

6

더 긴 손에 ◯표, 더 짧은 손에 △표 하시오.

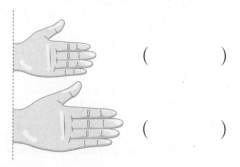

(   )

(   )

▶ 정답은 43쪽에

7
더 긴 것에 ◯표 하시오.

(   )

(   )

8 창의·융합
학생들이 모둠별로 손을 잡고 팔을 뻗어 길게 만들기 놀이를 하였습니다. 누구네 모둠이 더 길게 만들었습니까?

지수네 모둠

정우네 모둠

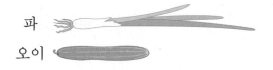

(   )

9 서술형
그림을 보고 파와 오이의 길이를 비교하는 문장을 쓰시오.

파

오이

_____

_____

10 익힘책 유형
연필보다 더 짧은 것을 모두 찾아 기호를 쓰시오.

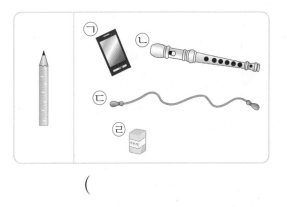

(   )

유형 2
길이 비교하기 – 세 가지

한쪽 끝을 맞추어 비교합니다.

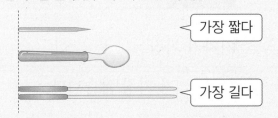

가장 짧다

가장 길다

11
관계있는 것끼리 선으로 이어 보시오.

 •

 •

 •

• 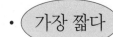 가장 길다

• 가장 짧다

4. 비교하기 | **119**

12

가장 긴 것에 ○표, 가장 짧은 것에 △표 하시오.

(   ) (   ) (   )

13 교과서 유형

기차, 택시, 버스의 길이를 비교하여 ☐ 안에 알맞은 말을 써넣으시오.

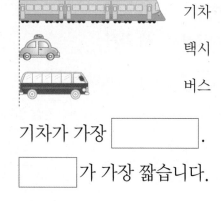

기차

택시

버스

기차가 가장 ☐ .

☐ 가 가장 짧습니다.

14

가장 긴 줄넘기가 성진이의 것이라고 합니다. 성진이의 줄넘기를 찾아 기호를 쓰시오.

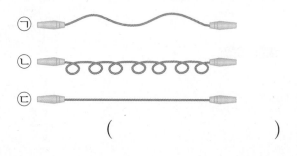

(   )

유형 3

높이 비교하기

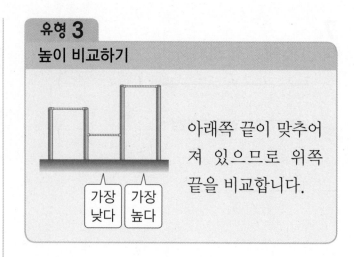

가장 낮다   가장 높다

아래쪽 끝이 맞추어져 있으므로 위쪽 끝을 비교합니다.

15

더 높은 것에 ○표 하시오.

(   ) (   )

16

가장 높은 것에 ○표 하시오.

(   ) (   ) (   )

17

가장 높은 것에 ○표, 가장 낮은 것에 △표 하시오.

(   ) (   ) (   )

18

깃발을 낮은 것부터 차례대로 늘어놓고 있습니다. 파란색 깃발을 놓아야 하는 곳을 찾아 기호를 쓰시오.

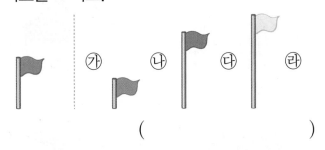

(　　　　　　　)

유형 4
키 비교하기

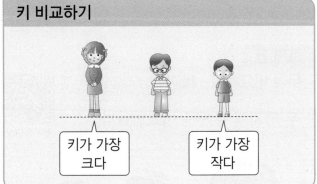

키가 가장 크다　　키가 가장 작다

19 교과서 유형

키가 더 작은 사람에 △ 표 하시오.

(　　　)　(　　　)

20

관계있는 것끼리 선으로 이어 보시오.

 •

 •

• 더 크다

• 더 작다

21

키가 가장 큰 것에 ◯표, 가장 작은 것에 △ 표 하시오.

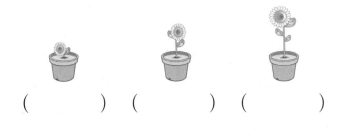

(　　)　(　　　)　(　　)

22 창의·융합 서술형

교실 출입문이 내 키보다 작아지면 어떤 일이 일어날지 쓰시오.

_____

_____

23　해설집 44쪽 문제 분석

다음을 읽고 재범, 성화, 승우 중에서 키가 가장 큰 사람은 누구인지 쓰시오.

- 재범이는 성화보다 더 작습니다.
- 재범이는 승우보다 더 큽니다.

(　　　　　　　)

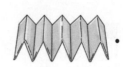

2 STEP 유형 탐구 (1)

유형 5
무게 비교하기 – 두 가지

물건을 들었을 때 힘이 더 드는 것이 더 무겁습니다.

| 더 무겁다 | 더 가볍다 |

24 익힘책 유형
더 무거운 것에 ◯표 하시오.

(   ) (   )

25
더 가벼운 것에 △표 하시오.

(   ) (   )

26
관계있는 것끼리 선으로 이어 보시오.

농구공

•   • 더 무겁다

탁구공

•   • 더 가볍다

27 창의·융합 교과서 유형
각각의 종이 받침대 위에 올려놓아져 있었던 물건을 찾아 이어 보시오.

•   •

•   •

유형 6
무게 비교하기 – 세 가지

개념 동영상

두 가지씩 무게를 비교합니다.

①   ②

| 가장 무겁다 | ③ | 가장 가볍다 |

① 수박이 사과보다 더 무겁습니다.
② 사과가 딸기보다 더 무겁습니다.
③ 수박이 딸기보다 더 무겁습니다.
⇨ 수박이 가장 무겁고, 딸기가 가장 가볍습니다.

28
가장 가벼운 것에 △표 하시오.

(   ) (   ) (   )

29
가장 무거운 것에 ○표 하시오.

(　　　) 　(　　　) 　(　　　)

30 익힘책 유형
똑같은 병에 각각 휴지, 모래, 비스킷을 넣었습니다. 가장 무거운 것에 ○표, 가장 가벼운 것에 △표 하시오.

휴지　　　　　모래　　　　비스킷

(　　) 　(　　) 　(　　)

31 서술형
정훈, 수진, 민지가 서로 몸무게를 비교하였습니다. 가장 무거운 사람은 누구인지 풀이 과정을 쓰고 답을 구하시오.

난 수진이보다 더 무거워.

난 수진이보다 더 가벼운데?

정훈　　　　수진　　　　민지

[풀이]

_____

_____

[답] _____

유형 7
여러 가지 방법으로 무게 비교하기

- 시소, 양팔저울 ─ 아래로 내려간 것이 더 무겁습니다.

더 가볍다　　　　　　　더 무겁다

- 고무줄, 용수철 ─ 아래로 더 많이 늘어날수록 더 무겁습니다.

32 교과서 유형
더 무거운 동물에 ○표 하시오.

(　　　) 　(　　　)

33
무와 호박 중 더 가벼운 것은 어느 것입니까?

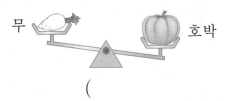

무　　　　　　　　호박

(　　　　　)

34
같은 길이의 고무줄에 물건을 매달았더니 다음과 같이 늘어났습니다. 가장 가벼운 것은 어느 것입니까?

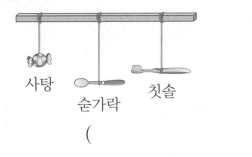

사탕　　숟가락　　칫솔

(　　　　　)

STEP 1

핵심 개념 (2)

4. 비교하기

만화로 개념 쏙!

❸ **넓이 비교하기** — 겹쳐 보았을 때 남는 부분이 있는 것이 더 넓습니다.

• 두 가지일 때

더 좁다   더 넓다

은 보다 더 넓습니다.

은 보다 더 좁습니다.

• 세 가지일 때

가장 넓다   가장 좁다

스케치북이 가장 넓습니다.

❹ **담을 수 있는 양 비교하기** — 그릇의 크기가 클수록 담을 수 있는 양이 더 많습니다.

• 두 가지일 때

더 많다   더 적다

은 보다 담을 수 있는 양이 더 많습니다.

은 보다 담을 수 있는 양이 더 적습니다.

• 세 가지일 때

가장 많다   가장 적다

사이다 병에 담을 수 있는 양이 가장 많습니다.

예제 ❶ 위 그림에서 요구르트 병에 담을 수 있는 양이 가장 적습니다. (○ , ×)

셀파 포인트

• 모눈에서는 칸 수가 많은 쪽이 더 넓습니다.

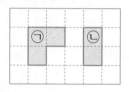

㉠: 3칸, ㉡: 2칸
⇨ ㉠은 ㉡보다 더 넓습니다.

• 그릇에 담을 수 있는 양을 '들이'라고 합니다.

• **담긴 양 비교하기**

(1) 컵의 모양과 크기가 같을 때
: 물의 높이가 높을수록 담긴 양이 더 많습니다.

더 많다   더 적다

(2) 담긴 물의 높이가 같을 때
: 그릇의 크기가 클수록 담긴 양이 더 많습니다.

더 많다   더 적다

예제 정답

❶ ○에 ○표

124 | 수학 1-1

▶ 정답은 45쪽에 공부한 날   월   일

개념 확인 ③ 넓이 비교하기

3-1 더 넓은 것에 ◯표 하시오.

(1)

(   )   (   )

(2)

(   )   (   )

3-2 더 좁은 것에 △표 하시오.

(1)

(   )   (   )

(2)

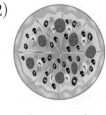

(   )   (   )

개념 확인 ④ 담을 수 있는 양 비교하기

4-1 물을 더 많이 담을 수 있는 것에 ◯표 하시오.

(   )   (   )

4-2 물을 더 적게 담을 수 있는 것에 △표 하시오.

(   )   (   )

4-3 물이 더 많이 들어 있는 것에 ◯표 하시오.

(   )   (   )

4-4 물이 더 적게 들어 있는 것에 △표 하시오.

(   )   (   )

유형 8
넓이 비교하기 – 두 가지

겹쳐 보았을 때 남는 부분이
있는 것이 더 넓습니다.

개념 동영상

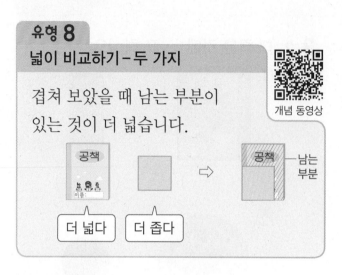

더 넓다　더 좁다

1 익힘책 유형
더 넓은 것에 ○표 하시오.

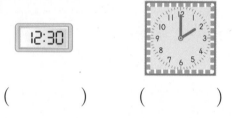

(　　　)　(　　　)

2
더 좁은 것에 △표 하시오.

(　　　)　(　　　)

3
관계있는 것끼리 선으로 이어 보시오.

・ 더 넓다

・ 더 좁다

4
민형이와 현지 중 넓이를 비교하기 위해 바르
게 겹친 사람은 누구입니까?

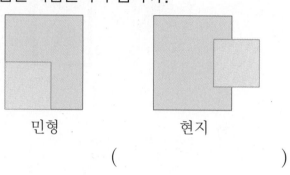

민형　　　　　현지

(　　　　　　　　)

5
왼쪽의 사진을 자르거나 접지 않고 넣을 수
있는 액자의 기호를 쓰시오.

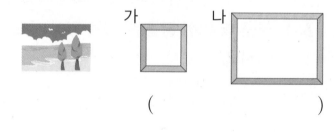

가　　　나

(　　　　　　　　)

6 해설집 45쪽 문제 분석
더 넓은 것의 기호를 쓰시오.

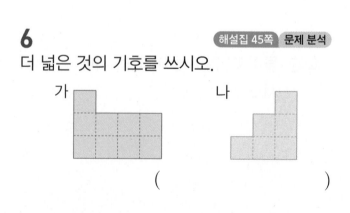

가　　　　　　　　나

(　　　　　　　　)

▶ 정답은 45쪽에 공부한 날 　 월 　 일

유형 9
넓이 비교하기 – 세 가지

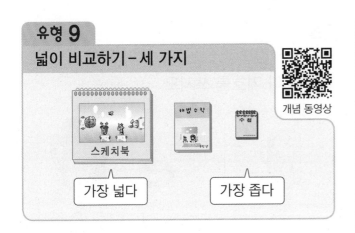

개념 동영상

스케치북

가장 넓다 　 가장 좁다

7 교과서 유형
가장 넓은 것에 ○표 하시오.

(　) (　) (　)

8
가장 좁은 것에 색칠하시오.

9
가장 넓은 것에 ○표, 가장 좁은 것에 △표 하시오.

(　) (　) (　)

10
색종이를 그림처럼 잘랐을 때 생기는 조각 중 가장 넓은 것을 찾아 기호를 쓰시오.

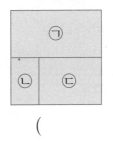

(　　　　　　　)

11 서술형 창의·융합
밭에 그림처럼 옥수수, 콩, 고추를 심었습니다. 가장 넓은 부분에 심은 것은 무엇인지 풀이 과정을 쓰고 답을 구하시오.

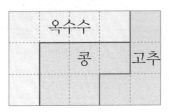

[풀이]

[답]

12
운동장, 공원, 놀이터의 넓이를 비교하여 넓은 것부터 차례로 쓰시오.

- 공원은 운동장보다 더 넓습니다.
- 놀이터는 운동장보다 더 좁습니다.

(　　　　　　　)

4 비교하기

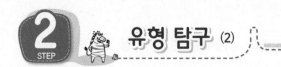

유형 10

담을 수 있는 양 비교하기 - 두 가지

개념 동영상

그릇의 크기가 클수록 담을 수 있는 양이 더 많습니다.

담을 수 있는 양이 더 적다

담을 수 있는 양이 더 많다

13 익힘책 유형

물을 더 많이 담을 수 있는 것에 ○표 하시오.

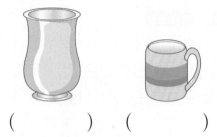

(   )   (   )

14

물을 더 적게 담을 수 있는 것에 △표 하시오.

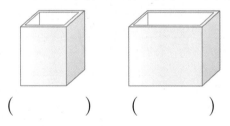

(   )   (   )

15

관계있는 것끼리 선으로 이어 보시오.

 ·

 ·

· 더 많이 담을 수 있다

· 더 적게 담을 수 있다

16

보기의 컵보다 물을 더 많이 담을 수 있는 컵을 찾아 기호를 쓰시오.

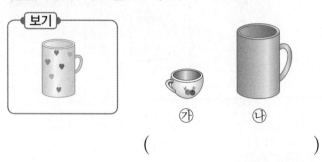

보기

㉮   ㉯

(   )

17

담을 수 있는 양을 비교하여 ☐ 안에 알맞은 말을 써넣으시오.

물통   컵

☐ 은 ☐ 보다 물을 더 적게 담을 수 있습니다.

18 창의·융합

다음은 선주와 미희가 산 쓰레기봉투입니다. 선주가 산 쓰레기봉투를 찾아 기호를 쓰시오.

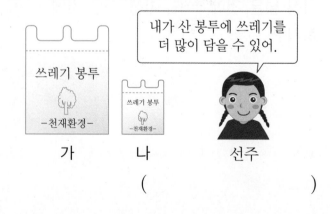

내가 산 봉투에 쓰레기를 더 많이 담을 수 있어.

가   나   선주

(   )

유형 11
담을 수 있는 양 비교하기 – 세 가지

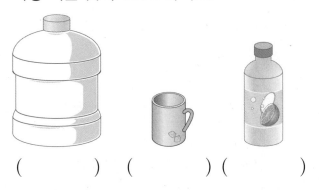

담을 수 있는 양이 가장 적다   담을 수 있는 양이 가장 많다

19 [익힘책 유형]

담을 수 있는 물의 양이 가장 많은 것에 ○표, 가장 적은 것에 △표 하시오.

(   )   (   )   (   )

20 [서술형]

'가장'이라는 말을 사용하여 세 그릇의 담을 수 있는 양을 비교하는 문장을 만들어 보시오.

가   나   다

_____

_____

_____

21

주스를 가장 많이 담을 수 있는 컵은 누구의 컵입니까?

- 영수의 컵은 지혜의 컵보다 주스를 더 많이 담을 수 있습니다.
- 지혜의 컵은 희수의 컵보다 주스를 더 많이 담을 수 있습니다.

(   )

유형 12
담긴 양 비교하기 – 그릇의 모양과 크기가 같을 때

똑같은 그릇에 물을 담으면 물의 높이가 높을수록 담긴 물의 양이 더 많습니다.

가   나   다

가장 적다   가장 많다

22

물이 더 많이 담긴 것에 ○표 하시오.

(   )   (   )

23

우유가 가장 많이 담긴 것에 ○표, 가장 적게 담긴 것에 △표 하시오.

(   ) (   ) (   )

24

<보기>의 컵보다 물이 더 많이 담긴 것에 ○표 하시오.

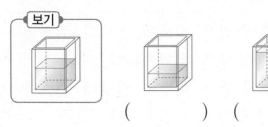

(   ) (   )

25 익힘책 유형

물이 많이 담긴 것부터 차례로 1, 2, 3을 쓰시오.

(   ) (   ) (   )

26

똑같은 컵에 주스를 가득 따른 후에 마시고 남은 것입니다. 누가 주스를 가장 많이 마셨습니까?

현미   경아   다은

(   )

유형 13

담긴 양 비교하기 – 담긴 물의 높이가 같을 때

담긴 물의 높이가 같으면 그릇의 크기가 클수록 담긴 물의 양이 더 많습니다.

가   나   다

높이가 같다.

가장 많다   가장 적다

27 교과서 유형

물이 더 많이 담긴 것에 ○표 하시오.

(   ) (   )

❖ 담긴 물의 양을 비교하여 관계있는 것끼리 선으로 이어 보시오. (28~29)

28

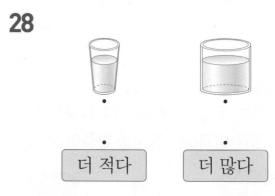

더 적다   더 많다

29

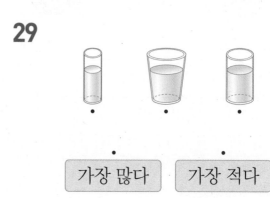

가장 많다   가장 적다

30

주스가 적게 담긴 것부터 차례로 I, 2, 3을 쓰시오.

(　　　　) (　　　　) (　　　　)

31 창의·융합

가와 나 중 어느 병에 들어 있는 주스가 더 많습니까?

다녀왔습니다.

목이 말라요.

주스 마시렴.

주스가 더 많이 담긴 병은 어느 것일까?

(　　　　　　　　　　)

32 서술형

그림을 보고 잘못 설명한 것입니다. 바르게 고치시오.

가 　　나 　　다

물이 가장 많이 담긴 물통은 가입니다.

_____

_____

유형 14
가득 채운 물을 옮겨 담기

 비풀

- 큰 컵에서 작은 컵으로 옮겨 담기

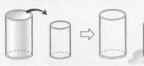 ⇨ ─ 물이 흘러 넘칩니다.

- 작은 컵에서 큰 컵으로 옮겨 담기

 ⇨ ─ 담긴 물의 높이가 낮아집니다.

33

물을 옮겨 담으면 어떻게 될지 그려 보시오.

34

그림을 보고 알맞은 말에 ○표 하시오.

(큰 컵 , 작은 컵)에 가득 채운 물을
(큰 컵 , 작은 컵)으로 옮겨 담았습니다.

35

보기 의 컵에 가득 담긴 물을 흘리지 않고 모두 옮겨 담으려면 어떤 컵이 필요한지 기호를 쓰시오.

보기

ㄱ 　　ㄴ

(　　　　　　　　　　)

(1~2) 똑같은 통에 리본을 여러 번 감은 뒤 리본의 길이를 비교해 보았습니다.

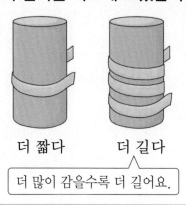

더 짧다　　　　더 길다

더 많이 감을수록 더 길어요.

1 똑같은 통에 줄을 감았습니다. 더 긴 것에 ○표 하시오.

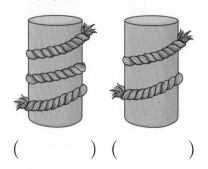

(　　　) (　　　)

2 똑같은 통에 색 테이프를 감았습니다. 더 짧은 것에 △표 하시오.

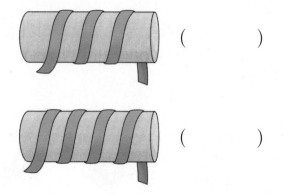

(　　　)

(　　　)

(3~4) 같은 종류의 과일은 무게가 모두 같습니다. 물음에 답하시오.

양쪽의 무게가 같으면 어느 쪽으로도 기울어지지 않아요.

3 바나나 1개의 무게는 귤 몇 개의 무게와 같습니까?

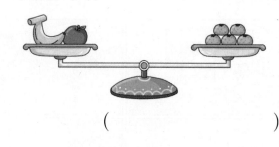

(　　　　　　　　　)

4 파인애플 1개의 무게는 귤 몇 개의 무게와 같습니까?

(　　　　　　　　　)

5 개미가 땅에 떨어진 과자 4개를 보았는데, 그중 1개만 가지고 갈 수 있습니다. 가장 짧은 길로 가려면 어느 과자를 골라야 합니까? ·················· (   )

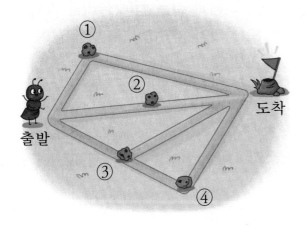

6 개미가 과자를 창고에 보관하려고 합니다. 입구에서 창고까지 가장 짧은 길로 가려면 어느 길로 가야 합니까?

·························· (   )

(7~8) 면봉을 이용하여 모양을 만들고 있습니다. 물음에 답하시오.

7 가와 나는 모두 면봉 8개를 이용하여 만든 모양입니다. 더 넓은 것의 기호를 쓰시오.

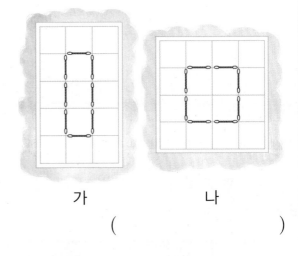

가   나

(   )

8 면봉 10개를 이용하여 다음 그림보다 더 넓은 모양을 만들어 보시오.

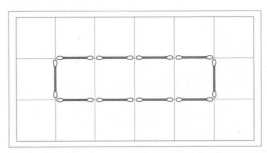

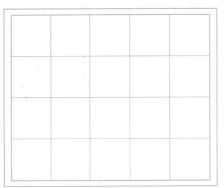

3 STEP 레벨 UP

● 길이 비교하기

1 **창의·융합**

또 문제 **보기**의 줄넘기보다 더 긴 줄넘기를 그려 보시오. (다만 두 줄넘기의 양쪽 끝은 맞추어져 있습니다.)

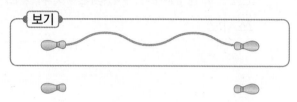

● 키 비교하기

2 세 사람 중에서 키가 가장 큰 사람은 누

또 문제 구입니까?

석준   승우   강현

(   )

● 넓이 비교하기

3 수연, 지은, 철호 세 사람이 땅따먹기를

또 문제 했습니다. 누구의 땅이 가장 넓습니까?

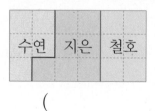

(   )

● 담긴 양 비교하기

4

또 문제
동영상

현정이와 은미는 각각 크기가 같은 콜라를 1병씩 가지고 있었습니다. 현정이와 은미는 다음과 같은 컵에 콜라를 가득 채우고도 콜라가 남았습니다. 병에 남아 있는 콜라의 양이 더 많은 사람은 누구입니까?

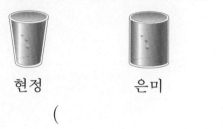

현정   은미

(   )

● 무게 비교하기

5 **서술형**

또 문제
동영상

빨간 공, 노란 공, 파란 공이 있습니다. 세 공 중 가장 무거운 공은 어느 것인지 풀이 과정을 쓰고 답을 구하시오.

[풀이]

_____

_____

_____

[답] _____

또 문제 표시된 문제의 쌍둥이 문제가 제공됩니다.
동영상 표시된 문제의 동영상 특강을 볼 수 있어요.
QR 코드를 찍어 보세요.

▶ 정답은 48쪽에   공부한 날   월   일

• 담을 수 있는 양 비교하기   해설집 49쪽 문제 분석

6 물이 일정하게 나오는 **3**개의 수도꼭지로
또 문제 가, 나, 다 세 그릇에 물을 동시에 받았습니다. 얼마 후 가에 물이 가득 찼습니다. 이때 나에는 아직 가득 차지 않았고, 다는 물이 넘쳤습니다. 물을 가장 많이 담을 수 있는 그릇은 어느 것입니까?

(   )

• 넓이 비교하기   서술형

7 현주와 은영이가 각자 가지고 있는 색종이
또 문제 를 그림처럼 잘랐습니다. 각자의 조각 중
동영상 가장 넓은 것을 비교하면 누구의 것이 더 넓은지 풀이 과정을 쓰고 답을 구하시오.

현주   은영

[풀이]

_____

_____

_____

_____

[답]

• 키 비교하기

8 교실에서는 앉은키가 작을수록 앞에 앉
또 문제 습니다. 진수는 영희보다 앉은키가 더 작
동영상 고, 수민이는 영희보다 앉은키가 더 큽니다. 가장 앞에 앉는 학생은 누구입니까?

(   )

• 무게 비교하기   해설집 49쪽 문제 분석

9 만화책 **3**권의 무게는 동화책 **1**권의 무게
또 문제 와 같습니다. 동화책 **2**권과 만화책 **5**권
동영상 중 어느 것이 더 무겁습니까? (다만 같은 종류의 책은 무게가 모두 같습니다.)

(   )

• 담긴 양 비교하기   해설집 50쪽 문제 분석

10 누구의 통에 음료수가 가장 많이 들어 있
또 문제 습니까?
동영상

영인   은형   수아   정미

(   )

1 더 긴 것에 ◯표 하시오.

   (   )

   (   )

2 더 높은 것에 ◯표 하시오.

(   )   (   )

3 더 넓은 것에 ◯표 하시오.

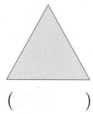   

(   )   (   )

4 물을 더 적게 담을 수 있는 것에 △표 하시오.

(   )   (   )

5 관계있는 것끼리 선으로 이어 보시오.

길이	•	•	더 크다, 더 작다
키	•	•	더 넓다, 더 좁다
넓이	•	•	더 길다, 더 짧다

6 학교에서 집까지 가는 길 중 더 짧은 길을 찾아 기호를 쓰시오.

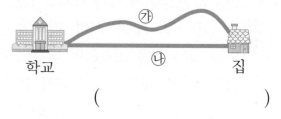

학교   집

(   )

7 물이 가장 많이 담긴 것에 ◯표 하시오.

(   ) (   ) (   )

8 누구의 컵이 더 무겁습니까?

수진　　　　　주민

(　　　　　　　)

9 가장 무거운 것에 ○표, 가장 가벼운 것에 △표 하시오.

(　　　　)　(　　　　)　(　　　　)

10 <u>잘못</u> 설명한 것은 어느 것입니까?
···(　　　)

포스터　　　　공책　　　　달력

① 포스터는 달력보다 더 넓습니다.
② 공책이 가장 좁습니다.
③ 공책은 달력보다 더 넓습니다.
④ 포스터는 공책보다 더 넓습니다.
⑤ 포스터가 가장 넓습니다.

11 예슬이보다 더 큰 사람을 찾아 ○표 하시오.

예슬　(　　　)(　　　)(　　　)

서술형
12 그림을 보고 트럭과 자전거의 높이를 비교하는 문장을 쓰시오.

＿＿＿＿＿＿＿＿＿＿＿＿＿＿＿

＿＿＿＿＿＿＿＿＿＿＿＿＿＿＿

창의·융합
13 개미들이 땅 위에 모여 있다가 각자의 방으로 들어갔습니다. 방이 가장 먼 개미의 기호를 쓰시오.

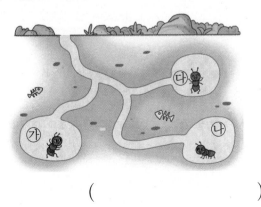

(　　　　　　　)

14 담긴 물의 양이 왼쪽보다 많고 오른쪽보다 적도록 그려 넣으시오.

15 광호와 승우가 도화지에 똑같은 크기의 색종이를 겹치지 않도록 붙였습니다. 광호가 **3**장, 승우가 **4**장 붙였다면 색종이를 붙인 넓이가 더 넓은 사람은 누구입니까?

(   )

❖ 그림을 보고 물음에 답하시오. (**16**~**17**)

16 가장 높은 곳에 있는 사람은 누구입니까?

(   )

17 키가 가장 큰 사람은 누구입니까?

(   )

창의·융합 서술형

18 왼쪽 컵에 담긴 물을 오른쪽 컵에 옮겨 담으면 무슨 일이 일어날지 쓰시오.

_____

_____

서술형

19 ㉮와 ㉯ 중에서 어느 것이 더 넓은지 풀이 과정을 쓰고 답을 구하시오.

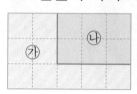

[풀이]

_____

_____

[답]

_____

20 정은, 은미, 경진 세 사람은 컵에 우유를 가득 채워 마시고 다음과 같이 남겼습니다. 우유를 가장 많이 마신 사람은 누구입니까?

정은   은미   경진

(   )

4. 비교하기 ❷ 회

점수

1 줄이 더 긴 것에 ○표 하시오.

(   )

(   )

❖ 관계있는 것끼리 선으로 이어 보시오.

(2~3)

2
 ·

 ·

· 더 크다

· 더 작다

3
 ·

 ·

· 더 넓다

· 더 좁다

4 크레파스의 길이를 비교하려고 합니다. 크레파스를 가장 바르게 맞춘 그림을 찾아 기호를 쓰시오.

㉠ ㉡ ㉢

(   )

5 다음은 거실에 있는 물건입니다. 가장 가벼운 것은 어느 것입니까?

텔레비전   리모컨   선풍기

(   )

6 가장 짧은 것에 △표 하시오.

(   )

(   )

(   )

창의·융합

7 더 넓은 돗자리가 필요한 곳에 ○표 하시오.

(   )   (   )

4

비교하기

❖ 수미는 색종이를 다음과 같이 잘랐습니다. 물음에 답하시오. (8~9)

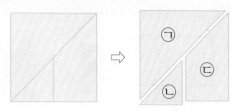

8 가장 넓은 조각의 기호를 쓰시오.

(   )

서술형

9 ㉡ 조각과 ㉢ 조각의 넓이를 비교하는 문장을 쓰시오.

_____

_____

10 똑같은 고무줄에 물건을 매달았습니다. 필통보다 더 무거운 것에 ○표 하시오.

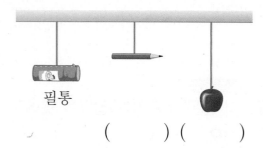

필통

(   ) (   )

창의·융합

11 빈 곳에 자동차보다 높고 학교보다 낮은 집을 그려 넣으시오.

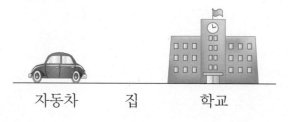

자동차   집   학교

12 보기의 그릇에 가득 담긴 물을 넘치지 않게 옮겨 담을 수 있는 그릇을 찾아 기호를 쓰시오.

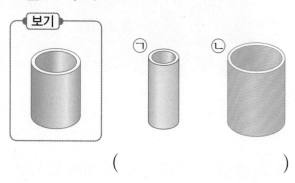

(   )

서술형

13 연필보다 더 긴 물건은 모두 몇 개인지 풀이 과정을 쓰고 답을 구하시오.

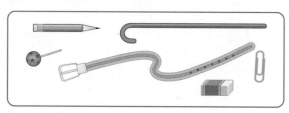

[풀이]

_____

[답]

창의·융합

14 왼쪽 그림과 오른쪽 그림을 비교하여 달라진 부분을 네 군데 찾아 왼쪽 그림에 ○표 하시오.

15 좁은 것부터 차례로 기호를 쓰시오.

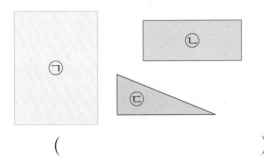

(　　　　　　　　　)

16 색연필을 긴 것부터 차례대로 늘어놓으려고 합니다. 파란색 색연필을 놓아야 하는 곳을 찾아 기호를 쓰시오.

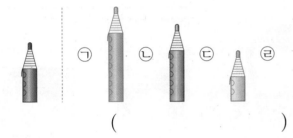

(　　　　　　　　　)

서술형

17 ㉮와 ㉯ 중에서 어느 길이 더 짧은지 풀이 과정을 쓰고 답을 구하시오.

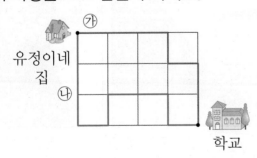

[풀이]

_____

_____

[답]

18 그림을 보고 가장 무거운 동물을 쓰시오.

고양이　　강아지 고양이　　토끼

(　　　　　　　　　)

19 크기와 모양이 같은 두 병 중 한 병에는 솜을 가득 채우고, 한 병에는 물을 가득 채워서 무게를 비교했습니다. 솜을 채운 병의 기호를 쓰시오.

(　　　　　　　　　)

20 세 나무 중 키가 가장 큰 것을 쓰시오.

- 감나무는 사과나무보다 키가 더 작습니다.
- 소나무는 사과나무보다 키가 더 큽니다.

(　　　　　　　　　)

4

비교하기

5 50까지의 수

제5화 폭파 실험, 무사히 마칠 수 있을까?

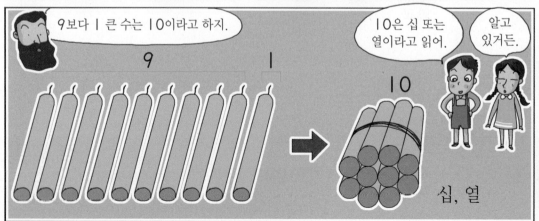

이미 배운 내용	이번에 배울 내용	앞으로 배울 내용
[1-1 9까지의 수] · 0부터 9까지의 수 알아보기 · 1부터 9까지의 수의 순서 **[1-1 덧셈과 뺄셈]** · 1부터 9까지의 수의 덧셈과 뺄셈	· 10, 십몇 알아보기 · 19까지 수를 모으고 가르기 · 몇십, 몇십몇 알아보기 · 50까지 수의 순서 · 50까지 수의 크기 비교하기	**[1-2 100까지의 수]** · 100까지의 수 알아보기 **[1-2 덧셈과 뺄셈]** · 두 자리 수의 덧셈과 뺄셈 · 세 수의 덧셈

만화로 개념 쏙!

❶ 10 알아보기

- 9보다 1 큰 수를 10이라고 합니다.
- 10은 십 또는 열이라고 읽습니다.

예제 ❶ 10은 9보다 (1 , 2) 큰 수입니다.

❷ 십몇 알아보기

- 10개씩 묶음 1개와 낱개 1개 ⇨ 11
- 11은 십일 또는 열하나라고 읽습니다.

> 10개씩 묶음 1개와 낱개 ■개 ⇨ 1■

예제 ❷ 10개씩 묶음 1개와 낱개 9개를 (19 , 15)라고 합니다.

❸ 십몇 모으기와 가르기

- 14 모으기

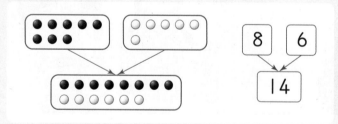

- 14 가르기

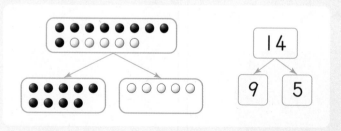

셀파 포인트

- 10 모으기와 가르기

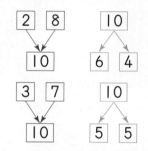

여러 가지 방법으로 모으기와 가르기를 할 수 있습니다.

- 십몇 읽기

11	12	13
십일, 열하나	십이, 열둘	십삼, 열셋
14	15	16
십사, 열넷	십오, 열다섯	십육, 열여섯
17	18	19
십칠, 열일곱	십팔, 열여덟	십구, 열아홉

예제 정답

❶ 1에 ○표 ❷ 19에 ○표

개념 확인 ① 10 알아보기

1-1 그림을 보고 □ 안에 알맞은 수를 써넣으시오.

9보다 1 큰 수는 □ 입니다.

1-2 다음을 세어 보고 빈 곳에 알맞은 수를 써넣으시오.

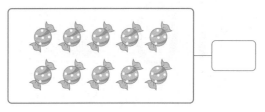

개념 확인 ② 십몇 알아보기

2-1 □ 안에 알맞은 수를 써넣으시오.

10개씩 묶음 1개와 낱개 4개이므로 □ 입니다.

2-2 □ 안에 알맞은 수를 써넣으시오.

10개씩 묶음 1개와 낱개 3개이므로 13입니다. 13은 □ 또는 열셋이라고 읽습니다.

개념 확인 ③ 십몇 모으기와 가르기

3-1 모으기를 하여 빈 곳에 알맞은 수를 써넣으시오.

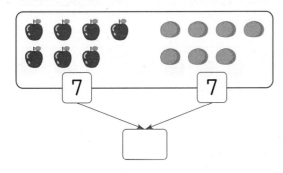

3-2 가르기를 하여 빈 곳에 알맞은 수를 써넣으시오.

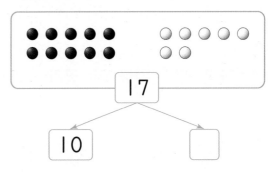

유형 1
10 알아보기

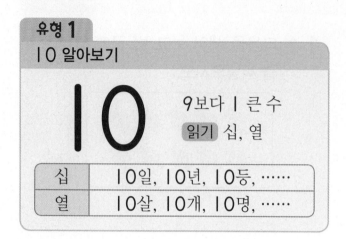

10 9보다 1 큰 수
읽기 십, 열

| 십 | 10일, 10년, 10등, …… |
| 열 | 10살, 10개, 10명, …… |

1
구슬의 수를 세어 두 가지 방법으로 읽어 보시오.

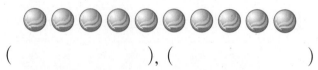

(   ), (   )

2 익힘책 유형
10이 되도록 색칠해 보시오.

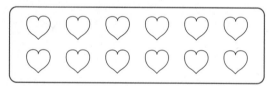

3
그림과 관계있는 것을 모두 골라 ○표 하시오.

| 아홉 | 10 | 팔 | 열 | 9 | 십 |

4
10을 어떻게 읽어야 하는지 알맞은 말에 ○표 하시오.

(1) 형은 10살입니다.   (십 , 열)

(2) 오늘은 3월 10일입니다.   (십 , 열)

5
그림을 보고 □ 안에 알맞은 수를 써넣으시오.

7보다 3 큰 수는 □ 입니다.

유형 2
10 모으기와 가르기

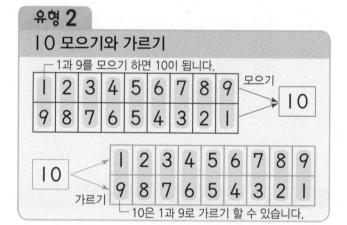

1과 9를 모으기 하면 10이 됩니다.

| 1 | 2 | 3 | 4 | 5 | 6 | 7 | 8 | 9 |
| 9 | 8 | 7 | 6 | 5 | 4 | 3 | 2 | 1 |

모으기 → 10

10 →

| 1 | 2 | 3 | 4 | 5 | 6 | 7 | 8 | 9 |
| 9 | 8 | 7 | 6 | 5 | 4 | 3 | 2 | 1 |

가르기
10은 1과 9로 가르기 할 수 있습니다.

6
모으기를 하여 빈 곳에 알맞은 수를 써넣으시오.

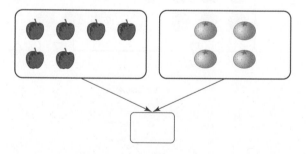

7

구슬 10개를 다음과 같이 가르기 하였습니다. 빈 곳에 알맞은 수를 써넣으시오.

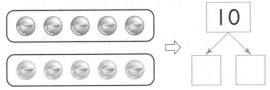

8 (익힘책 유형)

10이 되도록 △를 그리고 ☐ 안에 알맞은 수를 써넣으시오.

△ △ △ △ △ △ △ △

8과 ☐ 를 모으기 하면 10이 됩니다.

9 (서술형)

연필 10자루를 필통과 상자에 나누어 담았습니다. 필통에 연필을 3자루 담았다면, 상자에 담은 연필은 몇 자루인지 풀이 과정을 쓰고 답을 구하시오.

[풀이]

_____

_____

[답]

유형 3
십몇 알아보기

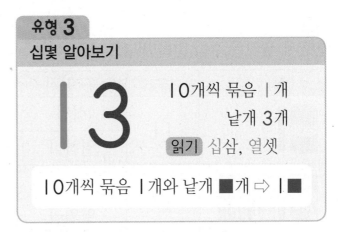

13	10개씩 묶음 1개
	낱개 3개
	읽기 십삼, 열셋

10개씩 묶음 1개와 낱개 ■개 ⇨ 1■

❖ 수를 세어 쓰시오. (10~11)

10 (교과서 유형)

11 (교과서 유형)

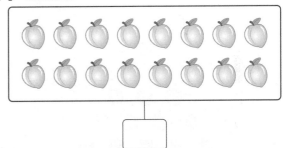

12

같은 수끼리 선으로 이어 보시오.

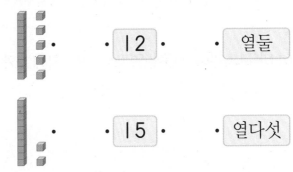

| | 12 | 열둘 |
| | 15 | 열다섯 |

13

빈칸에 알맞은 수나 말을 써넣으시오.

	수	수 읽기
	11	십일
		열하나
	17	
		열일곱
		십팔

14 익힘책 유형

수아는 다음과 같이 바둑돌을 늘어놓았습니다. 수아가 늘어놓은 바둑돌은 모두 몇 개입니까?

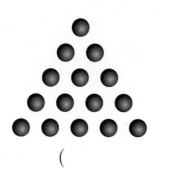

( )

15

콩이 바구니 안에 10개 있고 바구니 밖에 9개 있습니다. 콩은 모두 몇 개 있습니까?

( )

11부터 19까지 수를 순서대로 쓰면

| 11 | 12 | 13 | 14 | 15 | 16 | 17 | 18 | 19 |

19부터 순서를 거꾸로 하여 수를 쓰면

| 19 | 18 | 17 | 16 | 15 | 14 | 13 | 12 | 11 |

16 교과서 유형

11부터 15까지 수를 순서대로 쓰시오.

| 11 | 12 | | | |

17

15부터 순서를 거꾸로 하여 수를 쓰시오.

15 ─ 14 ─ ◯ ─ ◯ ─ ◯

18

11부터 19까지 수를 순서대로 이어 그림을 완성해 보시오.

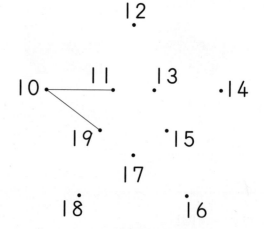

▶ 정답은 53쪽에 공부한 날   월   일

19
빈칸에 알맞은 수를 써넣으시오.

| 19 | 18 | | 16 | 15 | |

20 서술형
15부터 19까지 수를 순서대로 썼을 때 앞에서 둘째에 있는 수는 얼마인지 풀이 과정을 쓰고 답을 구하시오.

[풀이]

[답]

21 창의·융합   해설집 54쪽 문제 분석
시우네 반 학생들이 앞에서부터 번호 순서대로 서 있습니다. 시우는 몇 번입니까?

시우

(   )

유형 5
그림을 보고 십몇 모으기와 가르기

개념 동영상

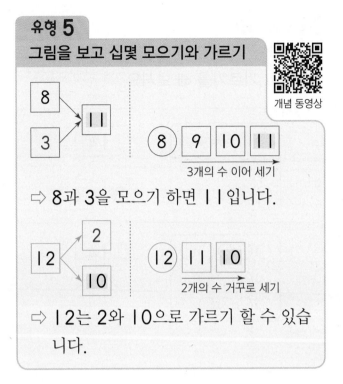

3개의 수 이어 세기

⇨ 8과 3을 모으기 하면 11입니다.

2개의 수 거꾸로 세기

⇨ 12는 2와 10으로 가르기 할 수 있습니다.

22
가르기를 하여 빈 곳에 알맞은 수만큼 ●를 그려 보시오.

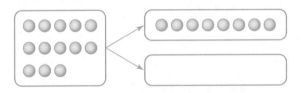

23
모으기를 하여 빈 곳에 알맞은 수를 써넣으시오.

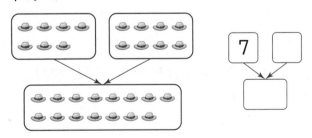

5. 50까지의 수 **149**

5
50까지의 수

24 익힘책 유형

보기 와 같이 구슬 14개를 두 가지 색으로 색칠하고 가르기를 해 보시오.

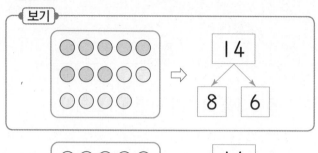

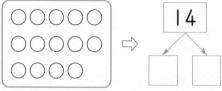

창의·융합

❖ 재희네 반 친구들이 동물원에 놀러 갔습니다. 물음에 답하시오. (25~26)

25

원숭이와 오리를 모으면 몇 마리입니까?

(   )

26

원숭이와 토끼를 모으면 13마리입니다. 토끼는 몇 마리입니까?

(   )

유형 6

십몇 모으기와 가르기

14 모으기와 가르기

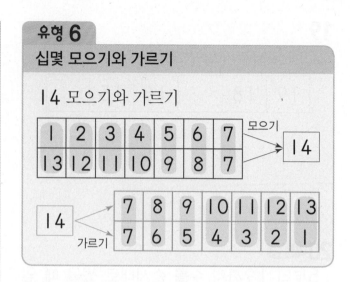

❖ 모으기와 가르기를 해 보시오. (27~28)

27 교과서 유형

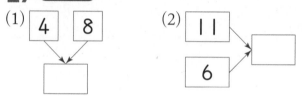

28 교과서 유형

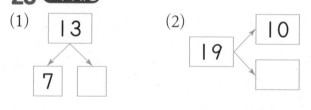

29

모으기를 하고 두 가지 방법으로 읽어 보시오.

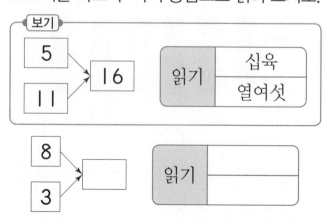

30
모으기를 하여 **17**이 되는 것끼리 선으로 이어 보시오.

| 8 | ・ | | ・ | 4 |
| 13 | ・ | | ・ | 9 |

31 익힘책 유형
15를 여러 가지 방법으로 가르기를 해 보시오.

32 서술형
보기 의 규칙을 찾아 쓰고 빈 곳에 알맞은 수를 써넣으시오.

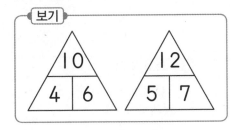

[규칙]
_____
_____
_____

유형 7
십몇 모으기와 가르기 활용

- 모두 몇 개인지 구하기
  ⇨ 모으기 모양을 그려 봅니다.
- 남은 것 구하기
  ⇨ 가르기 모양을 그려 봅니다.

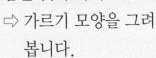

33
연필이 **3**자루, 볼펜이 **8**자루 있습니다. 연필과 볼펜을 모으면 몇 자루입니까?

(　　　　　　　　)

34
지훈이가 파란색 색종이 **10**장과 노란색 색종이 **6**장을 샀습니다. 지훈이가 산 색종이를 모으면 몇 장입니까?

(　　　　　　　　)

35
책 **18**권 중에 **13**권은 위인전이고 나머지는 동화책입니다. 동화책은 몇 권입니까?

(　　　　　　　　)

5

50까지의 수

만화로 개념 쏙!

❹ **몇십 알아보기**

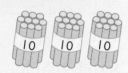

- 10개씩 묶음 3개 ⇨ 30
- 30은 삼십 또는 서른이라고 읽습니다.

10개씩 묶음 ■개 ⇨ ■0

20 (이십, 스물)	30 (삼십, 서른)
40 (사십, 마흔)	50 (오십, 쉰)

예제 ❶ 10개씩 묶음 2개를 (10 , 20)이라고 합니다.

예제 ❷ 20은 (이영 , 이십)이라고 읽습니다.

❺ **몇십몇 알아보기**

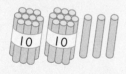

- 10개씩 묶음 2개와 낱개 3개 ⇨ 23
- 23은 이십삼 또는 스물셋이라고 읽습니다.

10개씩 묶음 ■개와 낱개 ▲개 ⇨ ■▲

예제 ❸ 10개씩 묶음 4개와 낱개 6개를 (46 , 64)이라고 합니다.

셀파 포인트

· **20 알아보기**
① 10개씩 묶음의 수: 2
② 낱개의 수: 0
③ 19 다음의 수

· 수에 단위를 붙여 읽으면 받침이 빠지는 경우가 있습니다.
예 ┌ 둘 개(×)
   └ 두 개(○)
   ┌ 둘 명(×)
   └ 두 명(○)

· **34 쓰고 읽기**
┌ 10개씩 묶음의 수: 3
└ 낱개의 수: 4
⇨ ⬭3 ⬭4
   삼십 사
   서른 넷
삼십사 또는 서른넷이라고 읽습니다.

예제 **정답**

❶ 20에 ◯표 ❷ 이십에 ◯표
❸ 46에 ◯표

▶ 정답은 55쪽에 공부한 날 　월　　일

개념 확인 4 몇십 알아보기

4-1 그림을 보고 □ 안에 알맞은 수를 써 넣으시오.

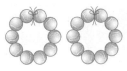

10개씩 묶음이 3개이므로 □ 입니다.

4-2 그림을 보고 □ 안에 알맞은 수를 써 넣으시오.

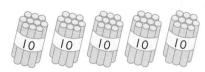

10개씩 묶음이 4개이므로 □ 입니다.

4-3 그림을 보고 □ 안에 알맞은 말을 써 넣으시오.

10개씩 묶음 2개는 20이라고 쓰고 □ 또는 □ 이라고 읽습니다.

4-4 그림을 보고 □ 안에 알맞은 말을 써 넣으시오.

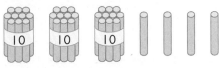

10개씩 묶음 5개는 50이라고 쓰고 □ 또는 □ 이라고 읽습니다.

개념 확인 5 몇십몇 알아보기

5-1 그림을 보고 □ 안에 알맞은 수를 써 넣으시오.

10개씩 묶음 2개와 낱개 5개이므로 □ 입니다.

5-2 그림을 보고 □ 안에 알맞은 수를 써 넣으시오.

10개씩 묶음 □ 개와 낱개 □ 개이므로 □ 입니다.

2 STEP 유형 탐구 (2)

유형 8
몇십 알아보기

20   10개씩 묶음 2개
읽기 이십, 스물

10개씩 묶음 ■개 ⇨ ■0

1

같은 수끼리 선으로 이어 보시오.

20 ·
30 ·

· 열
· 서른
· 스물

❖ □ 안에 알맞은 수를 써넣으시오. (2~3)

2

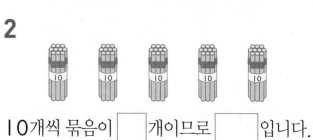

10개씩 묶음이 □ 개이므로 □ 입니다.

3

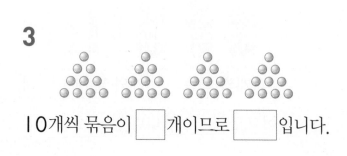

10개씩 묶음이 □ 개이므로 □ 입니다.

4 익힘책 유형

□ 안에 알맞은 수나 말을 써넣으시오.

10개씩 묶음이 □ 개이므로 □ 이라고

쓰고, 이십 또는 □ 이라고 읽습니다.

5 서술형

은서가 잘못 말한 부분을 바르게 고치시오.

서른은 10개씩 묶음이 2개입니다.

은서

_____

_____

6

나타내는 수가 같은 것끼리 선으로 모두 이어 보시오.

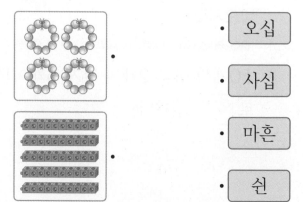

· 오십
· 사십
· 마흔
· 쉰

▶ 정답은 55쪽에 공부한 날   월   일

7

사과가 10개씩 3상자 있습니다. 사과는 모두 몇 개입니까?

(   )

8 창의·융합

'거리'는 오이를 묶어 세는 단위입니다. 대화를 읽고 오이 한 거리의 수를 두 가지 방법으로 읽어 보시오.

오이 한 거리는 몇 개야?

10개씩 묶음이 5개야~!!

(   ), (   )

9

바둑돌은 모두 몇 개입니까?

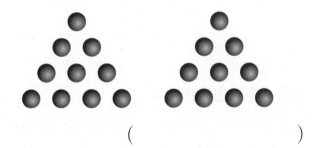

(   )

10

해설집 56쪽 문제 분석

달걀 한 판에는 달걀이 서른 개 들어 있습니다. 한 판에 있는 달걀을 10개씩 묶으면 묶음이 몇 개입니까?

(   )

유형 9
몇십몇 알아보기 ― 쓰기

37

10개씩 묶음	낱개
3	7

10개씩 묶음 ■개와 낱개 ▲개 ⇨ ■▲

❖ 그림을 보고 물음에 답하시오. (11~12)

11

모형은 10개씩 묶음이 몇 개이고 낱개는 몇 개입니까?

(   ), (   )

12

모형은 모두 몇 개입니까?

(   )

13

그림을 보고 ☐ 안에 알맞은 수를 써넣으시오.

10개씩 묶음 ☐개와 낱개 ☐개는

☐입니다.

14

빈 곳에 알맞은 수를 써넣으시오.

수	10개씩 묶음	낱개
47		7
36	3	
	2	2

15

□ 안에 알맞은 수를 써넣으시오.

> □ 는 10개씩 묶음 2개와 낱개 9개 입니다.

❖ 수를 세어 쓰시오. (16~17)

16

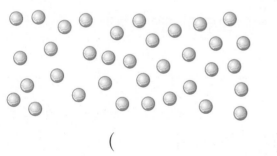

( )

17

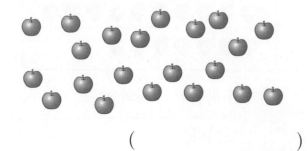

( )

18

지우개가 10개씩 묶음 4개와 낱개 3개가 있습니다. 지우개는 모두 몇 개입니까?

( )

❖  으로 보기 와 같은 모양을 만들려고 합니다. 물음에 답하시오.

(19~20)

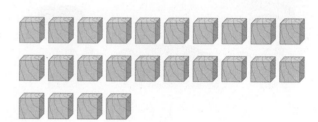

19

은 모두 몇 개입니까?

( )

20 서술형 익힘책 유형

으로 보기 와 같은 모양을 몇 개까지 만 들 수 있는지 풀이 과정을 쓰고 답을 구하시 오.

[풀이]

_____

_____

_____

[답]

유형 10
몇십몇 알아보기 — 읽기

비풀

2 1

두 가지 방법으로 읽을 수 있어요.

| 이십 | 일 | ⇨ 이십일 |
| 스물 | 하나 | ⇨ 스물하나 |

21

수를 두 가지 방법으로 읽어 보시오.

47

(　　　　　　), (　　　　　　)

22

숫자로 나타내어 보시오.

(1) 사십일 (　　　　　　)

(2) 스물넷 (　　　　　　)

23

그림이 나타내는 수를 두 가지 방법으로 읽어 보시오.

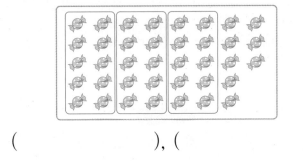

(　　　　　　), (　　　　　　)

24

책장에 동화책이 스물여섯 권, 만화책이 마흔네 권 꽂혀 있습니다. 동화책과 만화책의 수를 숫자로 차례로 쓰시오.

(　　　　　　), (　　　　　　)

25

□ 안에 알맞은 수를 두 가지 방법으로 읽어 보시오.

□는 10개씩 묶음이 3개이고 낱개가 2개입니다.

(　　　　　　), (　　　　　　)

26

다음 중 10개씩 묶음 2개와 낱개 8개인 수에 모두 ○표 하고, 10개씩 묶음 4개와 낱개 2개인 수에 모두 △표 하시오.

24	28	43	스물팔
스물셋	이십칠	마흔셋	사십일
이십팔	이십여덟	스물여덟	42
사십이	사십둘	마흔이	마흔둘

5

50까지의 수

만화로 개념 쏙!

❻ 50까지 수의 순서

• 수 배열표

1씩 커집니다.

1	2	3	4	5	6	7	8	9	10
11	12	13	14	15	16	17	18	19	20
21	22	23	24	25	26	27	28	29	30
31	32	33	34	35	36	37	38	39	40
41	42	43	44	45	46	47	48	49	50

10씩 작아집니다. (좌측)
10씩 커집니다. (우측)
1씩 작아집니다. (하단)

• 수를 순서대로 쓰면 1씩 커집니다.
• 수의 순서를 거꾸로 쓰면 1씩 작아집니다.

예제 ❶ 위의 수 배열표에서 34보다 1 큰 수는 ☐ 입니다.

❼ 두 수의 크기 비교하기

• 10개씩 묶음의 수가 다를 때 ─ 10개씩 묶음의 수를 비교합니다.

⇨ 23은 30보다 작습니다. / 30은 23보다 큽니다.

• 10개씩 묶음의 수가 같을 때 ─ 낱개의 수를 비교합니다.

⇨ 23은 25보다 작습니다. / 25는 23보다 큽니다.

예제 ❷ 34는 42보다 (작습니다 , 큽니다).

셀파 **포인트**

• 수의 순서 알아보기

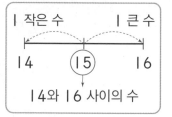

1 작은 수 ← → 1 큰 수
14 ⟨15⟩ 16
14와 16 사이의 수

바로 앞의 수는 1 작고, 바로 뒤의 수는 1 큽니다.

• ●와 ★ 사이의 수
⇨ ●보다 크고 ★보다 작은 수
예 24와 26 사이의 수: 25

• 세 수의 크기 비교하기

33, 12, 40

① 10개씩 묶음의 수를 비교하여 큰 수부터 차례로 씁니다.
⇨ 4, 3, 1
② 10개씩 묶음의 수가 클수록 더 큰 수입니다.
⇨ 40이 가장 크고 12가 가장 작습니다.

예제 **정답**

❶ 35 ❷ 작습니다에 ○표

▶ 정답은 56쪽에   공부한 날   월   일

개념 확인 6 50까지 수의 순서

6-1 빈 곳에 알맞은 수를 써넣으시오.

| 16 | 17 | 18 | 19 | |

6-2 빈 곳에 알맞은 수를 써넣으시오.

21	22	23	24	
	27			30

6-3 빈 곳에 알맞은 수를 써넣으시오.

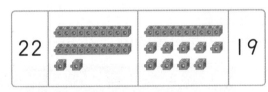

6-4 빈 곳에 알맞은 수를 써넣으시오.

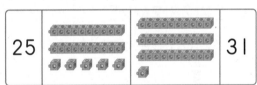

개념 확인 7 두 수의 크기 비교하기

7-1 알맞은 말에 ○표 하시오.

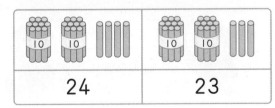

22는 19보다

(큽니다 , 작습니다).

7-2 알맞은 말에 ○표 하시오.

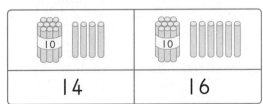

25는 31보다

(큽니다 , 작습니다).

7-3 알맞은 말에 ○표 하시오.

| 24 | 23 |

24는 23보다

(큽니다 , 작습니다).

7-4 알맞은 말에 ○표 하시오.

| 14 | 16 |

14는 16보다

(큽니다 , 작습니다).

유형 11
50까지 수의 순서 ― 수 배열표

1씩 커집니다.

1	2	3	4	5	6	7	8	9	10
11	12	13	14	15	16	17	18	19	20
21	22	23	24	25	26	27	28	29	30
31	32	33	34	35	36	37	38	39	40
41	42	43	44	45	46	47	48	49	50

10씩 작아집니다. 10씩 커집니다.

1씩 작아집니다.

수의 순서대로 앞에서부터 차례로 씁니다.

1
수의 순서를 생각하며 빈칸에 알맞은 수를 써 넣으시오.

1	2	3	4	5	6	7	8	9	
11	12		14	15	16	17	18	19	20
21	22	23	24	25			28	29	30
	32	33	34	35	36	37	38		40

2
41부터 50까지 수를 순서대로 써넣으시오.

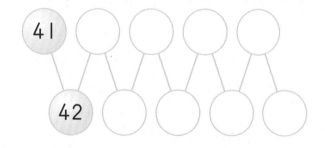

❖ 빈 곳에 알맞은 수를 써넣으시오. (**3~4**)

3 교과서 유형

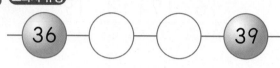

36 ◯ ◯ 39

4 교과서 유형

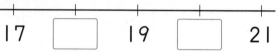

17 ☐ 19 ☐ 21

5 창의·융합
승재의 사물함을 찾아 ◯표 하시오.

몇 번 사물함이야?

내 사물함은 23번이야. 어디에 있지?

민희   승재

유형 12
순서를 거꾸로 하여 수 쓰기

30부터 25까지 순서를 거꾸로 하여 수를 쓰면

1씩 작아집니다.

| 30 | 29 | 28 | 27 | 26 | 25 |

수의 순서를 거꾸로 생각하여 차례로 씁니다.

❖ 순서를 거꾸로 하여 수를 쓴 것입니다. 빈 곳에 알맞은 수를 써넣으시오. (6~7)

6

7

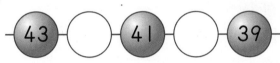

8

순서를 거꾸로 하여 수 카드를 놓았습니다. 맨 오른쪽에 있는 수 카드에 알맞은 수는 무엇입니까?

(   )

유형 13
수가 배열된 규칙 찾기

개념 동영상

1	2	3
6	5	4
7	8	9

⊐ 모양으로 수가 배열되어 있습니다.

1	2	3
8	9	4
7	6	5

⊐ 모양으로 수가 배열되어 있습니다.

❖ 수의 순서를 생각하며 빈 곳에 알맞은 수를 써넣으시오. (9~10)

9

1	2	3	4	5
10	9		7	6

10

	11	12	1
9		13	2
8	15	14	
7	6	5	4

11 익힘책 유형

정희의 자리는 24번입니다. 정희의 자리를 찾아 ○표 하시오.

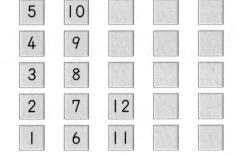

유형 14
| 큰 수와 | 작은 수

수를 순서대로 썼을 때
┌─ 바로 뒤의 수: **| 큰 수**
└─ 바로 앞의 수: **| 작은 수**

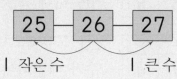

| | 작은 수 | | 큰 수

---

15 서술형
|0개씩 묶음 4개와 낱개 2개인 수보다 | 작은 수는 얼마인지 풀이 과정을 쓰고 답을 구하시오.

[풀이] _____

_____

_____

[답] _____

---

12 익힘책 유형
빈 곳에 알맞은 수를 써넣으시오.

(1) | 작은 수 | 큰 수

[||] — [|2] — [   ]

(2) | 작은 수 | 큰 수

[   ] — [38] — [   ]

유형 15
사이의 수

24와 27 사이의 수

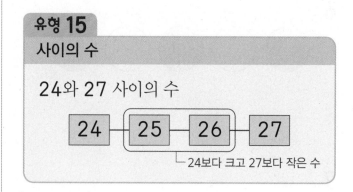

└─ 24보다 크고 27보다 작은 수

13
같은 수끼리 선으로 이어 보시오.

| 34보다 | 작은 수 | •   • (33)

| 40보다 | 큰 수 | •   • (4|)

16
빈 곳에 알맞은 수를 써넣으시오.

[27] — [   ] — [29]

14
사탕을 경진이는 **35개** 가지고 있고, 현정이는 경진이보다 **|개** 더 가지고 있습니다. 현정이가 가지고 있는 사탕은 몇 개입니까?

(   )

17
두 수 사이의 수는 얼마입니까?

[3|]   [33]

(   )

18

번호 순서대로 줄을 섰습니다. 13번과 15번 사이에는 몇 번이 서 있습니까?

(   )

19

책꽂이에 백과사전을 번호 순서대로 정리하려고 합니다. □ 안에 알맞은 수를 써넣으시오.

> 32번과 35번 백과사전 사이에는
> □번과 □번 백과사전을 꽂아야 합니다.

20

"나"는 어떤 수입니까?

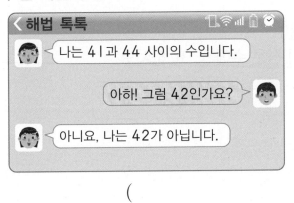

(   )

▶ 정답은 57쪽에 공부한 날   월   일

유형 16
두 수의 크기 비교 (1)

개념 동영상

- 10개씩 묶음의 수가 다를 때

  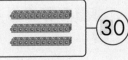

3은 **2**보다 큽니다. ─ 10개씩 묶음의 수를 비교합니다.
⇨ **30**은 **23**보다 큽니다.

21 교과서 유형

그림을 보고 알맞은 말에 ○표 하시오.

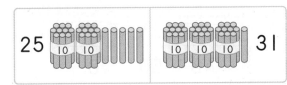

31은 25보다 (큽니다 , 작습니다).

22

더 큰 수에 ○표 하시오.

42	39

23

더 작은 수에 △표 하시오.

50	39

24

더 큰 수에 ○표, 더 작은 수에 △표 하시오.

13	31

5
50까지의 수

25

모형의 수를 세어 보고 □ 안에 알맞은 수를 써넣으시오.

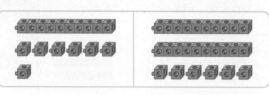

□ 은 □ 보다 큽니다.

26

33보다 작은 수를 찾아 ◯표 하시오.

48 50 28

27

우표를 정호는 36장 모았고, 현주는 29장 모았습니다. 누가 우표를 더 많이 모았습니까?

( )

28 서술형

진아와 선미 중 틀리게 말한 사람을 찾아 ×표 하고 바르게 고치시오.

진아: 30은 24보다 큽니다. ( )
선미: 16은 40보다 큽니다. ( )

유형 17
두 수의 크기 비교 ⑵

개념 동영상

· 10개씩 묶음의 수가 같을 때

7은 **4**보다 큽니다. ─낱개의 수를 비교합니다.

⇨ 27은 24보다 큽니다.

29 교과서 유형

그림을 보고 알맞은 말에 ◯표 하시오.

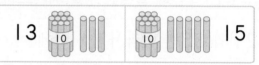

13은 15보다 (큽니다 , 작습니다).

30

더 큰 수에 ◯표 하시오.

| 33 | 35 |

31

더 작은 수에 △표 하시오.

| 43 | 47 |

32

더 큰 수에 ◯표, 더 작은 수에 △표 하시오.

| 22 | 23 |

33

그림을 보고 더 많은 쪽의 수를 쓰시오.

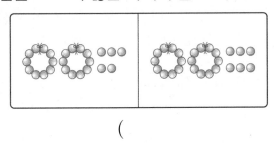

(   )

유형 18
세 수의 크기 비교

개념 동영상

두 수씩 크기를 비교합니다.

① 23이 16보다 큽니다. ② 27이 23보다 큽니다.

| 16 | 23 | 27 |

③ 27이 16보다 큽니다.

⇨ 큰 수부터 차례로 쓰면 **27, 23, 16** 입니다.
가장 큰 수┘   가장 작은 수┘

34

32보다 큰 수를 모두 찾아 ◯표 하시오.

| 35   30   39   31 |

37

세 수 중 가장 큰 수를 쓰시오.

| 21   38   34 |

(   )

35 익힘책 유형

10개씩 묶음이 2개인 수 중 27보다 큰 수를 모두 쓰시오.

(   )

38

세 수 중 가장 작은 수를 쓰시오.

| 23   18   21 |

(   )

36 창의·융합   해설집 59쪽 문제 분석

감자와 고구마가 각각 다음과 같이 있습니다. 감자와 고구마 중 어느 것이 더 적습니까?

🥔 감자	마흔다섯 개
🍠 고구마	10개씩 4묶음과 낱개 8개

(   )

39

미영, 지아, 수희 중 가장 작은 수를 말하고 있는 사람은 누구입니까?

미영: 25보다 1 큰 수
지아: 30과 32 사이의 수
수희: 30보다 1 작은 수

(   )

5

50 까지의 수

(1~2) 규칙을 찾아 빈 곳에 알맞은 수를 구하려고 합니다. 물음에 답하시오.

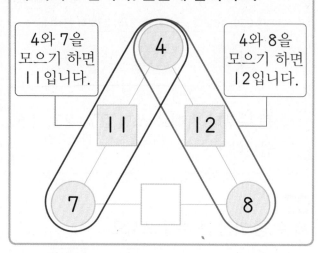

4와 7을 모으기 하면 11입니다.

4와 8을 모으기 하면 12입니다.

서술형

1 규칙을 찾아 쓰시오.

_____

_____

_____

2 위 그림의 빈 곳에 알맞은 수를 구하시오.

( )

(3~4) 현수와 주아가 수 이어가기 놀이를 하고 있습니다. 물음에 답하시오.

수 이어가기 놀이

· 15를 말하는 사람이 이깁니다.

· 1부터 시작하여 한 명이 1개에서 3개까지의 수를 이어서 말할 수 있습니다.

해법 톡톡

현수: 1, 2

주아: 3, 4, 5

현수: 6

주아: 7, 8

현수: 9, 10, 11

주아: 12, 13

3 현수가 다음 차례에 14를 말하고 끝낸다면 이 놀이는 누가 이깁니까?

( )

4 현수가 이기려면 다음 차례에 수를 어떻게 말해야 합니까?

( )

(5~7) 2 l 부터 28까지의 수가 쓰여 있는 구슬을 그림과 같이 순서대로 놓았습니다. 물음에 답하시오.

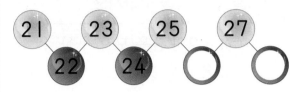

5 빈 곳에 알맞은 수를 써넣으시오.

6 노란색 공들만 골라 작은 수부터 순서대로 놓았습니다. 규칙을 찾아 □ 안에 알맞은 수를 써넣으시오.

2 l 부터 □ 씩 커집니다.

서술형
7 보라색 공들만 골라 작은 수부터 순서대로 놓았습니다. 어떤 규칙이 있습니까?

  ◯ ◯

_____

_____

(8~9) 인호와 성미가 50원짜리 동전을 각각 l0번씩 던져서 점수가 높은 사람이 이기는 게임을 하고 있습니다. 물음에 답하시오.

그림 면   숫자 면
↓   ↓
l0점   l점

	그림 면	숫자 면
인호	4번	6번
성미	3번	7번

8 인호와 성미의 점수는 각각 몇 점입니까?

인호 (   )

성미 (   )

9 이긴 사람은 누구입니까?

(   )

5
50까지의 수

3 STEP

몇십몇 알아보기

1 수를 잘못 읽은 것을 찾아 기호를 쓰시오.

또 문제

> ㉠ 15: 열다섯   ㉡ 25: 이십오
> ㉢ 34: 삼십사   ㉣ 46: 삼십육

(   )

십몇 모으기와 가르기

2 모으기와 가르기를 하여 빈 곳에 알맞은 수를 써넣으시오.

또 문제

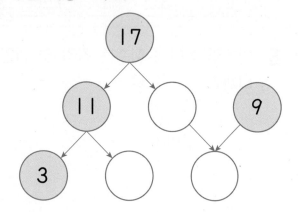

두 수의 크기 비교하기

3 0부터 9까지의 수 중 ■에 알맞은 수는 모두 몇 개입니까?

또 문제
동영상

> 3■은/는 34보다 작습니다.

(   )

두 수의 크기 비교하기   서술형

4 ㉠과 ㉡ 중 더 큰 수는 어느 것인지 풀이 과정을 쓰고 답을 구하시오.

또 문제
동영상

> ㉠: 12와 3을 모으기 한 수
> ㉡: 8과 9를 모으기 한 수

[풀이]

_____

_____

_____

[답] _____

50까지 수의 순서   창의·융합

5 동화책이 그림과 같이 찢어졌습니다. 찢어진 부분은 모두 몇 쪽입니까?

또 문제

38쪽과 43쪽 사이가 없어.

(   )

• 몇십몇 알아보기

6 조건을 모두 만족하는 수를 구하시오.

또 문제
동영상

> • 20보다 크고 30보다 작습니다.
> • 낱개가 5와 7 사이의 수입니다.

(   )

• 50까지 수의 순서

9 다음 수 배열표에서 ♥에 알맞은 수는
또 문제 ★에 알맞은 수보다 몇 큰 수입니까?

13	14	15	16	17	18	19	★
	22	23					
				33			♥

(   )

• 십몇 가르기   해설집 61쪽 문제 분석

7 12를 두 수로 가르기 하였습니다. 가르
또 문제 기 한 두 수의 차가 2일 때 두 수를 구하
동영상 시오.

(   )

• 몇십 알아보기   해설집 62쪽 문제 분석

10 상록이는 깍두기공책 20권과 음악공책
또 문제 30권을 샀습니다. 상록이는 모두 몇 권
의 공책을 샀습니까?

(   )

• 십몇 모으기와 가르기   해설집 61쪽 문제 분석

8 13과 16을 두 수로 가르기 하였습니다.
또 문제 ㉠과 ㉡을 모으기 하면 얼마입니까?
동영상

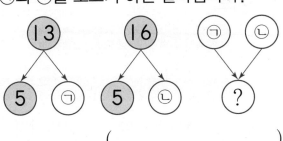

(   )

• 두 수의 크기 비교하기   서술형

11 ⎡2⎦, ⎡3⎦, ⎡4⎦ 3장의 숫자 카드 중에서
또 문제 2장을 뽑아 한 번씩 사용하여 몇십몇을
동영상 만들고 있습니다. 만들 수 있는 가장 큰
수는 얼마인지 풀이 과정을 쓰고 답을 구
하시오.

[풀이]

_____

_____

_____

[답]

5
50
까
지
의
수

1 그림을 보고 ☐ 안에 알맞은 수나 말을 써넣으시오.

9보다 1 큰 수는 ☐ 이고 십 또는

☐ 이라고 읽습니다.

❖ 그림을 보고 ☐ 안에 알맞은 수를 써넣으시오. (2~3)

2

10개씩 묶음 ☐ 개와 낱개 ☐ 개는

☐ 입니다.

3

10개씩 묶음 ☐ 개는 ☐ 입니다.

4 사탕의 수를 세어 빈 곳에 알맞은 수를 써넣으시오.

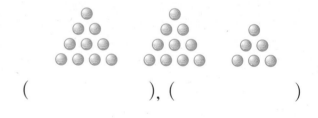

5 그림이 나타내는 수를 두 가지 방법으로 읽어 보시오.

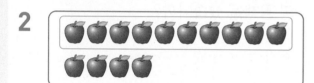

( ), ( )

6 그림을 보고 ☐ 안에 알맞은 수를 써넣으시오.

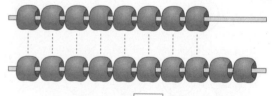

10은 8보다 ☐ 큽니다.

8은 10보다 ☐ 작습니다.

7 모으기를 하여 빈 곳에 알맞은 수를 써넣으시오.

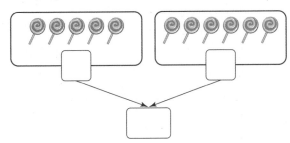

❖ 그림을 보고 물음에 답하시오. (8~9)

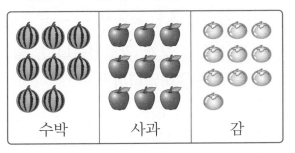

| 수박 | 사과 | 감 |

8 수박과 감의 수가 서로 같아지려면 수박이 몇 통 더 있어야 합니까?

(　　　　　)

9 사과와 감의 수가 서로 같아지려면 사과가 몇 개 더 있어야 합니까?

(　　　　　)

❖ 모으기와 가르기를 해 보시오. (10~11)

10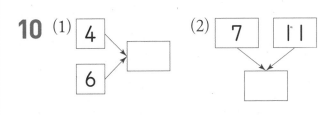

11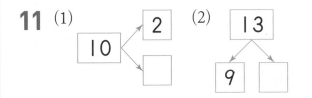

12 가장 큰 수의 기호를 쓰시오.

(　　　　　)

창의·융합
13 10층을 바르게 읽은 사람은 누구입니까?

(　　　　　)

단원평가 **5. 50까지의 수 ❶**회

❖ 수 배열표를 보고 물음에 답하시오.

(14~15)

11	12			15	16	17	18	19	
21			24	25	26	27	28		30
31	32	33	34		36		38	39	40

14 수 배열표의 빈칸에 알맞은 수를 써넣으시오.

서술형

15 수 배열표에서 오른쪽으로 1칸 갈 때마다 수는 어떻게 변하는지 쓰시오.

_____

_____

16 형석이의 외삼촌의 나이는 41살이고, 이모의 나이는 36살입니다. 누구의 나이가 더 많습니까?

( )

17 "나"는 어떤 수입니까?

나는 45와 48 사이에 있습니다.
나는 낱개가 6개입니다.

( )

창의·융합

18 영수의 일기를 읽고 영수가 가지고 있는 붙임 딱지는 모두 몇 장인지 구하시오.

6월 5일 수요일 　날씨 : 맑음
어제까지 내가 모은 붙임 딱지는
10장씩 묶음이 2개였다.
오늘 발표를 해서 붙임 딱지
7장을 더 받았다.
내일도 발표를 해서 붙임 딱지를
받아야지.

( )

19 다음 2장의 숫자 카드를 한 번씩 사용하여 몇십몇을 2개 만들었습니다. 둘 중 더 큰 수는 얼마입니까?

2 　 4

( )

서술형

20 민희네 집에는 색종이가 10장씩 묶음 1개와 낱개 5장이 있었습니다. 민희가 오늘 색종이 3장을 더 사 온다면 색종이는 모두 몇 장인지 풀이 과정을 쓰고 답을 구하시오.

[풀이]

_____

_____

[답]

단원평가

5. 50까지의 수 ❷회

점수

1 □ 안에 알맞은 수를 써넣으시오.

10개씩 묶음	낱개
4	7

⇨ □

2 그림을 보고 □ 안에 알맞은 말을 써넣으시오.

10개씩 묶음 4개는 □ 또는

□ 이라고 읽습니다.

3 □ 안에 알맞은 수를 써넣으시오.

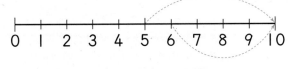

5보다 5 큰 수는 □ 입니다.

10은 6보다 □ 큽니다.

4 빈 곳에 알맞은 수를 써넣으시오.

1 작은 수   1 큰 수

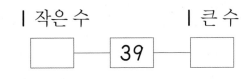

□ — 39 — □

5 더 큰 수에 ○표 하시오.

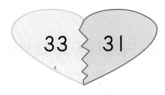

33   31

6 더 작은 수에 △표 하시오.

27   32

7 같은 수끼리 선으로 이어 보시오.

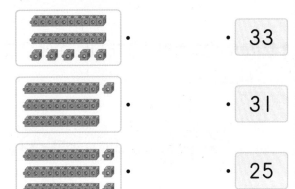

• 33

• 31

• 25

5
50까지의 수

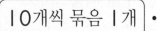

8 같은 수끼리 선으로 이어 보시오.

10개씩 묶음 1개	•	•	서른
10개씩 묶음 3개	•	•	쉰
10개씩 묶음 5개	•	•	열

❖ 모으기와 가르기를 해 보시오.(9~10)

9 (1)
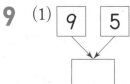

(2)
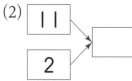

10 (1)
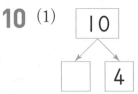

(2)
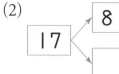

11 모으기를 하여 15가 되는 쪽에 ○표 하시오.

(   )   (   )

12 빈 곳에 알맞은 수를 써넣으시오.

15	16	17	18		20	21
22		24	25	26		28
29	30	31		33	34	35

서술형

13 보기와 같이 두 수의 크기를 비교하는 문장을 2개 쓰시오.

보기

| 12 | 27 |

① 27은 12보다 큽니다.
② 12는 27보다 작습니다.

| 33 | 42 |

① _____

② _____

창의·융합

14 소희의 질문에 답하시오.

공책을 30권이나 샀어~!!

우와~ 그럼 10개씩 묶음이 몇 개야?

미진   소희

(   )

15 더 작은 수에 △표 하시오.

(　　　) (　　　)

16 주미가 처음에 가지고 있던 사탕은 몇 개입니까?

사탕 **5**개를 먹었 더니 사탕 **5**개가 남았습니다.

주미

(　　　　　　)

17 대화를 읽고 ㉠에 알맞은 수를 쓰시오.

〈 해법 톡톡

번호 순서대로 줄을 서 보자.

나는 **25**번인데 어디에 서야 하지?

24번과 ㉠ 번 사이에 서면 돼!

(　　　　　　)

18 🍓와 🍊의 합을 구하시오.

35는 **10**개씩 묶음 🍓개와 낱개 🍊개입니다.

(　　　　　　)

 서술형

19 **40**보다 크고 **47**보다 작은 수는 모두 몇 개인지 풀이 과정을 쓰고 답을 구하시오.

[풀이]

[답]

20 다음 **3**장의 숫자 카드 중에서 **2**장을 뽑 아 한 번씩 사용하여 몇십몇을 만들고 있 습니다. 만들 수 있는 가장 작은 수는 얼 마입니까?

| 4 | 2 | 1 |

(　　　　　　)

5단원이 끝났습니다. QR코드를 찍으면 재미있는 게임을 할 수 있어요.

5

50 까 지 의 수

달라진 부분 찾기

에디슨과 마리가 그림에서 달라진 부분을 찾고 있습니다.

왼쪽 그림에 있는 지팡이와 오른쪽 그림에 있는 지팡이를 비교해 봐.

더 짧다　　더 길다

어라? 더 길어졌구나! 또 무엇이 달라졌을까?

지팡이 외에 달라진 부분을 네 군데 더 찾아 보세요.

네 군데 모두 잘 찾았는지 옆에 정답을 보고 확인해 봐~!

정답

배움으로 행복한 내일을 꿈꾸는
천재교육 커뮤니티 안내 . . .

 교재 안내부터 구매까지 한 번에!
천재교육 홈페이지

천재교육 홈페이지에서는 자사가 발행하는 참고서,
교과서에 대한 소개는 물론 도서 구매도 할 수 있습니다.
회원에게 지급되는 별을 모아 다양한 상품 응모에도
도전해 보세요.

 구독, 좋아요는 필수! 핵유용 정보 가득한
천재교육 유튜브 <천재TV>

신간에 대한 자세한 정보가 궁금하세요?
참고서를 어떻게 활용해야 할지 고민인가요?
공부 외 다양한 고민을 해결해 줄 채널이 필요한가요?
학생들에게 꼭 필요한 콘텐츠로 가득한 천재TV로 놀러 오세요!

 다양한 교육 꿀팁에 깜짝 이벤트는 덤!
천재교육 인스타그램

천재교육의 새롭고 중요한 소식을 가장 먼저 접하고 싶다면?
천재교육 인스타그램 팔로우가 필수!
누구보다 빠르고 재미있게 천재교육의 소식을 전달합니다.
깜짝 이벤트도 수시로 진행되니 놓치지 마세요!

book.chunjae.co.kr

교재 내용 문의 ·················· 교재 홈페이지 ▸ 초등 ▸ 교재상담

교재 내용 외 문의 ·············· 교재 홈페이지 ▸ 고객센터 ▸ 1:1문의

발간 후 발견되는 오류 ········· 교재 홈페이지 ▸ 초등 ▸ 학습지원 ▸ 학습자료실

My name~

		초등학교
학년	반	번
이름		

모든 유형을 다 담은 해결의 법칙

정답과 풀이

해설집

수학

1·1

천재교육

차례 _____ 1-1

정답과 풀이 포인트 ③가지

▶ 혼자서도 이해할 수 있는 친절한 문제 풀이

▶ 문제 해결에 필요한 생각열기, 해법순서 또는 틀리기 쉬운 내용을 담은 참고, 주의 BOX

▶ 문제 분석으로 어려운 문항 완벽 대비

정답과 풀이

문제분석 본문 23쪽

①9명의 학생이 달리기를 하고 있습니다. ②윤아의 앞에는 6명이 달리고 있습니다. ③윤아는 몇 등으로 달리고 있습니까?

①9명의 학생이 달리기를 하고 있습니다.	○○○○○○○○○ 9명
②윤아의 앞에는 6명이 달리고 있습니다.	○○○○○○ ○○○ 윤아의 앞에 달리고 있는 학생(6명)
③윤아는 몇 등으로 달리고 있습니까?	○○○○○○●○○ 6명 윤아

2 유형 탐구 ⑴ 10~15쪽

1 ⑴ 하나에 △표 ⑵ 넷에 ○표
2 ③
3 ⑴ 셋 ⑵ 넷
4 ⑴ 둘 ⑵ 다섯
5 ⤬
6 일곱, 여덟
7 여섯에 ○표
8 일곱에 ○표
9 여덟
10 ⤬
11 예 어린이 수는 아홉입니다.
12 둘, 이
13 1에 ○표
14 2에 ○표
15 3
16 3
17 ⤬
18 ( )(○)
19 풀
20 ⑴ 사 ⑵ 다섯
21 4에 ○표
22 ⑴ 5 ⑵ 4
23 4, 넷에 ○표
24 영호. 예 형은 오 학년입니다.
25 6에 ○표

2 ⇨ 넷입니다.
⇨ 넷입니다. ② 하나, 둘, 셋. ⇨ 셋입니다.
④ 하나, 둘, 셋, 넷. ⇨ 넷입니다.
3 그림을 하나, 둘, 셋, 넷……으로 세어 봅니다.
4 ⑴ 인형을 손으로 하나씩 짚어 가며 세어 보면 하나, 둘이므로 **둘**입니다.
⑵ 로봇을 손으로 하나씩 짚어 가며 세어 보면 하나, 둘, 셋, 넷, 다섯이므로 **다섯**입니다.
5 상어의 수: 하나, 둘, 셋. ⇨ 셋
가오리의 수: 하나, 둘, 셋, 넷, 다섯. ⇨ 다섯
6 사마귀를 하나, 둘, 셋……으로 세어 봅니다.
7 하나, 둘, 셋, 넷, 다섯, 여섯. ⇨ 여섯입니다.
8 하나, 둘, 셋, 넷, 다섯, 여섯, 일곱. ⇨ 일곱입니다.
9 매미를 손으로 하나씩 짚어 가며 세어 보면 하나, 둘, 셋, 넷, 다섯, 여섯, 일곱, 여덟이므로 **여덟**입니다.
10 사슴벌레: 하나, 둘, 셋, 넷, 다섯, 여섯, 일곱.
장수풍뎅이: 하나, 둘, 셋, 넷, 다섯, 여섯, 일곱, 여덟, 아홉.
11 서술형 가이드 횡단보도를 건너고 있는 어린이 수를 빠트리지 않고 세었는지 확인합니다.

평가기준		
어린이 수를 바르게 셈.		상
어린이 수를 세는 과정에서 실수를 함.		중
수를 세는 방법을 모름.		하

생각열기 각 물건의 수를 세어 알맞은 것과 선으로 잇습니다.
농구공의 수를 세어 보면 다섯이고, 5라고 씁니다.
축구공의 수를 세어 보면 일곱이고, 7이라고 씁니다.

12 2 ⇨ 둘, 이

쓰러진 볼링핀은 셋이므로 3입니다.
주의
쓰러지지 않은 볼링핀은 세지 않도록 주의합니다.

17 1 (하나, 일), 2 (둘, 이), 3 (셋, 삼)
18 2월 2일 ⇨ 이월 이 일

참고
• 상황에 따라 수를 다르게 읽기

1층	2등	3반	4번	……
일층	이등	삼반	사번	

1개	2살	3명	4장	
한개	두살	세명	네장	

34 8 / 여덟, 팔

참고
• 상황에 따라 수를 다르게 읽기

1층	2등	3반	4번	……
일층	이등	삼반	사번	

1개	2살	3명	4장	……
한개	두살	세명	네장	……

풀: 하나, 둘, 셋. ⇨ 3   가위: 하나. ⇨ 1
자: 하나, 둘. ⇨ 2
따라서 수가 3인 것은 **풀**입니다.
20 ⑴ 4 ⇨ 넷, 사   ⑵ 5 ⇨ **다섯**, 오
21 탬버린은 넷이므로 4입니다.

22 ⑴ 캐스터네츠는 다섯이므로
⑵ 트라이앵글은 넷이므로
23 노란색 부분을 맞힌 화살은
니다. 4는 넷 또는 사라고
주의
파란색 부분이나 빨간색 부분록 주의합니다.
24 '4개'는 '네 개'라고 읽습니
'5학년'은 '오 학년'이라고

서술형 가이드 수를 잘못 읽은 학생용을 바르게 고쳤는지

평가기준	
수를 잘못 읽은 학생의 수를 잘못 읽은 학생의 고치지 못함.	
수를 잘못 읽은 학생의 르게 고치지 못함.	

25 수를 세어 보면 여섯이므로
26 하나씩 세면서 하나, 둘, 니다.
27 수를 세어 보면 일곱(7)입니
28 생각열기 각 물건의 수를 잇습니다.
농구공의 수를 세어 보면 대
축구공의 수를 세어 보면 대
배구공의 수를 세어 보면 대
왼손과 오른손의 펼친 손가
곱이고, 칠이라고도 읽습니
㉠, ㉡, 칠: 7개, ㉡: 6개
꽃의 수를 세면 아홉이므로
하나, 둘, 셋, 넷, 다섯, 여섯
하나, 둘, 셋……으로 세어
아홉은 9라고 씁니다.
잠자리의 수는 8이고, **여덟**
재석이는 9를 몸으로 표현

36 서술형 가이드 8을 이용하여 이야기

평가기준	
8을 이용하여 이야기	
8을 이용하여 이야기	
8을 이용하여 이야기	

정답과 풀이

1. 9까지의 수

STEP 1 핵심 개념 ⑴   9쪽

1-1 (1) (   ) (○)
      (2) (○) (   )

1-2 (1) |〔|〕|〔|〕| (2) 2〔2〕2〔2〕2
      (3) 3〔3〕3〔3〕3

2-1 (1) (   ) (○)
      (2) (○) (   )

2-2 (1) 6〔6〕6〔6〕6   (2) 7〔7〕7〔7〕7
      (3) 8〔8〕8〔8〕8

2-3 (○)(   )   **2-4** 팔

1-2 ①↓1   ①②2   ①②③3

2-2 ①②6   ①②7   ①8

STEP 2 유형 탐구 ⑴   10~15쪽

1 (1) 하나에 ○표 (2) 넷에 ○표

2 ③   **3** (1) 셋 (2) 넷

4 (1) 둘 (2) 다섯

5 ·╳·   **6** 일곱, 여덟

         7 여섯에 ○표

8 일곱에 ○표   **9** 여덟

10 ·╳·   **11** 예 어린이 수는 아홉입
         니다.
         12 둘, 이

13 |에 ○표   **14** 2에 ○표

15 3   **16** 3

17 ·╳·   **18** (   )(○)
         19 풀

20 (1) 사 (2) 다섯   **21** 4에 ○표

22 (1) 5 (2) 4   **23** 4, 넷에 ○표

24 영호 / 예 형은 오 학년입니다.

25 6에 ○표

26 예

6	○○○○○
	○○○○

27 7

28 ·——· ⇨ 5   **29** 일곱, 칠
      ·╳· ⇨ 6   **30** ㉡
      · · ⇨ 7   **31** 9에 ○표

32 예

33 9   **34** 8 / 여덟, 팔

35 9

36 예 동화책은 8권입니다.

---

1 (1) 하나. ⇨ 하나입니다.
    (2) 하나, 둘, 셋, 넷. ⇨ 넷입니다.

2 ① 하나. ⇨ 하나입니다. ② 하나, 둘, 셋. ⇨ 셋입니다.
    ③ 하나, 둘. ⇨ 둘입니다.
    ④ 하나, 둘, 셋, 넷. ⇨ 넷입니다.

3 그림을 하나, 둘, 셋, 넷……으로 세어 봅니다.

4 (1) 인형을 손으로 하나씩 짚어 가며 세어 보면 하나,
      둘이므로 둘입니다.
    (2) 로봇을 손으로 하나씩 짚어 가며 세어 보면 하나,
      둘, 셋, 넷, 다섯이므로 **다섯**입니다.

5 상어의 수: 하나, 둘, 셋. ⇨ 셋
    가오리의 수: 하나, 둘, 셋, 넷, 다섯. ⇨ 다섯

6 사마귀를 하나, 둘, 셋……으로 세어 봅니다.

7 하나, 둘, 셋, 넷, 다섯, 여섯. ⇨ 여섯입니다.

8 하나, 둘, 셋, 넷, 다섯, 여섯, 일곱. ⇨ 일곱입니다.

9 매미를 손으로 하나씩 짚어 가며 세어 보면 하나, 둘,
    셋, 넷, 다섯, 여섯, 일곱, 여덟이므로 **여덟**입니다.

10 사슴벌레: 하나, 둘, 셋, 넷, 다섯, 여섯, 일곱.
     장수풍뎅이: 하나, 둘, 셋, 넷, 다섯, 여섯, 일곱, 여덟, 아홉.

11 서술형 가이드   횡단보도를 건너고 있는 어린이 수를 빠트리지 않
     고 세었는지 확인합니다.

평가기준		
어린이 수를 바르게 셈.	상
어린이 수를 세는 과정에서 실수를 함.	중
수를 세는 방법을 모름.	하

12 2 ⇨ 둘, 이

13 붓은 하나이므로 1입니다.

14 볼펜은 둘이므로 2입니다.

15 크레파스는 셋이므로 3입니다.

16

쓰러진 볼링핀은 셋이므로 3입니다.

> **주의**
> 쓰러지지 않은 볼링핀은 세지 않도록 주의합니다.

17 1(하나, 일), 2(둘, 이), 3(셋, 삼)

18 2월 2일 ⇨ 이 월 이 일

> **참고**
> • 상황에 따라 수를 다르게 읽기
>
> | 1층 | 2등 | 3반 | 4번 | …… |
> |---|---|---|---|---|
> | 일층 | 이등 | 삼반 | 사번 | …… |
>
> | 1개 | 2살 | 3명 | 4장 | …… |
> |---|---|---|---|---|
> | 한 개 | 두 살 | 세 명 | 네 장 | …… |

19 【문제분석】 본문 13쪽

①풀, 가위, 자 중에서 그 수가 ②3인 것은 무엇입니까?

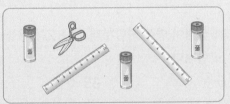

①풀, 가위, 자 중에서 그 수가	풀, 가위, 자의 수를 각각 세어 봅니다.
②3인 것은 무엇입니까?	①의 수 중에서 3인 것을 찾습니다.

풀: 하나, 둘, 셋. ⇨ 3   가위: 하나. ⇨ 1
자: 하나, 둘. ⇨ 2
따라서 수가 3인 것은 풀입니다.

20 (1) 4 ⇨ 넷, 사   (2) 5 ⇨ 다섯, 오

21 탬버린은 넷이므로 4입니다.

22 (1) 캐스터네츠는 다섯이므로 5입니다.
(2) 트라이앵글은 넷이므로 4입니다.

23 노란색 부분을 맞힌 화살은 하나, 둘, 셋, 넷이므로 4입니다. 4는 넷 또는 사라고 읽습니다.

> **주의**
> 파란색 부분이나 빨간색 부분에 맞힌 화살을 세지 않도록 주의합니다.

24 '4개'는 '네 개'라고 읽습니다.
'5학년'은 '오 학년'이라고 읽습니다.

> 【서술형 가이드】 수를 잘못 읽은 학생의 이름을 쓰고, 잘못 읽은 내용을 바르게 고쳤는지 확인합니다.
>
> | 평가 기준 | 수를 잘못 읽은 학생의 이름을 쓰고 바르게 고침. | 상 |
> |---|---|---|
> | | 수를 잘못 읽은 학생의 이름을 썼으나 바르게 고치지 못함. | 중 |
> | | 수를 잘못 읽은 학생의 이름을 쓰지 못하고 바르게 고치지 못함. | 하 |

25 수를 세어 보면 여섯이므로 6입니다.

26 하나씩 세면서 하나, 둘, 셋, 넷, 다섯, 여섯에 색칠합니다.

27 수를 세어 보면 일곱(7)입니다.

28 【생각열기】 각 물건의 수를 세어 알맞은 것과 선으로 잇습니다.
농구공의 수를 세어 보면 다섯이고, 5라고 씁니다.
축구공의 수를 세어 보면 일곱이고, 7이라고 씁니다.
배구공의 수를 세어 보면 여섯이고, 6이라고 씁니다.

29 왼손과 오른손의 펼친 손가락을 이어서 세어 보면 일곱이고, 칠이라고도 읽습니다.

30 ㉠, ㉢, ㉣: 7개, ㉡: 6개

31 꽃의 수를 세면 아홉이므로 9입니다.

32 하나, 둘, 셋, 넷, 다섯, 여섯, 일곱, 여덟을 묶습니다.

33 하나, 둘, 셋……으로 세어 보면 아홉입니다.
아홉은 9라고 씁니다.

34 잠자리의 수는 8이고, 여덟 또는 팔이라고 읽습니다.

35 재석이는 9를 몸으로 표현했습니다.

36 【서술형 가이드】 8을 이용하여 이야기를 만들었는지 확인합니다.

평가 기준	8을 이용하여 이야기를 만듦.	상
	8을 이용하여 이야기를 만들었으나 어색함.	중
	8을 이용하여 이야기를 만들지 못함.	하

1 STEP 핵심 개념 (2) 17쪽

3-1

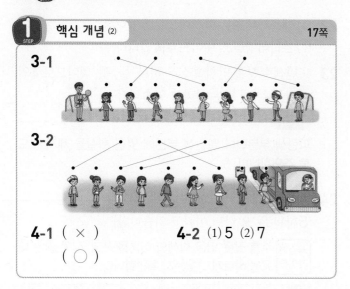

3-2

4-1 (×)
　　　(○)

4-2 (1) 5 (2) 7

3-1 앞에서부터 첫째, 둘째, 셋째, 넷째, 다섯째, 여섯째, 일곱째, 여덟째, 아홉째입니다.

4-1 3부터 8까지의 수를 순서대로 쓰면 3, 4, 5, 6, 7, 8 입니다.

4-2 1부터 9까지의 수를 순서대로 쓰면 1, 2, 3, 4, 5, 6, 7, 8, 9입니다.

2 STEP 유형 탐구 (2) 18~23쪽

1

2 유리
3 넷째
4 셋째
5 넷째
6 예 위에서 넷째입니다. / 예 아래에서 둘째입니다.
7 다섯째
8 넷째
9 여덟, 팔
10 일곱째, 여덟째
11

12 여덟째에 ○표
13 일곱째
14 철민
15 여덟째
16 호준
17 셋째, 다섯째
18 6명
19 5명

20

여섯(육)	♥ ♥ ♥ ♥ ♥ ♥ ♥ ♡
여섯째	♡ ♡ ♡ ♡ ♡ ♥ ♡ ♡

21

여덟(팔)	★ ★ ★ ★ ★ ★ ★ ☆
여덟째	☆ ☆ ☆ ☆ ☆ ☆ ★ ☆

22 지수
23 (순서대로) 4, 7, 8
24 7

25

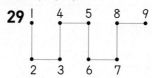

26 (순서대로) 6, 3, 1
27 (1) 5, 3 (2) 7, 4
28 9, 8, 7, 6
29

30

31

32

33 예 성적이 좋은 사람부터 1등, 2등, 3등……이라고 합니다.

34 6층
35 소진
36 7등

1 순서는 첫째, 둘째, 셋째, 넷째, 다섯째입니다.

2 현욱　유리　정훈　민아　찬빈
　　ㅣ　　ㅣ　　ㅣ　　ㅣ　　ㅣ
　첫째　둘째　셋째　넷째　다섯째

3 민아는 **넷째**에 서 있습니다.

4 영수　진태　진우　민호　은희
　　ㅣ　　ㅣ　　ㅣ　　ㅣ　　ㅣ
　첫째　둘째　**셋째**　넷째　다섯째

5 → 다섯째
→ 넷째
→ 셋째
→ 둘째
→ 첫째

➪ 노란색 모형은 아래에서 **넷째**입니다.

6 [서술형 가이드] 주어진 기준과 순서를 사용하여 2가지 문장을 바르게 썼는지 확인합니다.

평가기준	2가지 문장을 바르게 씀.	상
	1가지 문장만 바르게 씀.	중
	순서를 몰라서 알맞은 문장을 쓰지 못함.	하

7 1번 계산대에 4명이 있으므로 그 다음에 서면 **다섯째**입니다.

8 2번 계산대에 3명이 있으므로 그 다음에 서면 **넷째**입니다.

9 왼쪽에서 넷째에 있는 수는 8입니다. 8은 **여덟** 또는 **팔**이라고 읽습니다.

10 〈순서〉
첫째 − 둘째 − 셋째 − 넷째 − 다섯째 − 여섯째 − **일곱째** − **여덟째** − 아홉째

11 왼쪽에서부터 순서대로 첫째, 둘째……로 세어 봅니다.

첫째 둘째 셋째 넷째 다섯째 여섯째 일곱째 여덟째 아홉째

12
첫째
둘째
셋째
넷째
다섯째
여섯째
일곱째
여덟째
아홉째

➪ 위에서부터 여덟째 칸에 색칠하였습니다.

[주의] '위에서부터'라는 기준이 있으므로 반드시 위에서부터 세어야 합니다.

13 왼쪽에서부터 순서를 알아봅니다.

14
연수 재석 지호 민정 정민 호준 **철민** 수진
(왼쪽에서) 첫째 | 셋째 | 다섯째 | 일곱째
둘째 넷째 여섯째 여덟째

15
연수 재석 지호 민정 정민 호준 **철민** 수진
| 일곱째 | 다섯째 | 셋째 | 첫째(오른쪽에서)
여덟째 여섯째 넷째 둘째

16 왼쪽에서 여섯째는 호준입니다.

17
(왼쪽에서) 첫째 둘째 **셋째** 넷째 다섯째 여섯째 일곱째
일곱째 여섯째 **다섯째** 넷째 셋째 둘째 첫째 (오른쪽에서)
호랑이는 왼쪽에서 **셋째**입니다.
호랑이는 오른쪽에서 **다섯째**입니다.

18 첫째부터 여섯째까지이므로 6명입니다.

19 다섯째, 여섯째, 일곱째, 여덟째, 아홉째로 5명입니다.

20 여섯은 수를 나타내므로 6개에 색칠하고, 여섯째는 순서를 나타내므로 여섯째에 있는 1개에만 색칠합니다.

21 여덟은 수를 나타내므로 8개에 색칠하고, 여덟째는 순서를 나타내므로 여덟째에 있는 1개에만 색칠합니다.

22 동우는 왼쪽에서부터 세었을 때의 둘째에 색칠했습니다.

23 1부터 9까지의 수를 순서대로 쓰면
1−2−3−4−5−6−7−8−9입니다.

24 [생각열기] 코끼리는 닭의 다음 다음에 타고 있습니다.
닭(5)−곰(6)−코끼리(7)

25 1부터 9까지의 수를 순서대로 쓰면
1−2−3−4−5−6−7−8−9입니다.

26 순서를 거꾸로 하여 1부터 9까지의 수를 쓰면
9−8−7−6−5−4−3−2−1입니다.

27 (1) 7−6−5−4−3
(2) 8−7−6−5−4

28 순서를 거꾸로 하여 9부터 수를 씁니다.
➪ 9−8−7−6

29~30 1→2→3→4→5→6→7→8→9

31 1부터 9까지의 수를 순서대로 이어 봅니다.

32 6호부터 순서대로 6호, 7호, 8호, 9호입니다.

33 서술형 가이드 생활에 사용된 수의 순서의 예를 바르게 썼는지 확인합니다.

평가기준	생활에 사용된 수의 순서의 예를 바르게 씀.	상
	생활에 사용된 수의 순서의 예를 썼으나 미흡함.	중
	생활에 사용된 수의 순서의 예를 쓰지 못함.	하

34 연수가 살고 있는 곳은 아래에서부터 1층, 2층⋯⋯으로 세어 보면 6층입니다.

35 아래에서부터 1층, 2층, 3층⋯⋯으로 세어 보면 8층에는 소진이가 살고 있습니다.

36 문제분석 ▶ 본문 23쪽

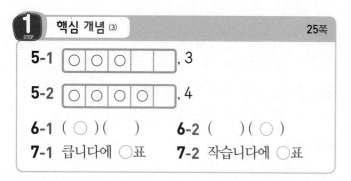

①9명의 학생이 달리기를 하고 있습니다. ②윤아의 앞에는 6명이 달리고 있습니다. ③윤아는 몇 등으로 달리고 있습니까?

①9명의 학생이 달리기를 하고 있습니다.	○○○○○○○○○ 9명
②윤아의 앞에는 6명이 달리고 있습니다.	○○○○○○○○○ 윤아의 앞에 달리고 있는 학생(6명)
③윤아는 몇 등으로 달리고 있습니까?	○○○○○○●○○ 6명　　윤아

(앞) ○○○○○○●○○ (뒤)
└─6명─┘　↑윤아

윤아의 앞에 6명이 있으므로 윤아는 앞에서 일곱째입니다. ⇨ 7등

STEP 1 핵심 개념 ⑶ 　　　　　　25쪽

5-1 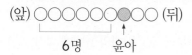, 3

5-2 ○○○○○, 4

6-1 (○) (　　)　　**6-2** (　　) (○)

7-1 큽니다에 ○표　　**7-2** 작습니다에 ○표

5-1 ● 2개에 ● 1개를 더 놓으면 ● 3개가 됩니다.

5-2 ● 5개에서 ● 1개를 덜어 내면 ● 4개가 됩니다.

7-1 위쪽에 있는 바둑돌이 더 많기 때문에 5는 3보다 큽니다.

7-2 위쪽에 있는 바둑돌이 더 적기 때문에 4는 7보다 작습니다.

STEP 2 유형 탐구 ⑶ 　　　　26~29쪽

1 5　　　　　　　　**2** 8, 9

3 (○) (　　)

4 예 종국이가 적은 수는 5보다 1 큰 수이므로 6입니다. 따라서 지효가 적은 수는 6보다 1 큰 수이므로 7입니다. ; 7

5 5　　　　　　　　**6** 2, 4

7 (위부터) 1, 3/4, 6/7, 9

8 3자루　　　　　　**9** 4명

10 0에 ○표　　　　**11** ㉠

12 0, 2

13 ⑴ 적습니다에 ○표, 작습니다에 ○표
　　⑵ 많습니다에 ○표, 큽니다에 ○표

14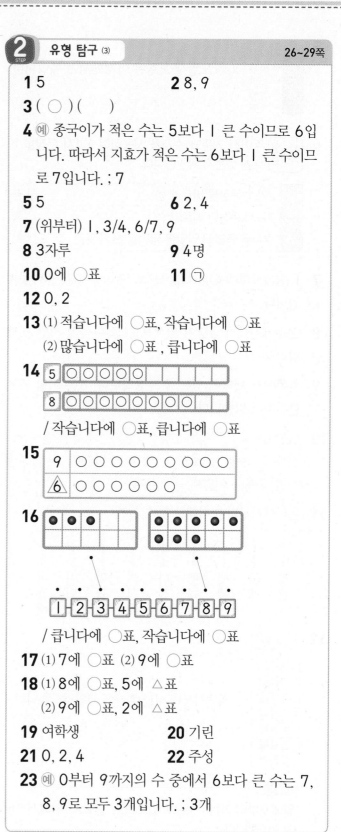

/ 작습니다에 ○표, 큽니다에 ○표

17 ⑴ 7에 ○표 ⑵ 9에 ○표

18 ⑴ 8에 ○표, 5에 △표
　　⑵ 9에 ○표, 2에 △표

19 여학생　　　　　**20** 기린

21 0, 2, 4　　　　　**22** 주성

23 예 0부터 9까지의 수 중에서 6보다 큰 수는 7, 8, 9로 모두 3개입니다. ; 3개

1 4 바로 뒤의 수는 5입니다.

2 7보다 1 큰 수는 7 바로 뒤의 수인 8이고, 8보다 1 큰 수는 8 바로 뒤의 수인 9입니다.

3 5보다 1 큰 수는 6입니다. 왼쪽 딸기는 6개, 오른쪽 딸기는 7개이므로 왼쪽에 ○표 합니다.

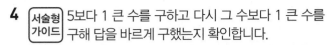

4 서술형 가이드 5보다 1 큰 수를 구하고 다시 그 수보다 1 큰 수를 구해 답을 바르게 구했는지 확인합니다.

평가기준	종국이가 적은 수를 이용하여 지효가 적은 수를 바르게 구함.	상
	종국이가 적은 수를 이용했으나 지효가 적은 수를 구하는 과정에서 실수가 있어서 답이 틀림.	중
	종국이가 적은 수를 이용하지 못함.	하

5 생각열기 1 작은 수는 수를 순서대로 썼을 때 바로 앞의 수입니다.

6 바로 앞의 수는 5입니다.

6 3 바로 앞의 수는 2이고, 3 바로 뒤의 수는 4입니다.

7
$$1 \quad 2 \quad 3 \quad\quad 4 \quad 5 \quad 6 \quad\quad 7 \quad 8 \quad 9$$

1 작은 수 1 큰 수 1 작은 수 1 큰 수 1 작은 수 1 큰 수

8 4보다 1 작은 수는 3입니다.

⇨ 현수의 연필은 **3**자루입니다.

9 문제분석 본문 27쪽

다음을 보고 소희네 가족은 몇 명인지 구하시오.

①(민율) 우리 가족은 6명 이야.	민율이네 가족 수: 6
②(지유) 우리 가족은 민율이네 가족보다 1명 더 적어.	지유네 가족 수는 민율이네 가족 수보다 1 작은 수입니다.
③(소희) 우리 가족은 지유네 가족보다 1명 더 적어.	소희네 가족 수는 지유네 가족 수보다 1 작은 수입니다.

민율이네 가족 수: 6명

지유네 가족 수: 민율이네 가족 수(6)보다 1명 더 적으므로 5명입니다.

소희네 가족 수: 지유네 가족 수(5)보다 1명 더 적으므로 4명입니다.

10 책꽂이에 책이 하나도 없으므로 0입니다.

11 ㉠ 학생이 한 명도 없으므로 0을 나타냅니다.
㉡ 한 마리는 1을 나타냅니다.

12 1보다 1 작은 수는 1 바로 앞의 수인 0입니다.
1보다 1 큰 수는 1 바로 뒤의 수인 2입니다.

13 (1) 하나씩 짝지었을 때 책상이 의자보다 적으므로 4는 6보다 작습니다.
(2) 하나씩 짝지었을 때 의자가 책상보다 많으므로 6은 4보다 큽니다.

14 그린 ○를 짝지어 두 수의 크기를 비교합니다.

15 그린 ○를 하나씩 짝지어 보면 6이 모자라므로 6이 더 작습니다.

16 수를 순서대로 썼을 때,
8은 3보다 뒤에 있으므로 8은 3보다 큽니다.
3은 8보다 앞에 있으므로 3은 8보다 작습니다.

17 (1) 수를 순서대로 썼을 때, 7이 4보다 뒤에 있으므로 7이 더 큰 수입니다.
(2) 수를 순서대로 썼을 때, 9가 5보다 뒤에 있으므로 9가 더 큰 수입니다.

18 주어진 수를 작은 수부터 차례로 써 봅니다.

(1) 5 6 8
가장 작은 수 가장 큰 수

(2) 2 4 9
가장 작은 수 가장 큰 수

19 5는 4보다 크므로 **여학생**이 더 많습니다.

20 6, 3, 7 중에서 가장 큰 수는 7이므로 가장 많은 동물은 **기린**입니다.

21 수를 작은 수부터 차례로 썼을 때, 6보다 앞에 있는 수를 찾습니다.

0 2 4 6 7 9
6보다 작은 수

22 미진이의 공책 수: 3권, 주성이의 공책 수: 6권
3과 6 중 더 큰 수는 6이므로 **주성**이가 공책을 더 많이 샀습니다.

23 서술형 가이드 6보다 큰 수를 찾아 모두 몇 개인지 알아보는 풀이 과정이 들어 있어야 합니다.

평가기준	□ 안에 들어갈 수를 모두 찾아 답을 바르게 씀.	상
	□ 안에 들어갈 수를 찾는 과정에서 실수가 있어서 답이 틀림.	중
	□ 안에 들어갈 수를 하나도 찾지 못함.	하

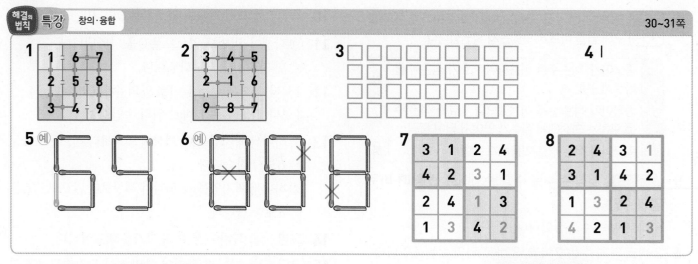

1
1	6	7
2	5	8
3	4	9

2
3	4	5
2	1	6
9	8	7

3 □□□□□□□■□□ □□□□□□□□□ □□□□□□□□□□ □□□□□□□□□

4 1

5 예

6 예

7
3	1	2	4
4	2	3	1
2	4	1	3
1	3	4	2

8
2	4	3	1
3	1	4	2
1	3	2	4
4	2	1	3

1~2 1부터 9까지의 수를 순서대로 잇습니다.

3
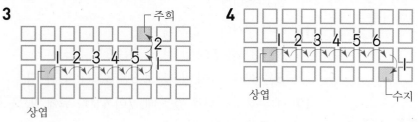

4
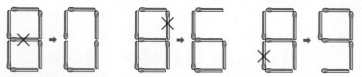

5 성냥개비를 오른쪽과 같이 놓으면 수 6과 9를 만들 수 있습니다.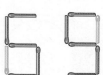

6 성냥개비 1개를 다음과 같이 빼면 수 0, 6, 9를 만들 수 있습니다.

7
3	1	2	4
4	2	㉠	1
2	4	㉡	3
1	㉢	4	㉣

㉠을 포함하는 4칸짜리 네모 모양을 보면 2, 4, 1이 있으므로 ㉠에는 3이 들어갑니다.
㉡을 포함하는 가로 줄을 보면 2, 4, 3이 있으므로 ㉡에는 1이 들어갑니다.
㉢을 포함하는 4칸짜리 네모 모양을 보면 2, 4, 1이 있으므로 ㉢에는 3이 들어갑니다.
㉣을 포함하는 세로 줄을 보면 4, 1, 3이 있으므로 ㉣에는 2가 들어갑니다.

8
2	4	3	㉠
3	1	4	2
1	㉡	2	4
㉢	2	1	㉣

㉠을 포함하는 4칸짜리 네모 모양을 보면 3, 4, 2가 있으므로 ㉠에는 1이 들어갑니다.
㉡을 포함하는 세로 줄을 보면 4, 1, 2가 있으므로 ㉡에는 3이 들어갑니다.
㉢을 포함하는 세로 줄을 보면 2, 3, 1이 있으므로 ㉢에는 4가 들어갑니다.
㉣을 포함하는 4칸짜리 네모 모양을 보면 2, 4, 1이 있으므로 ㉣에는 3이 들어갑니다.

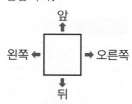

레벨 UP

1 예 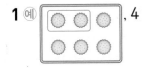 , 4　**2** ( )　**3** 0개　**4** 예

3	4	5	6	7	8	9
첫째	둘째	셋째	넷째	다섯째	여섯째	일곱째

( )
(◯)

따라서 앞에서 여섯째에 있는 수는 8입니다. ; 8

5 9　　　**6** 4개　　　　**7** 6명　　　**8** 6　　　**9** 8등

10 예 펼친 손가락의 수는 7이고 펼치지 않은 손가락의 수는 8입니다. 따라서 펼친 손가락의 수 7은 펼치지 않은 손가락의 수 8보다 1 작은 수입니다. ; 1

11 7, 8

---

1 쿠키를 하나, 둘까지 센 후 묶습니다. 묶지 않은 쿠키의 수는 넷이므로 4를 씁니다.

2 아기돼지 삼 형제, 늑대와 일곱 마리 아기 염소, 좁쌀 한 톨로 장가간 총각
　　　　　　　　3　　　　　　7　　　　　　　1

⇨ 3, 7, 1 중에서 가장 작은 수는 1입니다.

3 문제분석 ▶ 본문 32쪽

①수연이는 초콜릿을 2개 사서 ②1개를 동생에게 주고, ③1개를 먹었습니다.
④수연이에게 남은 초콜릿은 몇 개입니까?

①수연이는 초콜릿을 2개 사서	수연이가 산 초콜릿의 수: 2
②1개를 동생에게 주고,	2보다 1 작은 수: 1 … ㉠
③1개를 먹었습니다.	㉠보다 1 작은 수를 구합니다.
④수연이에게 남은 초콜릿은 몇 개입니까?	단위를 붙여 답합니다.

2보다 1 작은 수는 1이므로 동생에게 주고 남은 초콜릿은 1개입니다. 또 1보다 1 작은 수는 0이므로 먹고 남은 초콜릿은 0개입니다.
따라서 수연이에게 남은 초콜릿은 0개입니다.

4 서술형 가이드 3부터 9까지의 수를 순서대로 쓰고, 앞에서 여섯째에 있는 수를 바르게 찾았는지 확인합니다.

평가기준	3부터 9까지의 수를 순서대로 쓰고 답을 구함.	상
	3부터 9까지의 수를 순서대로 썼으나 답을 구하지 못함.	중
	3부터 9까지의 수를 순서대로 쓰지 못하고 답도 구하지 못함.	하

5 왼쪽과 오른쪽에서부터 같이 순서를 세어 봅니다.

다섯째 넷째 셋째 둘째 첫째 (오른쪽부터)
1　7　2　4　9　8　3　5　6
(왼쪽부터) 첫째 둘째 셋째 넷째 다섯째

셀파 가·이·드

▶ 오른쪽 빈 곳에는 묶지 않은 것의 수를 써야 합니다.

▶ 아무것도 없는 것을 0이라고 씁니다.

▶ 3부터 9까지의 수를 순서대로 쓰면 다음과 같습니다.
3 - 4 - 5 - 6 - 7 - 8 - 9

6 0부터 9까지의 수 중에서 8보다 작은 수: 0, 1, 2, 3, 4, 5, 6, 7

0부터 9까지의 수 중에서 2보다 큰 수: 3, 4, 5, 6, 7, 8, 9

0부터 9까지의 수 중에서 0보다 크고 7보다 작은 수: 1, 2, 3, 4, 5, 6

⇨ 모두 만족하는 수는 3, 4, 5, 6으로 4개입니다.

7 해·법·순·서

① 앞에서 셋째를 나타내는 그림을 그립니다.

② ①의 그림의 뒤로 그림을 그려 뒤에서 넷째가 되도록 합니다.

③ 그림의 수를 모두 셉니다.

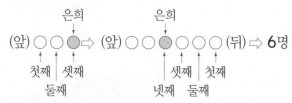

8 문제분석 ▶ 본문 33쪽

① 1부터 9까지의 수 중에서 ③□ 안에 공통으로 들어갈 수 있는 수를 쓰시오.

> ① · □은/는 5보다 큽니다.
> ② · 7은 □보다 큽니다.

① 1부터 9까지의 수 중에서, □은/는 5보다 큽니다.	5보다 큰 수를 찾습니다.
② 7은 □보다 큽니다.	□은/는 7보다 작습니다.
③ □ 안에 공통으로 들어갈 수 있는 수를 쓰시오.	①과 ②에 모두 들어 있는 수를 찾습니다.

□는 5보다 큰 수이므로 6, 7, 8, 9입니다.

□는 7보다 작은 수이므로 1, 2, 3, 4, 5, 6입니다.

⇨ □ 안에 공통으로 들어가는 수: 6

9 문제분석 ▶ 본문 33쪽

지민이네 반 학생들이 단원 평가를 보았습니다. ①지민이의 성적을 남학생들과 비교하면 3등이고, ②여학생들과 비교하면 6등입니다. ③지민이는 반 전체에서 몇 등을 했습니까?

① 지민이의 성적을 남학생들과 비교하면 3등이고,	지민이보다 단원 평가를 더 잘 본 남학생 수를 구합니다.
② 여학생들과 비교하면 6등입니다.	지민이보다 단원 평가를 더 잘 본 여학생 수를 구합니다.
③ 지민이는 반 전체에서 몇 등을 했습니까?	①과 ②에서 구한 학생 수를 보고 지민이의 등수를 구합니다.

(남학생과 비교)
○ ○ ●
1등 2등 3등(지민)

(여학생과 비교)
○ ○ ○ ○ ○ ●
1등 2등 3등 4등 5등 6등(지민)

셀파 가·이·드

다른 풀이

① 8보다 작은 수: 0, 1, 2, 3, 4, 5, 6, 7

② ①의 수 중에서 2보다 큰 수: 3, 4, 5, 6, 7

③ ②의 수 중에서 0보다 크고 7보다 작은 수: 3, 4, 5, 6

⇨ 모두 만족하는 수는 3, 4, 5, 6으로 4개입니다.

▶ 7은 □보다 큽니다.
  ⇨ □은/는 7보다 작습니다.

▶ 3등의 앞에는 1등, 2등이 있습니다.

6등의 앞에는 1등, 2등, 3등, 4등, 5등이 있습니다.

지민이보다 단원 평가를 잘 본 학생은 남학생 2명, 여학생 5명입니다.

1등 2등 3등 4등 5등 6등 7등 지민
○ ○ ○ ○ ○ ○ ○ ● ⇨ 지민이는 8등입니다.
└─────── 남학생 2명, 여학생 5명 ───────┘

10 서술형 가이드 펼친 손가락의 수와 펼치지 않은 손가락의 수를 각각 알아보고 크기를 바르게 비교했는지 확인합니다.

평가기준	펼친 손가락의 수와 펼치지 않은 손가락의 수를 각각 알아보고 답을 바르게 구함.	상
	펼친 손가락의 수와 펼치지 않은 손가락의 수는 각각 알고 있으나 답이 틀림.	중
	펼친 손가락의 수와 펼치지 않은 손가락의 수를 알지 못해서 답도 구하지 못함.	하

11 가위바위보에서 이기면 ○, 지면 × 로 표시하면 해주의 결과는 ○ × × ○ ○ 이고 지환이의 결과는 × ○ ○ × × 입니다.

해주: 앞으로 3칸 → 뒤로 1칸 → 뒤로 1칸 → 앞으로 3칸 → 앞으로 3칸 움직이면 7입니다.

지환: 출발점 → 앞으로 3칸 → 앞으로 3칸 → 뒤로 1칸 → 뒤로 1칸 움직이면 8입니다.

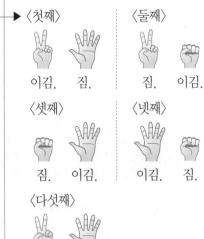

〈첫째〉 이김. 짐. 〈둘째〉 짐. 이김.
〈셋째〉 짐. 이김. 〈넷째〉 이김. 짐.
〈다섯째〉 이김. 짐.

1회 단원 평가 34~36쪽

1 일곱에 ○표   **2** 1

3 여섯, 육

4 예 조각의 수는 6개입니다.

5 여섯째

6
일곱(칠)	◑◑◑◑◑◑◑
일곱째	◑◑◑◑◑◑◑

7 (순서대로) 2, 5, 7, 8   **8** (1) 4 (2) 9

9 (1) 6에 ○표 (2) 8에 △표

10 ④

11 예 야구는 한 팀에 9명의 선수가 경기를 합니다.

12 9에 ○표, 3에 △표

13 0장   **14** 거문고

15 동수

16 예 원숭이 4마리가 바나나를 먹으려고 하고 있습니다.

17 7, 8, 9   **18** 4개

19 4마리   **20** 3

1 하나씩 짚어 가며 세어 봅니다.
하나, 둘, 셋, 넷, 다섯, 여섯, 일곱. ⇨ 일곱입니다.

2 하나는 1이라고 씁니다.

3 수영장에 있는 사람의 수는 6입니다. 6은 여섯 또는 육이라고 읽습니다.

4 서술형 가이드 조각의 수를 바르게 세고, 바르게 고쳤는지 확인합니다.

평가기준	조각의 수를 센 후, 바르게 고침.	상
	조각의 수는 알고 있으나 바르게 고치지 못함.	중
	조각의 수를 잘못 세어 바르게 고치지 못함.	하

5 앞에서부터 첫째, 둘째, 셋째……로 세어 보면 소연이는 **여섯째**입니다.

6 일곱은 수를 나타내므로 야구공을 7개 색칠하고, 일곱째는 순서를 나타내므로 일곱째에 있는 야구공 1개에만 색칠합니다.

7 1부터 9까지의 수를 순서대로 쓰면 1-2-3-4-5-6-7-8-9입니다.

8 (1) 모자의 수는 5입니다. 5보다 1 작은 수는 4입니다.

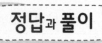

(2) 선글라스의 수는 8입니다. 8보다 1 큰 수는 9입니다.

9 (1) 수를 순서대로 쓰면 6이 4보다 뒤에 있으므로 6이 더 큽니다.

(2) 수를 순서대로 쓰면 8이 9보다 앞에 있으므로 8이 더 작습니다.

10 ① 4 바로 앞의 수 ⇨ 3   ② 4 바로 뒤의 수 ⇨ 5
③ 7보다 1 큰 수 ⇨ 8   ④ 7보다 1 작은 수 ⇨ 6
⑤ 8보다 1 큰 수 ⇨ 9

> **참고**
>
> 6은 5 바로 뒤의 수이고, 7 바로 앞의 수입니다.
> 6은 5보다 1 큰 수이고, 7보다 1 작은 수입니다.

11 서술형 가이드 9를 넣은 이야기를 바르게 만들었는지 확인합니다.

평가 기준		
	9를 넣은 이야기를 바르게 만듦.	상
	9를 넣은 이야기를 만들었으나 어색함.	중
	9를 넣은 이야기를 만들지 못함.	하

12 주어진 수를 작은 수부터 차례로 써 봅니다.

$$\underset{\substack{가장\\작은\ 수}}{3}\ \ 4\ \ 6\ \ 7\ \ \underset{\substack{가장\\큰\ 수}}{9}$$

13 아무것도 없는 것을 0이라고 씁니다.

14 4와 6 중에서 더 큰 수는 6입니다.

15 용미: 5 바로 뒤의 수 ⇨ 6
동수: 4보다 1 큰 수 ⇨ 5
미란: 7보다 1 작은 수 ⇨ 6
따라서 나머지 두 사람과 다른 수를 말하고 있는 사람은 동수입니다.

16 서술형 가이드 그림에서 찾을 수 있는 수를 사용하여 이야기를 바르게 만들었는지 확인합니다.

평가 기준		
	그림에서 찾을 수 있는 수를 사용하여 이야기를 바르게 만듦.	상
	그림에서 찾을 수 있는 수를 사용하여 이야기를 만들었으나 어색함.	중
	이야기를 만들지 못함.	하

17 경진이가 6이 적힌 숫자 카드를 뽑았으므로 경진이를 이기려면 6보다 큰 수인 7, 8, 9가 적혀 있는 숫자 카드 중 한 장을 뽑아야 합니다.

18 3보다 크고 8보다 작은 수는 4, 5, 6, 7로 모두 4개입니다.

19 토끼가 다섯째이므로 토끼 앞에는 첫째, 둘째, 셋째, 넷째 동물 친구가 달리고 있습니다. ⇨ **4마리**

20 1부터 9까지의 수를 큰 수부터 차례로 쓰면 다음과 같습니다.

따라서 큰 쪽에서부터 일곱째 수는 3입니다.

2회 단원 평가 37~39쪽

1 예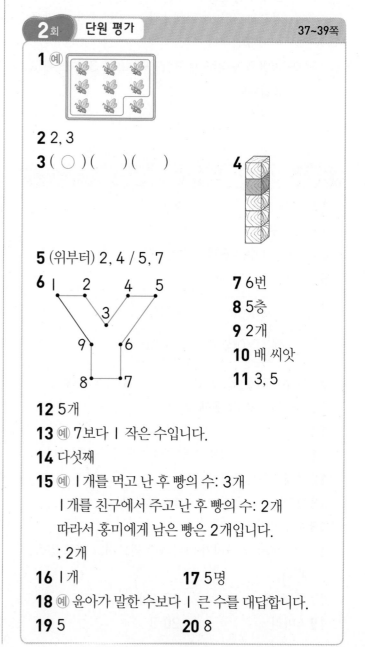

2 2, 3

3 (○) (   ) (   )

4

5 (위부터) 2, 4 / 5, 7

6

7 6번

8 5층

9 2개

10 배 씨앗

11 3, 5

12 5개

13 예 7보다 1 작은 수입니다.

14 다섯째

15 예 1개를 먹고 난 후 빵의 수: 3개
1개를 친구에서 주고 난 후 빵의 수: 2개
따라서 홍미에게 남은 빵은 2개입니다.
; 2개

16 1개   **17** 5명

18 예 윤아가 말한 수보다 1 큰 수를 대답합니다.

19 5   **20** 8

1 하나씩 세면서 여덟을 묶습니다.

2 문어는 둘이므로 2입니다.
가오리는 셋이므로 3입니다.

3 소라: 7　　고래: 1　　새우: 9　　물고기: 6
가오리: 3　　문어: 2　　불가사리: 5
⇨ 7보다 큰 수는 9이므로 소라보다 많은 것은 새우 입니다.

센 것을 다시 세지 않도록 주의합니다.

4
첫째
둘째
셋째
넷째
다섯째

5 1 작은 수는 바로 앞의 수이고, 1 큰 수는 바로 뒤의 수입니다.

6 1부터 9까지의 수를 순서대로 쓰면
1−2−3−4−5−6−7−8−9입니다.

7 '잘'이라는 글자를 세어 보면 모두 6번 나옵니다.

8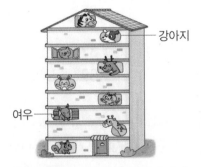
강아지
여우
여우가 5층 올라가면 강아지와 만납니다.

9 6보다 큰 수를 찾아보면 7, 9입니다. ⇨ 2개

10 대추 씨앗: 하나, 둘. ⇨ 2
배 씨앗: 하나, 둘, 셋. ⇨ 3
3은 2보다 크므로 **배 씨앗**이 더 많습니다.

11 3　　4　　5
1 큰 수　　1 작은 수
4는 3보다 1 큰 수이고, 5보다 1 작은 수입니다.

12 상자 수는 신발 수보다 1 큽니다. 4보다 1 큰 수는 5 이므로 상자 수는 **5개**입니다.

13 서술형 가이드 5보다 1 큰 수는 6임을 알고 6을 다른 방법으로 설명했는지 확인합니다.

평가 기준	미선이가 설명한 수를 다른 방법으로 바르게 설명함.	상
	미선이가 설명한 수를 다른 방법으로 설명했으나 미흡함.	중
	미선이가 설명한 수를 몰라 다른 방법으로 설명하지 못함.	하

14 가장 큰 수는 6입니다.

3	0	4	2	6	1	5
첫째	둘째	셋째	넷째	다섯째	여섯째	일곱째

⇨ 6은 왼쪽에서 **다섯째**에 있습니다.

15 서술형 가이드 4개에서 3개, 3개에서 2개가 되는 과정을 쓰고 답을 바르게 구했는지 확인합니다.

평가 기준	남은 빵이 2개가 되는 과정을 쓰고 답을 바르게 구함.	상
	풀이 과정에서 실수가 있어서 답이 틀림.	중
	1 작은 수를 몰라서 답도 구하지 못함.	하

16
8개　　남는 초: 1개
⇨ 초를 8개 사용하면 1개가 남습니다.

17
(앞)○○○○●○○○○○ (뒤)
넷째 (우진)　　5명
우진이의 뒤에는 **5명**이 서 있습니다.

18 [윤아]　　　　　[호동]
1 ──1 큰 수──→ 2
6 ─────────→ 7
3 ─────────→ 4

서술형 가이드 윤아가 말하는 수와 호동이가 대답하는 수의 규칙을 바르게 알고 있는지 확인합니다.

평가 기준	규칙을 바르게 씀.	상
	규칙을 썼으나 미흡함.	중
	규칙을 쓰지 못함.	하

19 4보다 1 큰 수는 5입니다.

20 윤아는 호동이가 대답한 수보다 1 작은 수를 말했습니다. ⇨ 9보다 1 작은 수는 8입니다.

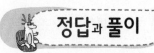

정답과 풀이

2. 여러 가지 모양

1 STEP 핵심 개념 (1) 43쪽

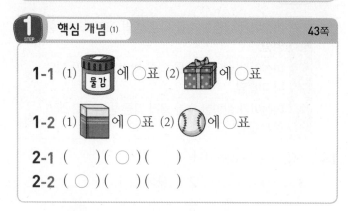

1-1 (1) 물감 에 ○표 (2) 🎁 에 ○표

1-2 (1) ▦ 에 ○표 (2) ⚾ 에 ○표

2-1 ( ) (○) ( )

2-2 (○) ( ) ( )

1-1 (1) ⬭ 모양은 물감통입니다.

(2) ⬛ 모양은 선물 상자입니다.

1-2 (1) ⬛ 모양은 지우개입니다.

(2) ⬤ 모양은 야구공입니다.

2-1 둥근 부분도 있고 평평한 부분도 있으므로 ⬭ 모양입니다.

2-2 티슈 상자의 일부분이므로 ⬛ 모양입니다.

2 STEP 유형 탐구 (1) 44~51쪽

1 ( ) (○) ( )
　(○) ( ) ( )

2 ④　　　　**3** 2개

4

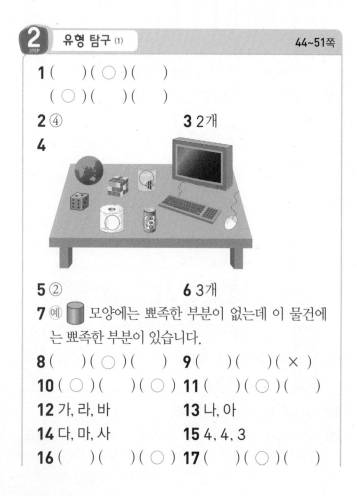

5 ②　　　　**6** 3개

7 예 ⬭ 모양에는 뾰족한 부분이 없는데 이 물건에는 뾰족한 부분이 있습니다.

8 ( ) (○) ( )　**9** ( ) ( ) (×)

10 (○) ( ) (○)　**11** ( ) (○) ( )

12 가, 라, 바　　　**13** 나, 아

14 다, 마, 사　　　**15** 4, 4, 3

16 ( ) ( ) (○)　**17** ( ) (○) ( )

18 ✕ (선 연결)

19 ( ) ( ) (×) ( )

20 (○) (○) ( )

21 예 ⬛ 모양은 티슈 상자, 주사위로 2개, ⬭ 모양은 롤케이크, 필통, 탬버린으로 3개, ⬤ 모양은 야구공, 농구공, 축구공으로 3개입니다. 2, 3, 3 중에서 가장 작은 수는 2이므로 가장 적은 모양은 ⬛ 모양입니다. ; ⬛ 모양

22 (선 연결)
23 ✕ (선 연결)
24

25 ㉡　　　　**26** ( ) ( ) (×)

27 예 축구공, 수박, 풍선　**28** ( ) (○) ( )

29 예 두 사진에서 공통으로 찾을 수 있는 모양에 평평한 부분도 있고 둥근 부분도 있기 때문입니다.

30 예 망원경, 음료수 캔, 통나무

31 (선 연결)　　**34** ⬭ 모양
32 ✕ (선 연결)
33　　　　　**35** ⬤ 모양

36 ( ) (○) ( )　**37** 예 물통, 타이어, 풀

38 눕히기　　　**39** (○) (○) ( )

40 가, 마

41 예 잘 굴러가려면 둥근 부분이 있어야 하는데 이 물건들은 둥근 부분이 없기 때문입니다.

42 ⬭　　　　**43** ⬛ 모양

44 예 자동차 바퀴가 ⬛ 모양이라면 둥근 부분이 없어서 굴리면 잘 굴러가지 않습니다.

45 가, 바

1 모두 평평한 부분으로 이루어진 물건을 찾습니다.

2 ④는 ⬭ 모양입니다.

3 ⬛ 모양은 선물 상자와 주사위입니다. ⇨ 2개

4 ⬭ 모양은 연필꽂이, 두루마리 휴지, 음료수 캔입니다.

5 ①, ③, ⑤는 ⬛ 모양이고, ④는 ⬤ 모양입니다.

6 ▯모양은 타이어, 통조림, 롤케이크입니다. ⇨ 3개

7 서술형 가이드 ▯모양의 특징과 관련된 설명 부분이 있어야 합니다.

평가기준	▯모양이 아닌 이유를 정확히 설명함.	상
	▯모양이 아닌 이유를 설명하였으나 미흡함.	중
	▯모양이 아닌 이유를 설명하지 못함.	하

8 ●모양은 풍선입니다.

9 ●모양은 수박과 야구공입니다.

10 케이크는 ▯모양입니다.

11 ▮모양인 것은 백과사전입니다.

12 ▮모양: 초콜릿 상자, 비누 상자, 서류 가방

13 ▯모양: 음료수 캔, 두루마리 휴지

14 ●모양: 지구 모형, 야구공, 수박

15 ▮모양: 세제 상자, 쿠키 상자, 라면 상자, 과자 상자
　　　　⇨ 4개

　　▯모양: 음료수 캔, 과일통조림, 휴지통, 풀 ⇨ 4개

　　●모양: 골프공, 비치볼, 수박 ⇨ 3개

16 모두 ●모양입니다.

17 케이크는 ▯모양입니다.

18 저금통: ▯모양, 수박: ●모양, 상자: ▮모양

19 야구공을 뺀 나머지는 모두 ▯모양이고 야구공은 ●모양입니다.

20

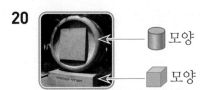

→ ▯모양
→ ▮모양

21 서술형 가이드 모양별로 수를 세어 보고, 수의 크기를 비교하는 설명이 있어야 합니다.

평가기준	각 물건의 모양을 바르게 알고, 수의 크기 비교를 정확히 함.	상
	각 물건의 모양을 바르게 알고 있으나 수의 크기를 비교하는 과정에서 틀림.	중
	각 물건의 모양을 모름.	하

22 뾰족한 부분과 평평한 부분이 있습니다. ⇨ ▮모양

23 모든 부분이 둥급니다. ⇨ ●모양

24 평평한 부분도 있고 둥근 부분도 있습니다.
　　⇨ ▯모양

25 보이는 물건은 ▯모양이므로 ▯모양의 물건을 찾으면 ⓛ 저금통입니다.
　　㉠ 야구공: ●모양, ㉢ 라면 상자: ▮모양

26 뾰족한 부분도 있고 평평한 부분도 있으므로 ▮모양입니다.
　　⇨ 페인트통은 ▯모양이므로 잘못 보았습니다.

27 모든 부분이 둥글므로 ●모양입니다.
　　주변에서 ●모양 물건을 찾아 씁니다.

28 두 사진을 붙여 보면 드럼이고, 드럼의 북은 ▯모양입니다.

29 서술형 가이드 ▯모양의 특징을 바르게 설명했는지 확인합니다.

평가기준	▯모양의 특징을 정확히 설명함.	상
	▯모양인 줄은 알고 있으나 설명이 미흡함.	중
	어떤 모양인지 몰라 설명을 못함.	하

30 주변에서 ▯모양 물건을 찾아 씁니다.

31 뾰족한 부분이 있는 모양은 ▮모양입니다.

32 평평한 부분도 있고 둥근 부분도 있는 모양은 ▯모양입니다.

33 모든 부분이 둥근 모양은 ●모양입니다.

34 평평한 부분이 있는 모양: ▮모양, ▯모양
　　뾰족한 부분이 없는 모양: ▯모양, ●모양
　　따라서 모두 만족하는 모양은 ▯**모양**입니다.

35 모든 부분이 둥근 모양인 것은 ●**모양**입니다.

36 ▮, ▯, ● 모양 중에서 평평한 부분이 있고 뾰족한 부분이 있는 것은 ▮모양입니다. ▮모양을 찾아 보면 주사위입니다.

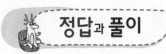

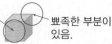

평평한 부분이 있음. 뾰족한 부분이 있음.

37 평평한 부분도 있고 둥근 부분도 있는 모양은 ⬛ 모양입니다.

⇨ ⬛ 모양 물건은 물통, 타이어, 풀, 망원경, 도장 ……입니다.

38 둥근 부분을 바닥에 놓고 굴려야 잘 굴러갑니다.

39 평평한 부분이 있어야 잘 쌓을 수 있습니다.

⇨ ⬛ 모양, ⬛ 모양
  선물 상자   잼 병

40 둥근 부분이 있어야 잘 굴러갑니다.
⇨ 둥근 부분이 없는 물건을 찾으면 가, 마입니다.

다른 풀이

굴리면 잘 굴러가지 않는 모양은 ⬛ 모양입니다.

⇨ ⬛ 모양 물건을 찾으면 가, 마입니다.

41 서술형 가이드 ⬛ 모양의 특징과 관련지어 설명했는지 확인합니다.

평가기준	잘 굴러가지 않는 이유를 정확히 설명함.	상
	잘 굴러가지 않는 이유를 설명하였으나 미흡함.	중
	잘 굴러가지 않는 이유를 설명하지 못함.	하

42 문제분석 ▶ 본문 51쪽

동훈이가 설명하는 모양을 그려 보시오.

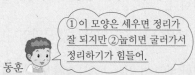

①이 모양은 세우면 정리가 잘 되지만 ②눕히면 굴러가서 정리하기가 힘들어.

동훈

①이 모양은 세우면 정리가 잘 되지만	모양을 세우려면 평평한 부분이 있어야 합니다.
②눕히면 굴러가서 정리하기가 힘들어.	모양을 굴리려면 둥근 부분이 있어야 합니다.

세워서 정리할 수 있는 모양은 평평한 부분이 있는 ⬛ 모양과 ⬛ 모양입니다. 이 중에서 ⬛ 모양은 둥근 부분이 있어서 잘 굴러갑니다.

43 모든 부분이 평평한 모양은 ⬛ 모양입니다.

⬛ 모양은 어느 쪽을 바닥에 놓고 굴려도 잘 굴러가지 않습니다.

44 서술형 가이드 ⬛ 모양의 특징과 관련지어 설명했는지 확인합니다.

평가기준	둥근 부분이 없어서 잘 굴러가지 않는다고 씀.	상
	자세한 설명 없이 잘 굴러가지 않는다고만 씀.	중
	답을 쓰지 못함.	하

45 굴리면 잘 굴러가는 모양은 둥근 부분이 있는 ⬛ 모양과 ⬤ 모양입니다. 이 중에서 평평한 부분이 없는 모양은 ⬤ 모양입니다. ⇨ **가, 바**

---

1 STEP **핵심 개념** ⑵   53쪽

3-1 ( ) (○) (   )

3-2 3개   **3-3**

3-4 3개

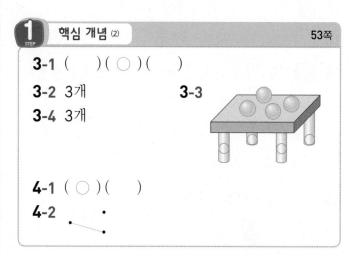

4-1 (○) (   )

4-2 •   •
       • •

3-1 ⬛ 모양 3개로 만든 모양입니다.

3-2 ⬛ 모양 3개를 사용하여 계단 모양을 만들었습니다.

3-4 ⬤ 모양: 3개

4-1 ⬛ 모양 3개를 사용한 모양을 찾습니다.

---

2 STEP **유형 탐구** ⑵   54~57쪽

1 (○) (   ) (   )   **2** 8개

3 (○)   **4** (○) (   ) (   )
                          (   )

5 7개   **6** (○) (   ) (   )

7 (   ) (   ) (×)   **8** 5개

9 3개   **10** 3개

11 예 가에 사용한 모양: ▨ 모양, ◯ 모양
나에 사용한 모양: ▮ 모양, ◯ 모양
가에도 사용하고 나에도 사용한 모양은 ◯ 모양입니다. ; ◯ 모양

12 예 ▨ 모양 2개, ▮ 모양 5개, ◯ 모양 4개를 사용하였습니다. 2, 5, 4 중에서 가장 큰 수는 5이므로 가장 많이 사용한 모양은 ▮ 모양입니다.
; ▮ 모양

13 (◯) ( )   **14**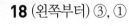

15 가   **16** ②

17   **18** (왼쪽부터) ③, ①

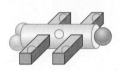

1 ▨ 모양 4개를 사용했습니다.

2 ◯ 모양 8개를 사용했습니다.

3 가: ▮ 모양으로만 만들었습니다.
나: ▨ 모양과 ▮ 모양으로 만들었습니다.

4 ▨ 모양으로만 만들었습니다.

5 ▨ 모양 재활용품을 7개 사용해서 만들었습니다.

6 ▨ 모양 2개와 ◯ 모양 2개를 사용했습니다.

7 문제분석 ▶ 본문 55쪽

① 다음 모양을 만드는 데 ② 사용하지 않은 모양을 찾아 ×표 하시오.

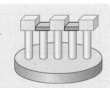

◻ ( ) ◯ ( ) ◯ ( )

① 다음 모양을 만드는 데	▨ 모양과 ▮ 모양을 사용했습니다.
② 사용하지 않은 모양을 찾아 ×표 하시오.	①을 보고 사용하지 않은 모양을 알아봅니다.

주어진 모양에서 ▨ 모양(◯표시)과 ▮ 모양((∨표시)을 다음과 같이 찾을 수 있습니다.

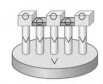

따라서 사용하지 않은 모양은 ◯ 모양입니다.

8 ▨ 모양 5개를 사용했습니다.

9 ▮ 모양 3개를 사용했습니다.

10 ◯ 모양 3개를 사용했습니다.

11 서술형 가이드 가와 나에 모두 사용한 모양을 바르게 찾았는지 확인합니다.

평가기준	가와 나에 각각 사용한 모양을 찾아 답을 바르게 구함.	상
	가와 나에 각각 사용한 모양을 찾는 과정에서 실수가 있어서 답이 틀림.	중
	사용한 모양을 찾지 못함.	하

12 서술형 가이드 ▨, ▮, ◯ 모양의 수를 각각 알아보고 비교하는 풀이 과정이 들어 있어야 합니다.

평가기준	▨, ▮, ◯ 모양의 수를 알아보고 답을 바르게 구함.	상
	▨, ▮, ◯ 모양의 수를 구하는 과정에서 실수가 있어서 답이 틀림.	중
	▨, ▮, ◯ 모양의 수를 구하지 못함.	하

13 보기 ⇨ ▨ 모양 2개, ▮ 모양 4개, ◯ 모양 3개

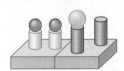 ▨ 모양 2개, ▮ 모양 4개, ◯ 모양 3개를 사용했으므로 보기 의 모양을 모두 사용했습니다.

 ▨ 모양 2개, ▮ 모양 5개, ◯ 모양 2개를 사용했습니다.

14 ⇨ ▨ 모양 3개, ▮ 모양 3개, ◯ 모양 1개

 ⇨ ▨ 모양 4개, ◯ 모양 3개

15 가: 🧊 모양 2개, 🥫 모양 4개, ⚪ 모양 3개를 사용하였습니다.

나: 🧊 모양 4개, ⚪ 모양 3개를 사용하였습니다.

16 퍼즐 조각이 들어갈 부분의 위쪽, 아래쪽, 왼쪽, 오른쪽을 살펴봅니다.

17 같은 부분에 같은 모양을 사용했는지 하나씩 짚어가며 살펴봅니다.

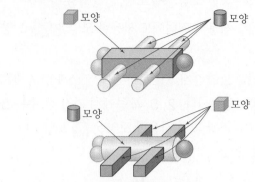

18

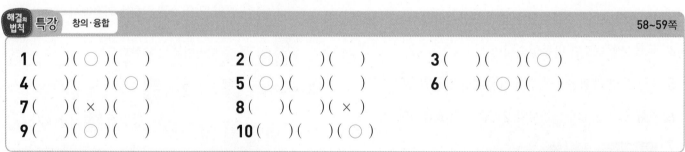

58~59쪽

해결의 법칙 **특강** 창의·융합

1 ( )(○)( )   **2** (○)( )( )   **3** ( )( )(○)
4 ( )( )(○)   **5** (○)( )( )   **6** ( )(○)( )
7 ( )(×)( )   **8** ( )( )(×)
9 ( )(○)( )   **10** ( )( )(○)

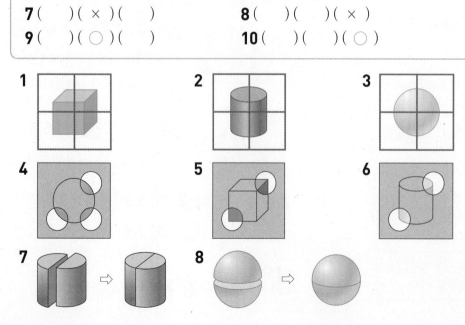

셀파 가·이·드

▶ 🧊, 🥫, ⚪ 모양을 관찰하여 빈 곳에 알맞은 조각을 찾아봅니다.

9

축구공의 그림자:

음료수 캔의 그림자:

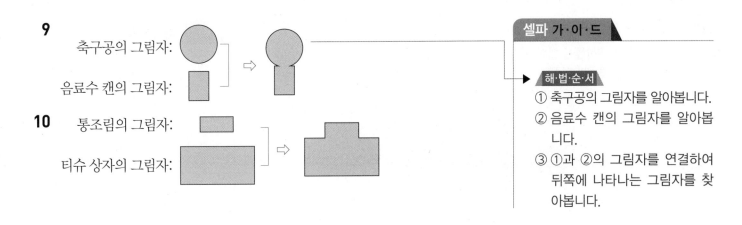

10 통조림의 그림자:

티슈 상자의 그림자:

셀파 가·이·드

해·법·순·서
① 축구공의 그림자를 알아봅니다.
② 음료수 캔의 그림자를 알아봅니다.
③ ①과 ②의 그림자를 연결하여 뒤쪽에 나타나는 그림자를 찾아봅니다.

---

③ 레벨 UP 60~61쪽

1 3개 **2** 수진과 형규, 동우와 경현 **3** ◯ 모양

4 ㉝ 주어진 악기는 모두 ⬤ 모양입니다. ⬤ 모양은 평평한 부분이 있어서 잘 쌓을 수 있고 둥근 부분이 있어서 잘 굴러갑니다.

5 4개

6 ㉝ ⬛ 모양 1개, ⬤ 모양 4개, ◯ 모양 3개로 만들었습니다. 1, 4, 3 중에서 가장 큰 수는 4이므로 가장 많이 사용한 모양은 ⬤ 모양입니다. ; ⬤ 모양

7 ( )
(◯)
( )

8 ⣿ (연결선)

9 ㉝ 수박, 구슬, 사탕
10 3개
11 가

---

1 주어진 모양의 일부분은 ⬛ 모양입니다. ⬛ 모양은 주사위, 벽돌, 나무토막으로 모두 3개입니다.

2 수진이와 형규는 ⬤ 모양을 가지고 있습니다.
동우와 경현이는 ◯ 모양을 가지고 있습니다.

3

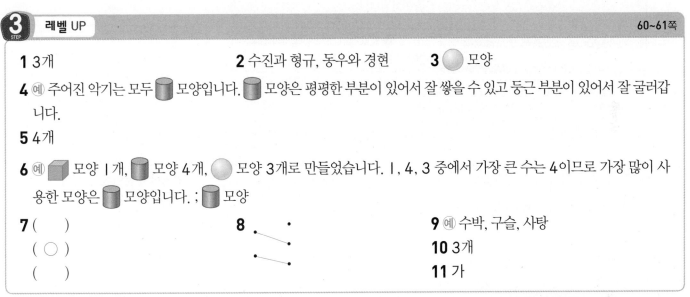

⬛ 모양은 ㉡, ㉢으로 2개, ⬤ 모양은 ㉢, ㉣로 2개, ◯ 모양은 ㉠, ㉥, ㉦, ㉧으로 4개입니다.

2, 2, 4 중에서 가장 큰 수는 4이므로 가장 많은 모양은 ◯ **모양**입니다.

4 [서술형 가이드] ⬤ 모양의 특징을 바르게 설명했는지 확인합니다.

평가기준		
⬤ 모양의 특징을 정확히 설명함.	상
⬤ 모양인 줄은 알고 있으나 설명이 미흡함.	중
어떤 모양인지 몰라 설명을 못함.	하

셀파 가·이·드

▶ 케이크, 통조림: ⬤ 모양
비치볼, 구슬, 풍선: ◯ 모양
주사위, 벽돌, 나무토막: ⬛ 모양

해·법·순·서
① ⬛ 모양의 수를 구합니다.
② ⬤ 모양의 수를 구합니다.
③ ◯ 모양의 수를 구합니다.
④ ①, ②, ③에서 구한 세 수의 크기를 비교하여 가장 많은 모양을 알아봅니다.

5 문제분석 ▶ 본문 60쪽

두 어린이가 준비물에 대해 이야기하고 있습니다. ③준비물로 가져갈 수 있는 물건은 ④모두 몇 개입니까?

①평평한 부분이 있는 물건을 가져 오는 거지?

선생님께서 ②둥근 부분도 있어야 한다고 하셨어.

①평평한 부분이 있는 물건을 가져오는 거지?	평평한 부분이 있는 모양은 ▦ 모양, ⬤ 모양입니다.
②둥근 부분도 있어야 한다고 하셨어.	둥근 부분이 있는 모양은 ⬤ 모양, ◯ 모양입니다.
③준비물로 가져갈 수 있는 물건은	①과 ②에서 공통된 모양의 물건을 찾아 봅니다.
④모두 몇 개입니까?	③에서 찾은 물건의 수를 세어 봅니다.

평평한 부분도 있고 둥근 부분도 있어야 하므로 준비물로 가져갈 수 있는 물건은 ⬤ 모양입니다. ⇨ ⬤ 모양 물건은 통조림, 선물 상자, 풀, 두루마리 휴지로 모두 **4**개입니다.

▶ 평평한 부분이 있는 모양
: ▦, ⬤ 모양
둥근 부분이 있는 모양
: ⬤, ◯ 모양

6 서술형 가이드 │ 모양별로 수를 세어 보고, 수의 크기를 비교하는 풀이 과정이 들어 있어야 합니다.

평가 기준	각 모양별로 수를 세어 보고, 수의 크기 비교를 정확히 함.	상
	각 모양별 수는 알고 있으나 수의 크기를 비교하는 과정에서 실수가 있어서 답이 틀림.	중
	각 모양별 수를 바르게 세지 못함.	하

7 ⇨ ▦ 모양(◯표시) 4개, ⬤ 모양(∨표시) 3개, ◯ 모양(×표시) 4개를 사용하였으므로 수가 나머지와 다른 것은 ⬤ 모양입니다.

▶ 각 모양의 개수를 셀 때 모양별로 표시하면서 세면 편리합니다.

8
▦ 모양: 4개
⬤ 모양: 2개
◯ 모양: 2개

▦ 모양: 3개
⬤ 모양: 3개
◯ 모양: 2개

▦ 모양: 4개
⬤ 모양: 2개
◯ 모양: 2개

▦ 모양: 3개
⬤ 모양: 3개
◯ 모양: 2개

▶ ▦ 모양: 6개
◯ 모양: 2개

9 문제분석 ▶ 본문 61쪽

①모양 순서를 정해 순서에 따라 모양을 늘어놓았습니다. ②□ 안에 들어갈 모양의 ③물건 3가지를 주변에서 찾아 쓰시오.

①모양 순서를 정해 순서에 따라 모양을 늘어놓았습니다.	모양 순서를 찾습니다.
②□ 안에 들어갈 모양의	모양 순서에 따라 □ 안에 들어갈 모양을 알아봅니다.
③물건 3가지를 주변에서 찾아 쓰시오.	②에서 찾은 모양의 물건을 알아봅니다.

⬤, ⬤, ⬛이 반복되므로 □ 안에는 ⬤이 들어갑니다. ⬤ 모양 물건을 주변에서 찾아 씁니다.

⇨ 수박, 구슬, 사탕, 축구공, 볼링공, 야구공……

10 문제분석 ▶ 본문 61쪽

①다음은 ②쌓을 수 없는 모양을 ③몇 개 사용하여 만들었습니까?

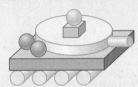

①다음은	⬛, 圆, ⬤ 모양으로 만들었습니다.
②쌓을 수 없는 모양을	①의 모양 중 쌓을 수 없는 모양을 알아봅니다.
③몇 개 사용하여 만들었습니까?	주어진 모양에서 ②의 모양을 찾아봅니다.

쌓을 수 없는 모양은 ⬤ 모양입니다.

주어진 모양을 만드는 데 사용한 ⬤ 모양을 찾아

×표시를 하면 오른쪽과 같습니다. ⇨ **3개**

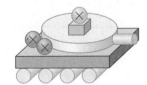

▶ 쌓을 수 있는 모양: ⬛, 圆
 쌓을 수 없는 모양: ⬤

11 생각열기 보기와 가, 나에 있는 ⬛, 圆, ⬤ 모양을 각각 세어 봅니다.

보기 : ⬛ 모양 8개, 圆 모양 4개, ⬤ 모양 2개

가 : ⬛ 모양 8개, 圆 모양 4개, ⬤ 모양 2개

나 : ⬛ 모양 9개, 圆 모양 3개, ⬤ 모양 2개

⇨ 보기 의 모양을 모두 사용하여 만들 수 있는 모양은 **가**입니다.

1회 단원 평가
62~64쪽

1 ( ) (○) ( )
2 (○) ( ) ( )
3 ( ) ( ) (○)
4 ◯ 모양
5 （선 잇기: 엇갈림）
6 ( ) ( ) (×) ( )
7 ( ) ( ) (○)
8 (△) (□) (○) (□)
9 나, 다, 아
10 2개
11 가, 나, 다, 마, 사, 아, 자, 차
12 （선 잇기: 엇갈림）
13 ( ) (○) ( )
14 예 잘 쌓으려면 평평한 부분이 있어야 하는데 배구공에는 평평한 부분이 없기 때문입니다.
15 예 모든 부분이 둥급니다.
16 예 가는 ◯ 모양 3개, 나는 ◯ 모양 2개이므로 ◯ 모양을 더 많이 사용한 쪽은 가입니다. ; 가
17 ( ) (○) ( ) **18** 7개, 5개, 3개
19 □ 모양 **20** 예 큐브, 주사위

---

1 구슬: ◯ 모양, 과자 상자: □ 모양,
음료수 캔: ▯ 모양

2 통조림: ▯ 모양, 주사위: □ 모양,
풍선: ◯ 모양

3 우유팩: □ 모양, 김밥: ▯ 모양,
테니스공: ◯ 모양

4 야구공, 축구공, 농구공은 모두 ◯ 모양입니다.

5 사물함: □ 모양, 비치볼: ◯ 모양,
음료수 캔: ▯ 모양

6 김밥, 물감통, 물통은 ▯ 모양이고 티슈 상자는 □ 모양입니다.

7 상자 안의 물건은 ▯ 모양입니다.
⇨ ▯ 모양 물건을 찾아보면 두루마리 휴지입니다.

> **참고**
> 선물 상자와 크레파스 상자는 □ 모양입니다.

8 서류가방, 냉장고는 □ 모양이고, 풀은 ▯ 모양, 풍선은 ◯ 모양입니다.

9 상자와 같은 모양을 찾아봅니다. ⇨ 나, 다, 아

10 ◯ 모양: 라, 바 ⇨ 2개

11 쌓을 수 있는 것: □ 모양, ▯ 모양
　　　　　　　 나, 다, 아　　가, 마, 사, 자, 차

12 • 모든 부분이 둥급니다. ⇨ ◯ 모양
• 평평한 부분도 있고 둥근 부분도 있습니다.
　⇨ ▯ 모양
• 뾰족한 부분이 있습니다. ⇨ □ 모양

13 그림의 깡통은 ▯ 모양입니다.

14 서술형 가이드 ◯ 모양의 특징으로 이유를 설명했는지 확인합니다.

평가기준		
◯ 모양의 특징으로 이유를 정확히 설명함.	상
◯ 모양의 특징이 미흡함.	중
이유를 설명하지 못함.	하

15 ◯ 모양은 뾰족한 부분이 없습니다.
◯ 모양은 평평한 부분이 없습니다.

서술형 가이드 둥근 부분이나 뾰족한 부분, 평평한 부분에 대한 설명이 있는지 확인합니다.

평가기준		
◯ 모양의 특징을 정확히 설명함.	상
◯ 모양의 특징을 설명했으나 미흡함.	중
◯ 모양의 특징을 설명하지 못함.	하

16 가　　　　　　나

◯ 모양(×표시): 3개　　◯ 모양(×표시): 2개

서술형 가이드 가와 나 모양을 만드는 데 사용한 ◯ 모양의 수를 비교하는 풀이 과정이 들어 있어야 합니다.

평가 기준	각 모양을 만드는 데 사용한 ◯ 모양의 수를 바르게 비교함.	상
	각 모양을 만드는 데 사용한 ◯ 모양의 수를 정확히 세지 못해 답이 틀림.	중
	각 모양을 만드는 데 사용한 ◯ 모양의 수를 모름.	하

17 모양 순서는 ▮▮◼이므로 □ 안에는 ▮이 들어갑니다.

⇨ ▮ 모양 물건을 찾아보면 케이크입니다.

참고

수박은 ◯ 모양이고 선물 상자는 ◼ 모양입니다.

18 생각열기 같은 모양끼리 같은 표시를 하면서 세어 봅니다.

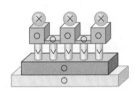

◼ 모양(◯표시): 7개,

▮ 모양(∨표시): 5개,

◯ 모양(×표시): 3개

19 7, 5, 3 중에서 가장 큰 수는 7이므로 ◼ 모양을 가장 많이 사용했습니다.

20 평평한 부분이 있고 뾰족한 부분이 있는 것은 ◼ 모양입니다.

⇨ 큐브, 주사위, 과일 상자, 지우개……

2회 **단원 평가** 65~67쪽

1 (◯) ( ) ( ) **2** ③

3 · · · **4** ◼ 모양

· · ·

5 (◯) ( ) **6** (◯) ( )

7 (◯) ( )

/ 예 계단 모양을 만들려면 평평한 부분이 있어야 하므로 ◼ 모양이 알맞습니다.

8 · ·

· ·

---

9 예 ◯ 모양은 어느 방향으로도 잘 굴러갑니다. 그래서 정리하기가 힘듭니다.

10 예 ◼ 모양은 평평한 부분으로만 되어 있어 잘 굴러가지 않습니다.

11 (◯) ( ) (◯) **12** ( ) ( ) (◯)

13 ㉣ **14** 예 냉장고, 사물함

15 ▮ 모양 **16** 4개

17 ·———·

·———·

18 예 쌓을 수 있는 것과 쌓을 수 없는 것으로 나누었습니다.

19

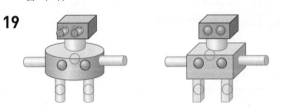

20 예 ◼ 모양은 모든 부분이 평평하지만 ▮ 모양은 평평한 부분도 있고 둥근 부분도 있습니다. 따라서 ◼ 모양은 잘 쌓을 수는 있지만 잘 굴러가지 않고, ▮ 모양은 쌓을 수도 있고 굴러가기도 합니다.

1 벽돌은 ◼ 모양입니다.

2 ①, ②, ④, ⑤는 ◼ 모양이고 ③은 ▮ 모양입니다.

3 배구공, 털실 뭉치: ◯ 모양

과일 상자, 필통: ◼ 모양

수수깡, 케이크: ▮ 모양

4 ◼ 모양 3개로 만든 모양입니다.

5 뾰족한 부분이나 평평한 부분이 없이 모든 부분이 둥글어 보이므로 ◯ 모양입니다. ◯ 모양 물건은 비치볼입니다.

6 뾰족한 부분과 평평한 부분이 있으므로 ◼ 모양입니다. ◼ 모양 물건은 선물 상자입니다.

7 서술형 가이드 알맞은 모양을 찾고 이유를 바르게 썼는지 확인합니다.

평가 기준	알맞은 모양을 찾고 이유를 바르게 씀.	상
	알맞은 모양은 찾았으나 이유가 미흡함.	중
	모양도 찾지 못하고 이유도 쓰지 못함.	하

8 굴러가는 모양에는 ⬜ 모양과 ⚪ 모양이 있습니다. 이 중에서 ⬜ 모양은 평평한 부분이 있어서 쌓을 수 있지만 ⚪ 모양은 평평한 부분이 없어서 쌓을 수 없습니다.

9 서술형가이드 ⚪ 모양에 대한 설명이 틀린 곳을 찾아 바르게 고쳤는지 확인합니다.

평가기준	설명이 틀린 곳을 찾아 바르게 고침.	상
	설명이 틀린 곳을 찾았으나 고친 문장이 미흡함.	중
	설명이 틀린 곳을 찾지 못함.	하

10 서술형가이드 ⬜ 모양에 대한 설명이 틀린 곳을 찾아 바르게 고쳤는지 확인합니다.

평가기준	설명이 틀린 곳을 찾아 바르게 고침.	상
	설명이 틀린 곳을 찾았으나 고친 문장이 미흡함.	중
	설명이 틀린 곳을 찾지 못함.	하

11

⚪ 모양
⬜ 모양

12 ⬜ 모양과 ⬜ 모양에는 평평한 부분이 있지만 ⚪ 모양에는 평평한 부분이 없습니다.

13 쌓으려면 평평한 부분이 있어야 하는데 ㉣은 평평한 부분이 없습니다.

> 참고
>
> 쌓을 수 있는 모양: ⬜, ⬜ 모양
>
> 쌓을 수 없는 모양: ⚪ 모양

14 모든 부분이 평평한 모양은 ⬜ 모양입니다.

⬜ 모양 물건: 냉장고, 사물함, 무지개떡, 주사위, 큐브……

15 정윤: ⬜ 모양 3개, ⬜ 모양 2개

정현: ⚪ 모양 4개, ⬜ 모양 1개

⇨ 두 사람이 공통으로 가지고 있는 모양은 ⬜ 모양입니다.

16 일부분이 주어진 모양은 ⬜ 모양입니다. 만든 모양은 ⬜ 모양 4개, ⬜ 모양 4개, ⚪ 모양 3개를 사용했습니다.

17 (1)

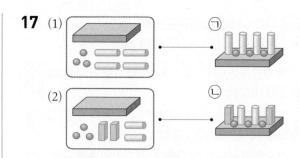

(1)은 ⬜ 모양 1개, ⬜ 모양 4개, ⚪ 모양 3개이므로 ㉠을 만들 수 있습니다.

(2)는 ⬜ 모양 3개, ⬜ 모양 2개, ⚪ 모양 3개이므로 ㉡을 만들 수 있습니다.

18 서술형가이드 물건을 나눈 기준을 바르게 썼는지 확인합니다.

평가기준	물건을 나눈 기준을 바르게 씀.	상
	물건을 나눈 기준이 미흡함.	중
	물건을 나눈 기준을 쓰지 못함.	하

> 다른 풀이
>
> ⬜ 모양, ⬜ 모양: 평평한 부분이 있습니다.
>
> ⚪ 모양: 평평한 부분이 없습니다.
>
> 따라서 평평한 부분이 있는 것과 평평한 부분이 없는 것으로 나누었습니다.

19 같은 부분에 같은 모양을 사용했는지 하나씩 짚어가며 살펴봅니다.

20 서술형가이드 두 모양의 다른 점을 바르게 썼는지 확인합니다.

평가기준	두 모양의 다른 점을 바르게 씀.	상
	두 모양의 다른 점을 썼으나 미흡함.	중
	두 모양의 다른 점을 쓰지 못함.	하

> 참고
>
> 〈 ⬜ 모양과 ⬜ 모양의 다른 점〉
>
>
>
> | ⬜ 모양 | ⬜ 모양 |
> |---|---|
> | 둥근 부분이 없습니다. | 둥근 부분이 있습니다. |
> | 뾰족한 부분이 있습니다. | 뾰족한 부분이 없습니다. |
> | 잘 굴러가지 않습니다. | 눕히면 잘 굴러갑니다. |

3. 덧셈과 뺄셈

71쪽

핵심 개념 (1)

참고 모으기와 가르기

모으기와 가르기를 할 때 예를 들어 0과 5를 모으기 하여 5가 되는 것이나 5를 0과 5로 가르기 하는 것은 부자연스럽고, 추상적인 사고를 요구하므로 이 단원에서는 다루지 않는 것이 바람직합니다. 다만 학생이 답으로 쓴 경우에는 정답으로 인정합니다.

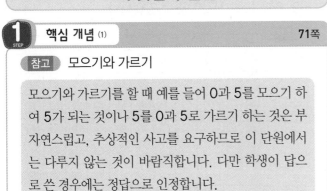

1-1 ◯ 1개와 ◯ 1개를 모으면 ◯ 2개입니다.

1-3 ◯ 4개는 ◯ 2개와 ◯ 2개로 가르기 할 수 있습니다.

2-1 ▲ 2개와 ▲ 4개를 모으면 ▲ 6개입니다.

2-3 ▲ 8개는 ▲ 4개와 ▲ 4개로 가르기 할 수 있습니다.

유형 탐구 (1)

72~77쪽

1 3	**2** 2
3 3	**4** 1, 1
5 3개	**6** (1) 2 (2) 3
7 (1) 1 (2) 1	**8** 3명
9 4	**10** 2, 3
11 1, 3	**12** 2, 2
13 ◯, 1	**14** (1) 4 (2) 3
15 (왼쪽부터) 3, 2, 3	**16** 5

17 예 4는 1과 3, 2와 2, 3과 1로 가르기 할 수 있습니다. 동생이 더 많이 먹으려면 동생이 3개, 영민이가 1개를 먹으면 됩니다. ; 3개

18 6	**19** 5, 2
20 ( )(◯)	**21** (1) 6 (2) 4

22 2, 4에 ◯표

23 1, 6/2, 5/3, 4/4, 3/5, 2/6, 1

24 예 6은 4와 2로 가르기 할 수 있으므로 왼손에 구슬이 4개 있다면 오른손에 있는 구슬은 2개입니다. ; 2개

25 5	**26** 9
27 6, 2	**28** 8개
29 (위부터) 4, 3, 2, 1	**30** (1) 9 (2) 4
31 (×)( )( )	**32** ㉡

33 (위부터) 3, 6, 2

1 바나나 1개와 바나나 2개를 모으면 3개가 됩니다.

2 사과 3개를 2개와 1개로 가를 수 있습니다.

3 그림의 수를 세면서 모아 봅니다.
2와 1을 모으기 하면 3입니다.

4 2는 1과 1로 가르기 할 수 있습니다.

5 복숭아 씨앗 2개와 포도 씨앗 1개를 모으면 3개가 됩니다.

6 (1) 1과 1을 모으기 하면 2입니다.
(2) 2와 1을 모으기 하면 3입니다.

7 (1) 2는 1과 1로 가르기 할 수 있습니다.
(2) 3은 1과 2로 가르기 할 수 있습니다.

8 1과 2를 모으기 하면 3이므로 보영이의 생일잔치에 온 친구는 3명입니다.

9 우주선 1대와 비행기 3대를 모으면 4대가 됩니다.

10 자전거 5대를 두발자전거 2대와 세발자전거 3대로 가른 것입니다.

11 4는 1과 3으로 가르기 할 수 있습니다.

12 구슬 4개를 2개와 2개로 갈랐습니다.

13 4와 1을 모으기 하면 5입니다.

14 (1) 2와 2를 모으기 하면 4입니다.
(2) 5는 2와 3으로 가르기 할 수 있습니다.

15 4는 1과 3, 2와 2, 3과 1로 가르기 할 수 있습니다.

16 4와 1, 2와 3, 3과 2를 모으기 하면 5입니다.

17 **서술형 가이드** 4를 가르기 하는 방법을 알아보고 동생이 사탕을 더 많이 먹는 경우를 바르게 찾았는지 확인합니다.

평가기준		
4를 가르기 하는 방법을 알고 답을 바르게 구함.	상
4를 가르기 하는 방법을 알았으나 답이 틀림.	중
4를 가르기 하는 방법을 모름.	하

18 무당벌레 2마리와 4마리를 모으면 6마리가 됩니다.

19 벌 7마리를 5마리와 2마리로 가른 것입니다.

20 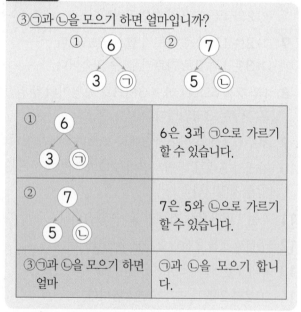 주사위의 눈이 각각 3개, 3개이므로 모으면 6개입니다.

주사위의 눈이 각각 3개, 4개이므로 모으면 7개입니다.

21 (1) 5와 I을 모으기 하면 6입니다.
(2) 7은 3과 4로 가르기 할 수 있습니다.

22 모으기 하여 6이 되는 두 수는 I과 5, 2와 4, 3과 3, 4와 2, 5와 I입니다.

23 7은 I과 6, 2와 5, 3과 4, 4와 3, 5와 2, 6과 I로 가르기 할 수 있습니다.

24 [서술형 가이드] 6을 가르기 하는 방법을 이용하여 오른손에 있는 사탕의 개수를 구해야 합니다.

평가기준	6을 가르기 하는 방법을 쓰고 답을 구함.	상
	6을 가르기 하는 방법을 썼으나 답이 틀림.	중
	6을 가르기 하는 방법을 몰라 답을 구하지 못함.	하

25 [문제분석] 본문 76쪽

③①과 ⓒ을 모으기 하면 얼마입니까?

① ⑥ ③ ①   ② ⑦ ⑤ ⓒ

① ⑥ ③ ①	6은 3과 ①으로 가르기 할 수 있습니다.
② ⑦ ⑤ ⓒ	7은 5와 ⓒ으로 가르기 할 수 있습니다.
③①과 ⓒ을 모으기 하면 얼마	①과 ⓒ을 모으기 합니다.

6은 3과 3으로 가르기 할 수 있습니다. ⇨ ①: 3
7은 5와 2로 가르기 할 수 있습니다. ⇨ ⓒ: 2
따라서 3과 2를 모으기 하면 5입니다.

26 빨간색 파프리카 3개와 초록색 파프리카 6개를 모으면 9개가 됩니다.

27 버섯 8개를 6개와 2개로 가른 것입니다.

28 흰색 바둑돌은 5개이고 검은색 바둑돌은 3개입니다.
⇨ 5와 3을 모으기 하면 8입니다.

29 9는 I과 8, 2와 7, 3과 6, 4와 5, 5와 4, 6과 3, 7과 2, 8과 I로 가르기 할 수 있습니다.

[참고]

9	I	○	●	●	●	●	●	●	●	8
	2	○	○	●	●	●	●	●	●	7
	3	○	○	○	●	●	●	●	●	6
	4	○	○	○	○	●	●	●	●	5
	5	○	○	○	○	○	●	●	●	4
	6	○	○	○	○	○	○	●	●	3
	7	○	○	○	○	○	○	○	●	2
	8	○	○	○	○	○	○	○	○	I

1씩 커집니다.   1씩 작아집니다.

30 (1) I과 8을 모으기 하면 9입니다.
(2) 8은 4와 4로 가르기 할 수 있습니다.

31 9는 I과 8, 2와 7, 3과 6, 4와 5, 5와 4, 6과 3, 7과 2, 8과 I로 가르기 할 수 있습니다.
5와 3으로 가르기 할 수 있는 수는 8입니다.

32 ① 9는 4와 5로 가르기 할 수 있습니다. ⇨ 5
ⓒ 2와 6을 모으기 하면 8입니다. ⇨ 6
⇨ 5보다 6이 더 큽니다.

33 ①은 I과 2를 모으기 하면 되므로 3이고 9는 3과 6으로 가르기 할 수 있으므로 ⓒ은 6입니다.
또, 6은 2와 4로 가르기 할 수 있으므로 ⓒ은 2입니다.

9
① ⓒ
I 2 ⓒ 4

---

1 STEP **핵심 개념** (2)   79쪽

3-1 (1) 8 (2) 8   **3-2** (1) 더하기 (2) 합
4-1 4   **4-2** 7
5-1 5, 5   **5-2** 9, 9

4-1 나무에 매달려 있는 매미 수(3)와 날아온 매미 수(I)만큼 ●를 그리면 ●는 모두 4개입니다.

4-2 오징어 수(2)와 새우 수(5)만큼 ●를 그리면 ●는 모두 7개입니다.

5-1 연못에 있는 오리 수(2)와 놀러온 오리 수(3)를 모으면 5입니다.

⇨ 2+3=5

5-2 토끼의 수(6)와 양의 수(3)를 모으면 9입니다.

⇨ 6+3=9

2 유형 탐구 (2)   80~85쪽

1 2   **2** 1, 3

3 2, 4

4 예 횡단보도를 건너는 사람은 모두 8명입니다.

5 3, 2   **6** 1 더하기 6

7 4+5

8

9 ○○○○

10 ㉠

11 5, 3, 8/5, 3, 8   **12** 2, 7

13 예 / 7

14 예 / 3, 5

15 예 / 6, 8

16 1, 3, 4(또는 3, 1, 4)

17 4, 4, 8

18 6/예

19 9/예

20 4, 5, 9(또는 5, 4, 9)

21 예 3, 4, 7

22 예 5, 3, 8 / 예 4, 4, 8

23 5 / 5   **24** 8 / 5, 8

25 9 / 6, 3, 9(또는 3, 6, 9)

26 (1) 6 / 3, 3, 6 (2) 9 / 7, 2, 9(또는 2, 7, 9)

27 2, 2, 4   **28** 2, 5, 7(또는 5, 2, 7)

29 예 3+4, 2+5, 1+6

30 (1) 3 (2) 9 (3) 8 (4) 7

31 7   **32** (위부터) 6, 3, 8

33 6자루

34 4+5=9(또는 5+4=9), 9명

35 9

1 미끄럼틀에서 내려오는 어린이(1명) / 미끄럼틀을 올라가는 어린이(1명) ⎫ 모두 2명

2 그네타는 어린이(2명) / 그네타러 온 어린이(1명) ⎫ 모두 3명

3 시소타는 남자 어린이(2명) / 시소타는 여자 어린이(2명) ⎫ 모두 4명

4 [서술형 가이드] 횡단보도를 건너고 있는 사람 수로 이야기를 완성했는지 확인합니다.

평가기준	덧셈과 관련된 이야기를 완성함.	상
	덧셈과 관련된 이야기를 완성했으나 미흡함.	중
	이야기를 완성하지 못함.	하

5 강아지 3마리와 2마리이므로 3+2라고 씁니다.

6 1 + 6 → 1 더하기 6

7 4 더하기 5 → 4+5

8 별이 6개와 3개이므로 6+3, 다이아몬드가 5개와 2개이므로 5+2, 하트가 1개와 4개이므로 1+4라고 씁니다.

9 2+4는 2개와 4개를 더하는 것이므로 빈 곳에는 ○ 4개를 그립니다.

10 ㉠ 오리 6마리와 1마리이므로 6 +1입니다.
㉡ 닭 5마리와 4마리이므로 5+ 4 입니다.
⇨ 6과 4 중 더 큰 수는 6입니다.

11 5+3=8
⇨ 5 더하기 3은 8과 같습니다.
5와 3의 합은 8입니다.

12 젤리 5개와 젤리 2개를 더하면 7개입니다.

13 고래 수와 새우 수만큼 ●를 그린 다음 전체 수를 알아봅니다.

14 물고기 수(3)와 상어 수(2)만큼 ●를 그린 다음 전체 수를 세어 보면 5입니다. ⇨ 3+2=5

15 문어 수(2)와 오징어 수(6)만큼 ●를 그린 다음 전체 수를 세어 보면 8입니다.
⇨ $2+6=8$

16 생각열기 엄마펭귄 수(1)와 아기펭권 수(3)를 더합니다.

⇨ $1+3=4$ 또는 $3+1=4$

17 생각열기 큰 곰의 수(4)와 작은 곰의 수(4)를 더합니다.

⇨ $4+4=8$

18 4와 2만큼 ●를 그린 다음 전체 수를 세어 보면 6입니다. ⇨ $4+2=6$

19 3과 6만큼 ●를 그린 다음 전체 수를 세어 보면 9입니다. ⇨ $3+6=9$

20 남학생 수(4)와 여학생 수(5)만큼 ●를 그린 다음 전체 수를 세어 보면 9입니다.
⇨ $4+5=9$ 또는 $5+4=9$

21 생각열기 합이 7인 덧셈식을 만들어 봅니다.
$0+7=7$, $1+6=7$, $2+5=7$, $4+3=7$, $5+2=7$, $6+1=7$, $7+0=7$도 답이 될 수 있습니다.

22 같은 상황에서 기준을 달리 하여 서로 다른 덧셈식을 만들어 봅니다.
(놀이기구를 타는 어린이 수)+(줄 서 있는 어린이 수)
$=5+3=8$
(줄 서 있는 어린이 수)+(놀이기구를 타는 어린이 수)
$=3+5=8$
(여자 어린이 수)+(남자 어린이 수)$=4+4=8$
답은 여러 가지입니다.

23 4와 1을 모으기 하면 5입니다. ⇨ $4+1=5$

24 3과 5를 모으기 하면 8입니다. ⇨ $3+5=8$

25 6과 3을 모으기 하면 9입니다.
⇨ $6+3=9$ 또는 $3+6=9$

26 (1) 3과 3을 모으기 하면 6입니다. ⇨ $3+3=6$
(2) 7과 2를 모으기 하면 9입니다.
⇨ $7+2=9$ 또는 $2+7=9$

27 기린 2마리와 코뿔소 2마리를 모으면 4마리입니다.
⇨ $2+2=4$

28 코끼리 2마리와 얼룩말 5마리를 모으면 7마리입니다.
⇨ $2+5=7$ 또는 $5+2=7$

29 $6+1=7$, $5+2=7$, $4+3=7$이므로 합이 7인 덧셈식을 씁니다. 이 때 더해지는 수는 1씩 작아지고 더하는 수는 1씩 커지고 있음을 이용합니다.

참고

$6+1=7$	$3+4=7$
$5+2=7$	$2+5=7$
$4+3=7$	$1+6=7$

더해지는 수가 1씩 작아지고 더하는 수가 1씩 커지면 합은 변하지 않습니다.
또 $7+0$, $0+7$도 정답으로 인정합니다.

30 (1) $2+1=3$ (2) $3+6=9$
(3) $4+4=8$ (4) $5+2=7$

31 $3+4=7$

32 $4+2=6$, $1+2=3$, $6+2=8$

33 연필 3자루에 3자루를 더하면 모두 $3+3=6$(자루)입니다.

34 생각열기 남학생 수와 여학생 수를 더합니다.
(남학생 수)+(여학생 수)$=4+5=9$(명)
또는 (여학생 수)+(남학생 수)$=5+4=9$(명)

35 문제분석 ▶ 본문 85쪽

① 다음 3장의 숫자 카드 중 ② 가장 큰 수와 가장 작은 수를 ③ 더하면 얼마입니까?

| 2 | 3 | 7 |

① 다음 3장의 숫자 카드	2, 3, 7이 적힌 숫자 카드가 한 장씩 있습니다.
② 가장 큰 수와 가장 작은 수를	작은 순서대로 썼을 때 가장 큰 수: 가장 뒤의 수 가장 작은 수: 가장 앞의 수
③ 더하면 얼마입니까?	(가장 큰 수)+(가장 작은 수)

작은 수부터 차례로 수를 씁니다.
⇨ 2, 3, 7
가장 작은 수 ── └─ 가장 큰 수

(가장 큰 수)+(가장 작은 수)$=7+2=9$

해결의 법칙 **특강** 창의·융합 (1)

1 8개

2 7개

3
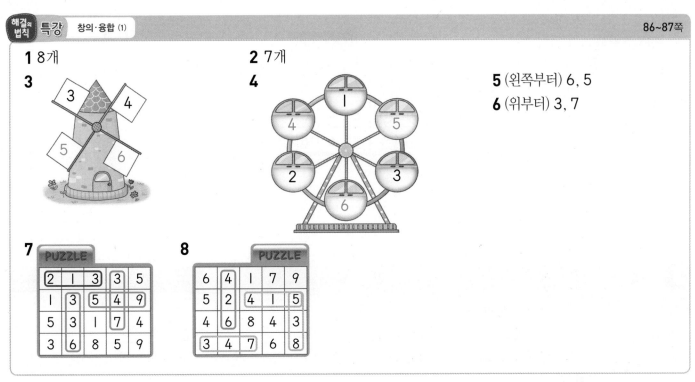

4

5 (왼쪽부터) 6, 5

6 (위부터) 3, 7

7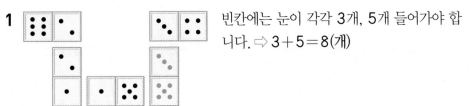

8

---

1 빈칸에는 눈이 각각 3개, 5개 들어가야 합니다. ⇨ 3＋5＝8(개)

2 빈칸에는 눈이 각각 4개, 3개 들어가야 합니다.
⇨ 4＋3＝7(개)

셀파 가·이·드

3 다음과 같이 짝을 지으면 두 수의 합은 모두 9입니다.

3 4 5 6

⇨ 3과 6, 4와 5가 마주 보게 합니다.

▶ 3＋6＝9, 4＋5＝9이므로 3과 6, 4와 5가 마주 보게 합니다.

4 다음과 같이 짝을 지으면 두 수의 합은 모두 7입니다.

1 2 3 4 5 6

⇨ 1과 6, 2와 5, 3과 4가 마주 보게 합니다.

▶ 1＋6＝7, 2＋5＝7, 3＋4＝7이므로 1과 6, 2와 5, 3과 4가 마주 보게 합니다.

5 5＋1＝6, 3＋2＝5

6 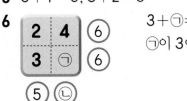 3＋㉠＝6이므로 ㉠에 알맞은 수는 3입니다.
㉠이 3이므로 4＋3＝㉡, ㉡＝7입니다.

▶ ㉠에 알맞은 수를 먼저 구한 다음 ㉠을 이용하여 ㉡에 알맞은 수를 구합니다.

7

PUZZLE

2+1=3
3+4=7

2	1	3	3	5
1	3	5	4	9
5	3	1	7	4
3	6	8	5	9

5+4=9
3+3=6

8

PUZZLE

4+2=6

6	4	1	7	9
5	2	4	1	5
4	6	8	4	3
3	4	7	6	8

4+1=5
5+3=8
3+4=7

---

3 STEP 레벨 UP ⑴

88~89쪽

1 9

2 ㉡, ㉢, ㉠, ㉣

3 (1) 7 (2) 8 (3) 9 (4) 8

4 강현

5 (위부터) 4, 2, 1

6 예 6은 1과 5, 2와 4, 3과 3, 4와 2, 5와 1로 가르기 할 수 있으므로 6을 두 수로 가르기 하는 방법은 모두 5가지 입니다. ; 5가지

7 4개

8 7

9 예 (코끼리의 수)=(기린의 수)+2=2+2=4(마리), 따라서 기린과 코끼리는 모두 2+4=6(마리)입니다. ; 6마리

10 3, 2

11 색연필

12 6마리

---

1 6보다 작은 수: 5, 4
⇨ 5와 4를 모으기 하면 9입니다.

2 ㉠ 7+0=7 ㉡ 6+3=9 ㉢ 3+5=8 ㉣ 5+1=6
7, 9, 8, 6을 큰 수부터 차례로 쓰면 9, 8, 7, 6입니다. ⇨ ㉡, ㉢, ㉠, ㉣

3 (1) 四+三=4+3=7 (2) 二+六=2+6=8
(3) 五+四=5+4=9 (4) 一+七=1+7=8

4 3과 3을 모으기 하면 6이 되고, 2와 5를 모으기 하면 7이 됩니다.
6보다 7이 더 크므로 **강현**이가 모으기 한 수가 더 큽니다.

5

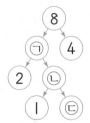

8은 4와 4로 가르기 할 수 있습니다. ⇨ ㉠: 4
4는 2와 2로 가르기 할 수 있습니다. ⇨ ㉡: 2
2는 1과 1로 가르기 할 수 있습니다. ⇨ ㉢: 1

6 서술형 가이드 6을 두 수로 가르기 하는 방법을 모두 찾았는지 확인합니다.

평가기준		
6을 두 수로 가르기 하는 방법을 모두 찾음.	상
6을 두 수로 가르기 하는 방법을 찾는 과정에서 실수가 있어서 답이 틀림.	중
6을 두 수로 가르기 하는 방법을 모름.	하

▶ 1 2 3 4 5 6 7 8 9
6보다 작은 수

一 二 三
한 일 두 이 석 삼

四 五 六
넉 사 다섯 오 여섯 육

七 八 九
일곱 칠 여덟 팔 아홉 구

7 8을 같은 두 수로 가르기 하면 4와 4이므로 동화가 가지고 있던 귤은 4개입니다.

8 합이 크려면 더하는 수가 커야 하므로 가장 큰 수와 둘째로 큰 수를 더하면 됩니다. 세 수 중 가장 큰 수는 5, 둘째로 큰 수는 2이므로 두 수의 합은 5+2=7 입니다.

9 | 서술형 가이드 | 코끼리 수를 구한 다음 기린과 코끼리 수의 합을 바르게 구하는 과정이 들어 있어야 합니다.

평가기준	덧셈식을 세워 답을 바르게 구함.	상
	덧셈식을 세웠으나 계산에서 실수가 있어서 답이 틀림.	중
	덧셈을 하지 못해 답을 구하지 못함.	하

10 | 문제분석 | ▶ 본문 89쪽

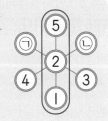

5, 2, 1과 같이 ①한 줄에 있는 세 수를 ②모으기 하면 모두 같은 수가 됩니다. ③㉠과 ㉡에 알맞은 수를 각각 구하시오.

①한 줄에 있는 세 수	한 줄에 있는 세 수 : (5, 2, 1), (㉠, 2, 3), (4, 2, ㉡)
②모으기 하면 모두 같은 수가 됩니다.	①의 세 수를 각각 모으기 합니다.
③㉠과 ㉡에 알맞은 수를 각각 구하시오.	모으기를 하여 ㉠, ㉡을 각각 구합니다.

세 수 5, 2, 1을 모으기 하면 8입니다.
세 수 ㉠, 2, 3에서 2와 3을 모으기 하면 5가 되므로 나머지 수 ㉠은 3입니다.
세 수 4, 2, ㉡에서 4와 2를 모으기 하면 6이 되므로 나머지 수 ㉡은 2입니다.

11 | 문제분석 | ▶ 본문 89쪽

①파란색 색연필 2자루, 빨간색 색연필 6자루가 있습니다. 또, ②초록색 사인펜 3자루, 보라색 사인펜 4자루가 있습니다. ③색연필과 사인펜 중 어느 것이 더 많습니까?

①파란색 색연필 2자루, 빨간색 색연필 6자루	색연필의 수: 2+6
②초록색 사인펜 3자루, 보라색 사인펜 4자루	사인펜의 수: 3+4
③색연필과 사인펜 중 어느 것이 더 많습니까?	①과 ②를 계산하여 더 큰 수를 찾습니다.

(색연필의 수)=2+6=8(자루)
(사인펜의 수)=3+4=7(자루)
➡ 8이 7보다 더 크므로 **색연필**이 더 많습니다.

셀파 가·이·드

▶ 8을 가르기

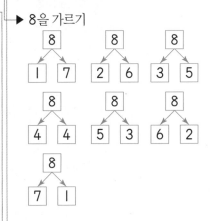

▶ 더하는 수가 클수록 합은 커집니다.

▶ 세 수를 모으기
먼저 두 수를 모으기 한 후 모으기한 수와 나머지 수를 모으기 합니다.
⑩ 1, 2, 3을 모으기
먼저 두 수 1과 2를 모으기 하면 3이고 3과 나머지 수 3을 모으기 하면 6입니다.
➪ 1, 2, 3을 모으기 하면 6입니다.

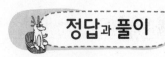
12 문제분석 ▶ 본문 89쪽

①농장에 닭, 토끼, 돼지가 모두 9마리 있습니다. ②닭과 토끼를 모으면 5마리이고 ③토끼와 돼지를 모으면 7마리입니다. ④닭과 돼지를 모으면 몇 마리입니까?

①농장에 닭, 토끼, 돼지가 모두 9마리 있습니다.	닭, 토끼, 돼지를 모으면 9입니다.
②닭과 토끼를 모으면 5마리이고	돼지의 수를 구할 수 있습니다.
③토끼와 돼지를 모으면 7마리입니다.	닭의 수를 구할 수 있습니다.
④닭과 돼지를 모으면 몇 마리입니까?	②와③에서 구한 수를 모읍니다.

전체 9마리 중에서 닭과 토끼를 모으면 5마리이므로 나머지 돼지는 4마리입니다.
전체 9마리 중에서 토끼와 돼지를 모으면 7마리이므로 나머지 닭은 2마리입니다.
➡ 닭 2마리와 돼지 4마리를 모으면 **6마리**입니다.

셀파 가·이·드

▶ 세 동물의 수가 주어져 있으므로 두 동물의 수를 알면 나머지 동물의 수를 구할 수 있습니다.

---

① STEP 핵심 개념 (3)   91쪽

6-1 (1) 3 (2) 3   **6-2** (1) 빼기 (2) 차
7-1 4   **7-2** 2
8-1 1 / 1   **8-2** 4 / 4

7-1 자동차가 6대 있었는데 2대가 빠져 나가면 4대가 남습니다. ➡ $6-2=4$

7-2 햄버거 5개와 음료수 3개를 하나씩 짝지으면 햄버거 2개가 남습니다. ➡ $5-3=2$

8-1 자전거 수(3)를 두발자전거 수(2)와 세발자전거 수(1)로 가를 수 있습니다. ➡ $3-2=1$

8-2 볼링핀의 수(7)를 넘어진 볼링핀의 수(3)와 넘어지지 않은 볼링핀의 수(4)로 가를 수 있습니다.
➡ $7-3=4$

---

② STEP 유형 탐구 (3)   92~97쪽

1 2   **2** 2, 5
3 4
4 예 바이킹을 타는 어린이는 범퍼카를 타는 어린이보다 5명 더 많습니다.
5 $5-2$ **6** 6, 4
7   **8** 정한

---

9 7, 5 / 7 빼기 5   **10** 8, 3 / 8 빼기 3
11 8, 3, 5 / 8, 3, 5   **12** 9, 5
13 1   **14** 2
15 8, 5, 3   **16** 7, 3, 4
17 예   /2
18 예   /2
19 $8-2=6$
20 예 ▢ 모양은 4개, ⬭ 모양은 2개이므로 ▢ 모양은 ⬭ 모양보다 $4-2=2$(개) 더 많습니다.
; 2개
21 예 6, 2, 4 / 예 6, 3, 3
22 2 / 2
23 (1) 1 / 1 (2) 4 / 4
24 3, 3
25 예 $7-4$, $8-5$, $9-6$
26 (1) 3 (2) 6 (3) 1 (4) 3
27
28 6, 2
29 5, 6, 7
30 (○) ( )
31 5번
32 $6-4=2$, 2명
33 $7-1 \cancel{-3}=6$
34 1장

1 사자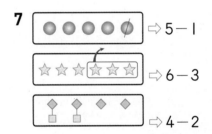
사슴

하나씩 짝지으면 사슴이 2마리 남습니다.
따라서 사슴은 사자보다 2마리 더 많습니다.

2

전체 미어캣 수 7마리에서 굴속으로 들어간 미어캣
수 2마리를 빼면 5마리가 남습니다.

3 사슴
  수사슴 암사슴

전체 사슴 수 6마리에서 수사슴 수 2마리를 빼면 암
사슴 4마리가 남습니다.

4 [서술형 가이드] 뺄셈과 관련된 이야기를 바르게 완성했는지 확인
합니다.

평가기준		
뺄셈과 관련된 이야기를 바르게 완성함.	상
뺄셈과 관련된 이야기를 완성했으나 미흡함.	중
뺄셈과 관련된 이야기를 완성하지 못함.	하

5 ■ 빼기 ▲ ⇨ ■ − ▲

6 수박 6통에서 4통을 빼는 그림이므로 6−4라고 씁
니다.

7
⇨ 5−1

⇨ 6−3

⇨ 4−2

8 원숭이 6마리와 바나나 4개를 하나씩 짝지어 비교하
므로 6−4입니다.

9 딸기 7개에서 5개를 뺐습니다.
⇨ 7−5(7 빼기 5)

10 귤 8개에서 3개를 지웠습니다.
⇨ 8−3(8 빼기 3)

11 8−3=5
⇨ 8 빼기 3은 5와 같습니다.
  8과 3의 차는 5입니다.

12 토끼 9마리와 당근 4개를 짝지어 비교하면 토끼 5마
리가 남습니다. ⇨ 9−4=5

13 전체 컵의 수만큼 ●를 그린 다음 빈 컵의 수만큼 지
워서 남은 수를 알아봅니다.
⇨ 6−5=1

14 숟가락과 포크의 수만큼 ●와 ●를 그린 다음 짝지어
남은 수를 알아봅니다.
⇨ 4−2=2

15 파란색 8개와 빨간색 5개를 하나씩 짝지으면 파란색
이 3개 남습니다.
⇨ 8−5=3

16 물고기 7마리에서 3마리를 꺼내는 그림입니다.
 ⇨ 7−3=4

17
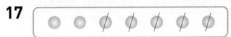
전체 7개에서 5개를 지우면 2개가 남습니다.
⇨ 7−5=2

18
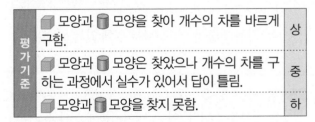
파란색 9개와 빨간색 7개를 짝지으면 파란색 2개가
남습니다.
⇨ 9−7=2

19 전체 어린이 수: 8명
준비 운동을 하는 어린이 수: 2명
⇨ (물놀이하는 어린이 수)=8−2=6(명)

20 [서술형 가이드] ▨ 모양과 ▨ 모양을 찾아 차를 구하는 풀이 과정
이 있어야 합니다.

평가기준		
▨ 모양과 ▨ 모양을 찾아 개수의 차를 바르게 구함.	상
▨ 모양과 ▨ 모양은 찾았으나 개수의 차를 구하는 과정에서 실수가 있어서 답이 틀림.	중
▨ 모양과 ▨ 모양을 찾지 못함.	하

21 [생각열기] 같은 상황에서 기준을 달리 하여 서로 다
른 뺄셈식을 만듭니다.
(안경을 쓰지 않은 어린이 수)
=(전체 어린이 수)−(안경을 쓴 어린이 수)
=6−2=4(명)
(안경을 쓴 어린이 수)
=(전체 어린이 수)−(안경을 쓰지 않은 어린이 수)
=6−4=2(명)

(안경을 쓰지 않은 어린이 수)−(안경을 쓴 어린이 수)
=4−2=2(명)
(남자 어린이 수)
=(전체 어린이 수)−(여자 어린이 수)
=6−4=2(명)
(여자 어린이 수)
=(전체 어린이 수)−(남자 어린이 수)
=6−2=4(명)
(여자 어린이 수)−(남자 어린이 수)
=4−2=2(명)
(가방을 멘 어린이 수)
=(전체 어린이 수)−(가방을 메지 않은 어린이 수)
=6−3=3(명)
(가방을 메지 않은 어린이 수)
=(전체 어린이 수)−(가방을 멘 어린이 수)
=6−3=3(명)
(가방을 멘 어린이 수)−(가방을 메지 않은 어린이 수)
  =3−3=0(명)
답은 여러 가지입니다.

22 생각열기 가르기를 이용하여 뺄셈을 합니다.
7은 5와 2로 가르기 할 수 있습니다. ⇨ 7−5=2

23 (1) 3은 2와 1로 가르기 할 수 있습니다. ⇨ 3−2=1
(2) 8은 4와 4로 가르기 할 수 있습니다. ⇨ 8−4=4

24 원숭이 6마리를 나무 위에 있는 원숭이 3마리와 나무 아래에 있는 원숭이 3마리로 가를 수 있습니다.
(나무 아래에 있는 원숭이 수)
=(전체 원숭이 수)−(나무 위에 있는 원숭이 수)
=6−3=3(마리)

25 4−1=3, 5−2=3, 6−3=3이므로 차가 3인 뺄셈식을 씁니다. 이 때 빼어지는 수도 1씩 커지고 빼는 수도 1씩 커지고 있음을 이용합니다.

참고

4 − 1 = 3	7 − 4 = 3
5 − 2 = 3	8 − 5 = 3
6 − 3 = 3	9 − 6 = 3

빼어지는 수가 1씩 커지고 빼는 수도 1씩 커지면 차는 변하지 않습니다.
또 3−0 등도 정답으로 인정합니다.

26 생각열기 그림을 그리거나 가르기를 이용하여 뺄셈을 합니다.
(1) 9−6=3   (2) 7−1=6
(3) 4−3=1   (4) 8−5=3

27 8−3=5, 6−5=1, 7−4=3

28 9−3=6, 6−4=2

29
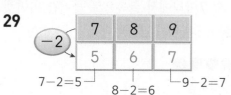
7−2=5   8−2=6   9−2=7

30 5−1=4, 9−6=3
4가 3보다 큽니다.

31 (준석이가 줄넘기를 넘은 수)
=(효연이가 줄넘기를 넘은 수)−4
=9−4=5(번)

32 (지연이네 가족 수)−(현주네 가족 수)를 계산합니다.

33 생각열기 수를 하나씩 지워 봅니다.
1을 지우면 7 ✗ −3=4이고
3을 지우면 7−1 ✗ 3=6이므로 3을 지워야 합니다.

34 문제분석 ▶ 본문 97쪽

민준이는 ①색종이 8장을 가지고 있습니다. 그중 3장으로 학을 접고, ②4장으로 비행기를 접었습니다. 남은 색종이는 몇 장입니까?

①색종이 8장을 가지고 있습니다. 그중 3장으로 학을 접고,	학을 접고 남은 색종이 수를 알아봅니다.
②4장으로 비행기를 접었습니다. 남은 색종이는 몇 장입니까?	비행기를 접고 남은 색종이 수를 알아봅니다.

(학을 접고 남은 색종이 수)=8−3=5(장),
(비행기를 접고 남은 색종이 수)=5−4=1(장)

다른 풀이

(학과 비행기를 접은 색종이 수)
=(학을 접은 색종이 수)+(비행기를 접은 색종이 수)
=3+4=7(장)
⇨ (남은 색종이 수)
   =(전체 색종이 수)−(학과 비행기를 접은 색종이 수)
   =8−7=1(장)

① STEP 핵심 개념 ⑷
99쪽

9-1 5 　　　　**9-2** 4
10-1 0 　　　　**10-2** 4
11-1 4, 5, 6 　　**11-2** 5, 4, 3

9-1 0+(어떤 수)=(어떤 수)
9-2 (어떤 수)+0=(어떤 수)
10-1 (전체)−(전체)=0
10-2 (어떤 수)−0=(어떤 수)
11-1 더하는 수가 1씩 커지면 합도 1씩 커집니다.
11-2 빼는 수가 1씩 커지면 차는 1씩 작아집니다.

② STEP 유형 탐구 ⑷
100~103쪽

1 3 　　　　　　**2** ⑴ 2 ⑵ 5
3 ⑴ 0 ⑵ 0 　　**4** 0
5 ㉡, ㉢, ㉠ 　　**6** 0
7 ⑴ 2 ⑵ 0 　　**8** ⑴ 0 ⑵ 7
9 0개 　　　　　**10** 4개
11 (왼쪽부터) 6, 7, 8, 9
12 ⑩ 합도 1씩 커집니다.
13 같습니다. 　　**14** ⑩ 6, 1
15 같습니다에 ○표 　**16** (왼쪽부터) 4, 3, 2, 1
17 ⑩ 차는 1씩 작아집니다.
18 (왼쪽부터) 0, 1, 2, 3, 4, 5
　　　/ ⑩ 차는 1씩 커집니다.
19 3, 3 　　　　　**20** 같습니다.
21 ⑩ 5, 2 / ⑩ 4, 1 　**22** ⑩ 7, 2 / ⑩ 6, 1
23 3 　　　　　　**24** 8
25 ⑴ 1 ⑵ 7

1 (어떤 수)+0=(어떤 수) ⇨ 3+0=3
2 ⑴ 0+(어떤 수)=(어떤 수) ⇨ 0+2=2
　　⑵ (어떤 수)+0=(어떤 수) ⇨ 5+0=5
3 ⑴ 0+(어떤 수)=(어떤 수) ⇨ 0+6=6
　　⑵ (어떤 수)+0=(어떤 수) ⇨ 8+0=8

4

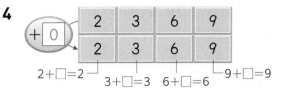

2+□=2　3+□=3　6+□=6　9+□=9
(어떤 수)+□=(어떤 수)
⇨ 합이 어떤 수 그대로이므로 0을 더했습니다.

5

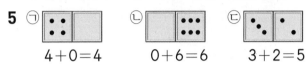

　㉠ 4+0=4　㉡ 0+6=6　㉢ 3+2=5
⇨ 가장 큰 수는 6이고 가장 작은 수는 4입니다.

6 (전체)−(전체)=0 ⇨ 8−8=0
7 ⑴ (어떤 수)−0=(어떤 수) ⇨ 2−0=2
　　⑵ (전체)−(전체)=0 ⇨ 6−6=0
8 ⑴ (어떤 수)−0=(어떤 수) ⇨ 3−0=3
　　⑵ (전체)−(전체)=0 ⇨ 7−7=0
9 (싹이 나지 않은 무씨의 수)
　　=(전체 무씨의 수)−(싹이 난 무씨의 수)
　　=5−5=0(개)

10 문제분석 ▶ 본문 101쪽

①도연이는 별 모양 쿠키 1개와 달 모양 쿠키 3개를 만든 다음 ②동생에게 몇 개를 주었더니 0개가 되었습니다. 동생에게 준 쿠키는 몇 개입니까?

①도연이는 별 모양 쿠키 1개와 달 모양 쿠키 3개를 만든 다음	(도연이가 만든 쿠키 수) =(별 모양의 쿠키 수) +(달 모양 쿠키 수)
②동생에게 몇 개를 주었더니 0개가 되었습니다. 동생에게 준 쿠키는 몇 개입니까?	(전체)−(전체)=0

도연이가 만든 쿠키의 수: 1+3=4(개)
전체에서 전체를 빼어야 0이 되므로 동생에게 준 쿠키는 4개입니다.

11 더해지는 수는 5이고 더하는 수가 1씩 커지고 있습니다. 따라서 합도 1씩 커집니다.

12 서술형 가이드 합이 1씩 커진다는 내용이 들어 있는지 확인합니다.

평가기준	알 수 있는 점을 바르게 씀.	상
	알 수 있는 점을 썼으나 미흡함.	중
	알 수 있는 점을 쓰지 못함.	하

3. 덧셈과 뺄셈 ▮ **35**

13 두 수의 합은 모두 7로 같습니다.

14

더해지는 수		더하는 수		합
2	+	5	=	7
3	+	4	=	7
4	+	3	=	7
5	+	2	=	7
1씩 커짐		1씩 작아짐		같음

<u>5보다 1 큰 수</u>와 <u>2보다 1 작은 수</u>의 합도 7이 됩니다.
　　└6　　　　└1

⇨ 6+1=7

7+0=7, 0+7=7, 1+6=7도 답이 될 수 있습니다.

15 생각열기 두 수를 바꾸어 더하는 식의 합을 살펴봅니다.

2+5=7　　3+4=7
　╳　　　　╳
5+2=7　　4+3=7

⇨ 두 수를 바꾸어 더해도 그 값은 같습니다.

16 빼어지는 수는 7이고 빼는 수가 1씩 커지고 있습니다.

17

		빼는 수		차
7	−	3	=	4
7	−	4	=	3
7	−	5	=	2
7	−	6	=	1
		1씩 커짐		1씩 작아짐

⇨ 빼는 수가 1씩 커지면 차는 1씩 작아집니다.

서술형 가이드 빼는 수가 1씩 커지면 차는 1씩 작아진다는 내용이 들어 있는지 확인합니다.

평가기준	알 수 있는 점을 바르게 씀.	상
	알 수 있는 점을 썼으나 미흡함.	중
	알 수 있는 점을 쓰지 못함.	하

18 서술형 가이드 빼는 수가 1씩 작아지면 차는 1씩 커진다는 내용이 들어 있는지 확인합니다.

평가기준	알 수 있는 점을 바르게 씀.	상
	알 수 있는 점을 썼으나 미흡함.	중
	알 수 있는 점을 쓰지 못함.	하

19 9−6=3, 8−5=3, 7−4=3, 6−3=3

20 두 수의 차는 3으로 모두 같습니다.

21

빼어지는 수		빼는 수		차
9	−	6	=	3
8	−	5	=	3
7	−	4	=	3
6	−	3	=	3
1씩 작아짐		1씩 작아짐		같음

<u>6보다 1 작은 수</u>와 <u>3보다 1 작은 수</u>의 차도 3이 됩니다. ⇨ 5−2=3
　　└5　　　　　└2

<u>5보다 1 작은 수</u>와 <u>2보다 1 작은 수</u>의 차도 3이 됩니다. ⇨ 4−1=3
　　└4　　　　　└1

3−0=3 등도 답이 될 수 있습니다.

22 생각열기 빼어지는 수와 빼는 수가 1씩 작아지면 차는 같습니다.

빼어지는 수		빼는 수		차
9	−	4	=	5
8	−	3	=	5
7	−	2	=	5
6	−	1	=	5
1씩 작아짐		1씩 작아짐		같음

5−0=5 등도 답이 될 수 있습니다.

23 봉지에 들어 있는 햄버거 수를 구하려면 전체 햄버거 수 6개에서 가장 왼쪽에 있는 햄버거 수 3개를 뺍니다. ⇨ 6−3=3(개)

24 처음 주머니에 들어 있던 구슬 수를 구하려면 남은 구슬 수 5개와 꺼낸 구슬 수 3개를 더합니다.
⇨ 5+3=8

25 (1) 더해지는 수 □는 합 2에서 더하는 수 1을 빼서 구할 수 있습니다.
　　⇨ 2−1=1, □=1

(2) 빼는 수 □는 빼어지는 수 9에서 차 2를 빼서 구할 수 있습니다.
　　⇨ 9−2=7, □=7

1 2, 3   **2** 1, 6   **3** 4, 5

4 (왼쪽부터) 9, 6   **5** (왼쪽부터) 5, 7

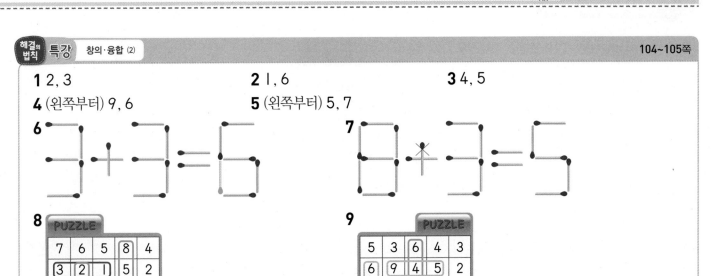

6 PUZZLE

9 PUZZLE

1 $\boxed{2}+\boxed{2}=4$이므로 🌞가 나타내는 수는 2입니다.

$\boxed{3}+\boxed{3}=6$이므로 🌙이 나타내는 수는 3입니다.

2 $4+\boxed{1}=5$이므로 🦉가 나타내는 수는 1입니다.

$1+\boxed{6}=7$이므로 🐦가 나타내는 수는 6입니다.

3 $\boxed{4}+\boxed{4}=8$이므로 🌻가 나타내는 수는 4입니다.

$4+\boxed{5}=9$이므로 🌷이 나타내는 수는 5입니다.

4 🌷 3 $\xrightarrow{+2}$ 5 $\xrightarrow{+1}$ $\boxed{6}$

🌷 5 $\xrightarrow{+3}$ 8 $\xrightarrow{+1}$ $\boxed{9}$

5 🌷 2 $\xrightarrow{+2}$ 4 $\xrightarrow{+3}$ $\boxed{7}$

🌷 6 $\xrightarrow{-3}$ 3 $\xrightarrow{+2}$ $\boxed{5}$

6 ⇨ $3+3=6$

7 ⇨ $8-3=5$

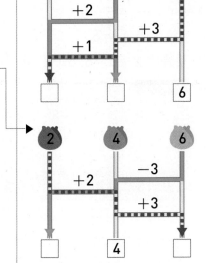

8
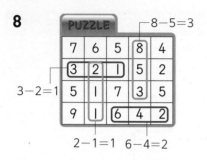
8−5=3
3−2=1
2−1=1 6−4=2

9
6−4=2 PUZZLE
6−3=3
9−4=5
5−1=4

3 STEP 레벨 UP (2)

1 (1) + (2) − (3) − (4) +   **2** 5, 6

3 2, 6, 8(또는 6, 2, 8) / 8, 2, 6(또는 8, 6, 2)   **4** 3

5 (1) 0+4=4, 1+3=4, 2+2=4, 3+1=4, 4+0=4

  (2) 9−5=4, 8−4=4, 7−3=4, 6−2=4, 5−1=4, 4−0=4

6 6장

7 예 현진이가 처음에 가지고 있던 풍선 수는 남은 풍선 수 3개와 터뜨린 풍선 수 4개를 더합니다.

  ⇨ 3+4=7(개) ; 7개

8 4   **9** 7명   **10** 미선   **11** 승주, 2점   **12** 5

13 예 어떤 수는 합 8에서 더한 수 3을 빼야 합니다. 어떤 수는 8−3=5이므로 바르게 계산하면 5−3=2입니다. ; 2

---

1 (1) 2+3=5 (2) 4−2=2 (3) 8−5=3 (4) 1+6=7

  참고

  덧셈은 왼쪽 두 수보다 결과가 커집니다. 예 2+3=5, 1+6=7

  뺄셈은 가장 왼쪽의 수보다 결과가 작아집니다. 예 4−2=2, 8−5=3

  앞에 0이 있는 식은 덧셈식입니다. 예 0 + 2=2

  같은 수가 왼쪽에 있는데 결과가 0이면 뺄셈식입니다. 예 5 − 5=0

2 5+1=1+5=6

  ⇨ ㉠=5, ㉡=6

3 덧셈식: 2+6=8, 6+2=8 뺄셈식: 8−2=6, 8−6=2

4 문제분석 본문 106쪽

  다음 중 ①가장 큰 수와 ②둘째로 작은 수의 ③차를 구하시오.

  | 4 | 7 | 6 | 2 |

①가장 큰 수	수를 작은 순서대로 늘어놓았을 때 가장 뒤의 수
②둘째로 작은 수	수를 작은 순서대로 늘어놓았을 때 앞에서 둘째인 수
③차를 구하시오.	(가장 큰 수)−(둘째로 작은 수)를 계산합니다.

  수를 작은 수부터 차례로 늘어놓으면 2, 4, 6, 7입니다.

  가장 큰 수는 7, 둘째로 작은 수는 4이므로 두 수의 차는 7−4=3입니다.

▶ 두 수를 바꾸어 더해도 그 값은 같습니다.

▶ 0이 아닌 세 수로 덧셈식과 뺄셈식 만들기

  ■+●=▲
  덧셈식에서 가장 큰 수

  ▲−●=■
  뺄셈식에서 가장 큰 수

▶ 2<4<6<7
  둘째로 작은 수
  가장 작은 수

5 (1)

더해지는 수		더하는 수		합
0	+	4	=	4
1	+	3	=	4
2	+	2	=	4
3	+	1	=	4
4	+	0	=	4

1씩 커짐 1씩 작아짐 같음

덧셈식에서 앞의 더해지는 수를 1씩 크게 하고 뒤의 더하는 수를 1씩 작게 하면 합은 달라지지 않습니다.

(2)

빼어지는 수		빼는 수		차
9	−	5	=	4
8	−	4	=	4
7	−	3	=	4
6	−	2	=	4
5	−	1	=	4
4	−	0	=	4

1씩 작아짐 1씩 작아짐 같음

뺄셈식에서 앞의 빼어지는 수와 뒤의 빼는 수를 똑같이 1씩 작게 하면 차는 달라지지 않습니다.

6 (더 산 우표 수)=(전체 우표 수)−(가지고 있던 우표 수)=9−3=6(장)

7 [서술형 가이드] 현진이가 처음에 가지고 있던 풍선 수를 구하는 식을 쓰고 바르게 계산하는 풀이 과정이 있어야 합니다.

평가기준	식을 세우고 바르게 계산함.	상
	식은 세웠으나 계산이 틀림.	중
	식을 세우지 못함.	하

8 ★은 나온 수에서 넣은 수를 뺍니다. ⇨ ★=5−2=3
★=3이므로 7−★=㉠, 7−3=㉠, ㉠=4입니다.

9 (대문 놀이를 하던 학생 수)=4+5=9(명)
⇨ (교실로 들어간 학생 수)=(대문 놀이를 하던 학생 수)−(남은 학생 수)
=9−2=7(명)

10 [문제분석] 본문 107쪽

①연필을 미선이는 8자루, ①진우는 3자루 가지고 있습니다. ②미선이가 진우에게 연필을 2자루 주면, ③미선이와 진우 중 누가 연필을 더 많이 가지게 됩니까?

①연필을 미선이는 8자루, ②미선이가 진우에게 연필을 2자루 주면,	미선이의 연필 수는 줄어듭니다.
①진우는 3자루 가지고 있습니다. ②미선이가 진우에게 연필을 2자루 주면,	진우의 연필 수는 늘어납니다.
③미선이와 진우 중 누가 연필을 더 많이 가지게 됩니까?	①과 ②를 비교합니다.

(미선이에게 남은 연필 수)=8−2=6(자루)
(진우가 가지게 되는 연필 수)=3+2=5(자루)
⇨ 6>5이므로 **미선**이가 연필을 더 많이 가지게 됩니다.

▶ 해·법·순·서
① 대문 놀이를 하던 학생 수를 구합니다.
② 교실로 들어간 학생 수를 구합니다.

▶ 연필을 주면 남은 연필 수는 줄어들고(빼기), 연필을 받으면 가지게 되는 연필 수는 늘어납니다(더하기).

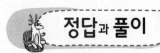
11 문제분석 ▶ 본문 107쪽

혜진이와 승주가 과녁맞히기 놀이를 하였습니다. ①혜진이는 빨간색 화살을 사용하였고, ②승주는 파란색 화살을 사용하였습니다. ③누구의 점수가 몇 점 더 높습니까?

①혜진이는 빨간색 화살을 사용하였고,	혜진이는 5점짜리에 1번, 1점짜리에 2번 맞혔습니다.
②승주는 파란색 화살을 사용하였습니다.	승주는 3점짜리에 3번 맞혔습니다.
③누구의 점수가 몇 점 더 높습니까?	①과 ②에서 구한 점수를 비교하여 누가 몇 점 더 높은지 알아봅니다.

혜진이의 점수: $5+1+1=7$(점), 승주의 점수: $3+3+3=9$(점)

⇨ **승주**의 점수가 $9-7=2$(점) 더 높습니다.

12 차가 가장 크려면 가장 큰 수에서 가장 작은 수를 빼야 합니다.

가장 큰 수: 7 가장 작은 수: 2 ⇨ $7-2=5$

13 서술형 가이드 어떤 수를 구한 다음 바르게 계산한 답을 구했는지 확인합니다.

평가기준	어떤 수를 구한 다음 바르게 계산하여 답을 구함.	상
	어떤 수는 구했으나 답이 틀림.	중
	어떤 수를 구하지 못해 답을 구하지 못함.	하

셀파 가·이·드

▶ 작은 수부터 차례로 씁니다.
2 3 5 7
가장 작은 수   가장 큰 수

▶ 해·법·순·서
① 어떤 수를 구합니다.
② 바르게 계산합니다.

1회 단원 평가 108~110쪽

1 (1) 3 (2) 5

2 9 빼기 4는 5와 같습니다.
/ 9와 4의 차는 5입니다.

3 (1) 7 (2) 9 　　　**4** (1) 5 (2) 5

5 4 　　　　　　　**6** ③

7 ㉡

8 $7-1$, $3+3$, $8-2$, $2+4$에 ○표

9 (위부터) 8, 2, 3, 3

10 예 2, 7 / 예 3, 6 / 예 4, 5

11 (1) − (2) + 　　　**12** 3자루

13 6명 　　　　　　**14** $5-2=3$, 3명

15 예 가: $5+4=9$, 나: $4+3=7$, 다: $1+1=2$
⇨ 눈의 수의 합이 7인 것은 나입니다. ; 나

16 1, 5에 ○표

17 (왼쪽부터) 9, 8, 7, 6 / 예 합도 1씩 작아집니다.

18 2, 5, 7(또는 5, 2, 7) / 7, 2, 5(또는 7, 5, 2)

19 4자루

20 예 닭잡기놀이를 하는 어린이는 모두
$3+4=7$(명)입니다. 1명이 집으로 돌아갔으므로 남은 어린이는 $7-1=6$(명)입니다. ; 6명

1 (1) 1과 2를 모으기 하면 3입니다.
(2) 8은 3과 5로 가르기 할 수 있습니다.

2 $9-4=5$
⇨ 9 빼기 4는 5와 같습니다.
9와 4의 차는 5입니다.

3 (1) ●●● 　●●●● ⇨ $3+4=7$
(2) ●● 　●●●●●●● ⇨ $2+7=9$

4 (1) ○○○○○○○ ⦸⦸ ⇨ $7-2=5$
(2) (어떤 수)$-0=$(어떤 수)

5 가르기 한 두 수를 모으기 하면 처음 수가 됩니다.
1과 3, 2와 2, 3과 1을 모으기 하면 4입니다.

6 ①, ②, ④, ⑤는 모두 5이고, ③은 6입니다.

7 6−1=5이고, 4+2=6입니다.
6이 5보다 크므로 더 큰 수는 ⓒ입니다.

8 3+4=7, ⟨7−1⟩=6, ⟨3+3⟩=6,
⟨8−2⟩=6, ⟨2+4⟩=6, 9−5=4

9

	+ →	
5	3	㉠8
2	0	㉡2
㉢3	㉣3	

㉠ 5+3=8
㉡ 2+0=2
㉢ 5−2=3
㉣ 3−0=3

10 1과 8, 2와 7, 3과 6, 4와 5, 5와 4, 6과 3, 7과 2, 8과 1을 모으기 하면 9입니다.

11 (1) 4−2=2 (2) 3+2=5

12 5는 2와 3으로 가르기 할 수 있습니다.
따라서 현민이는 연필을 3자루 가지게 됩니다.

13 4+2=6(명)　　**14** 5−2=3(명)

15 [서술형가이드] 가, 나, 다 주사위 눈의 수의 합을 구하는 풀이 과정이 있어야 합니다.

평가기준	각 주사위 눈의 수의 합을 구하여 7인 것을 찾음.	상
	주사위 눈의 수의 합을 계산하는 과정에 실수가 있어서 답이 틀림.	중
	주사위 눈의 수의 합을 구하지 못함.	하

16 모으기 하여 6이 되는 두 수는 (1, 5), (2, 4), (3, 3), (4, 2), (5, 1)입니다. 문제에 주어진 수 중 모으기 하여 6이 되는 두 수는 1, 5입니다.

17

더하는
수　합
4 + 5 = 9
4 + 4 = 8
4 + 3 = 7
4 + 2 = 6

1씩　1씩
작아짐 작아짐

⇨ 덧셈식에서 더하는 수가 1씩 작아지면 합도 1씩 작아집니다.

[서술형가이드] 합이 1씩 작아진다는 내용이 들어 있는지 확인합니다.

평가기준	알 수 있는 점을 바르게 씀.	상
	알 수 있는 점을 썼으나 미흡함.	중
	알 수 있는 점을 쓰지 못함.	하

18 덧셈식: 2+5=7, 5+2=7
빨셈식: 7−2=5, 7−5=2

19 (더 넣은 연필 수)
=(전체 연필 수)−(처음에 들어 있던 연필 수)
=6−2=4(자루)

20 [서술형가이드] 닭잡기놀이를 하고 있는 어린이 수를 구한 다음 남은 어린이 수를 구하는 풀이 과정이 있어야 합니다.

평가기준	덧셈식과 뺄셈식을 세우고 바르게 계산함.	상
	덧셈식과 뺄셈식은 세웠으나 계산이 틀림.	중
	덧셈식과 뺄셈식을 세우지 못함.	하

2회 단원 평가　　　111~113쪽

1 ( )(×)( )　**2** (1) 7 (2) 5

3

4 ⓒ

5 (위부터) 2, 3, 1

6

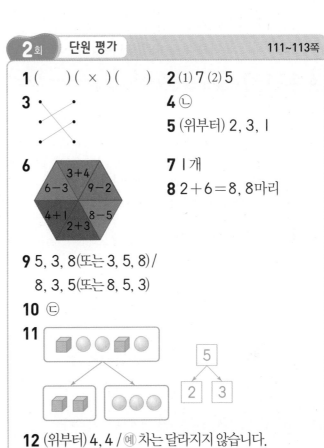

3+4
6−3　9−2
4+1　8−5
2+3

7 1개

8 2+6=8, 8마리

9 5, 3, 8(또는 3, 5, 8) /
8, 3, 5(또는 8, 5, 3)

10 ⓒ

11

5
2　3

12 (위부터) 4, 4 / 예 차는 달라지지 않습니다.

13 예 5, 1, 4　　**14** 8송이

15

1	6	2	4	3
3	4	5	7	1
2	1	2	3	5

16 4, 2　　　　**17** 5

18 예 (현지에게 남은 사탕 수)=6−3=3(개)
경민이의 사탕은 5개이고, 현지의 사탕은 3개이므로 경민이가 5−3=2(개) 더 많습니다.
; 경민, 2개

19 7계단　　　　**20** 5장

1 8은 (1, 7), (2, 6), (3, 5), (4, 4), (5, 3), (6, 2), (7, 1)로 가르기 할 수 있습니다.

2 (1) ●●●●● ●● ⇨ 5＋2＝7

(2) ◐◐◐◐◐ ∅∅∅ ⇨ 8－3＝5

3 2＋3＝5, 1＋6＝7, 0＋3＝3

4 ㉠ 5 ＋0＝5 ㉡ 6－ 6 ＝0

⇨ 5보다 6이 더 큽니다.

5 7은 5와 2로 가르기 할 수 있습니다.
5는 2와 3으로 가르기 할 수 있습니다.
2는 1과 1로 가르기 할 수 있습니다.

6 3＋4＝7
9－2＝7 ┃ 빨강
8－5＝3
6－3＝3 ┃ 파랑
4＋1＝5
2＋3＝5 ┃ 보라

7 5는 4와 1로 가르기 할 수 있습니다.
따라서 동생은 사탕을 1개 가지게 됩니다.

8 2＋6＝8(마리)

9 덧셈식: 5＋3＝8, 3＋5＝8
뺄셈식: 8－3＝5, 8－5＝3

10 ㉠ (1)(4) → (5) ㉡ (2)(3) → (5) ㉢ (2)(2) → (4)

모으기 한 값이 다른 것은 ㉢입니다.

11 🔲 모양 2개와 ⚪ 모양 3개로 가릅니다.

12
빼어지는 수 / 빼는 수 / 차

$9 - 5 = 4$
$8 - 4 = 4$
$7 - 3 = 4$
$6 - 2 = 4$

1씩 작아짐 / 1씩 작아짐 / 같음

차는 달라지지 않는다는 내용이 들어 있는지 확인합니다.

평가기준	알 수 있는 점을 바르게 씀.	상
	알 수 있는 점을 썼으나 미흡함.	중
	알 수 있는 점을 쓰지 못함.	하

13
$9 - 5 = 4$
$8 - 4 = 4$
$7 - 3 = 4$
1 작은 수 ($6 - 2 = 4$) 1 작은 수
$5 - 1 = 4$
1 작은 수 ($4 - 0 = 4$) 1 작은 수

⇨ 5－1＝4, 4－0＝4 등이 있습니다.

14 처음에 가지고 있던 제비꽃 수는 사용한 제비꽃 수와 남은 제비꽃 수를 더합니다.

⇨ 2＋6＝8(송이)

15 가로줄 또는 세로줄에 나란히 붙어 있는 수가 (1, 6), (2, 5), (3, 4), (4, 3), (5, 2), (6, 1)인 경우를 모두 찾아봅니다.

16 생각열기 한 줄에 있는 세 수 중 두 수를 먼저 모으기 합니다.
세 수 ㉠, 2, 3에서 2와 3을 모으기 하면 5이므로 나머지 수 ㉠은 4입니다.
세 수 ㉡, 2, 5에서 2와 5를 모으기 하면 7이므로 나머지 수 ㉡은 2입니다.

17 합이 가장 작으려면 가장 작은 수와 둘째로 작은 수를 더해야 합니다.
가장 작은 수: 2   둘째로 작은 수: 3
⇨ 2＋3＝5

18 현지에게 남은 사탕 수를 구한 다음 두 사람이 가지고 있는 사탕 수를 비교하는 풀이 과정이 들어 있어야 합니다.

평가기준	두 사람이 가지고 있는 사탕 수를 알아보고 바르게 비교함.	상
	두 사람이 가지고 있는 사탕 수를 알고 있으나 비교하는 과정에서 실수가 있어서 답이 틀림.	중
	두 사람이 가지고 있는 사탕 수를 모름.	하

19 3계단씩 3번 올라가면 3＋3＋3＝9(계단)을 올라갔고, 다시 아래로 2계단 내려오면 맨 아래 계단에서 9－2＝7(계단) 위에 있습니다.

20 7은 (1, 6), (2, 5), (3, 4), (4, 3), (5, 2), (6, 1)로 가르기 할 수 있습니다.
이 중에서 차가 3인 것은 (2, 5), (5, 2)이고, 형이 동생보다 카드를 3장 더 가졌으므로 형은 5장, 동생은 2장 가졌습니다.

4. 비교하기

핵심 개념 ⑴
STEP 1   117쪽

1-1 짧습니다에 ○표   **1-2** 깁니다

1-3 ⑴ (○) ⑵ (   )   **1-4** ⑴ (   ) ⑵ (△)
      (   ) (○)   (△) (   )

2-1 ⑴ (○) (   ) ⑵ (   ) (○)

2-2 ⑴ (△) (   ) ⑵ (   ) (△)

1-1 왼쪽 끝이 맞추어져 있으므로 오른쪽으로 더 나온 것이 더 깁니다.

1-4 왼쪽 끝이 맞추어져 있으므로 오른쪽으로 덜 나온 것이 더 짧습니다.

2-1 ⑴ 코끼리는 토끼보다 더 들기 힘들므로 코끼리가 토끼보다 더 무겁습니다.

2-2 ⑴ 지우개보다 냉장고가 더 들기 힘들므로 지우개가 냉장고보다 더 가볍습니다.

유형 탐구 ⑴
STEP 2   118~123쪽

1 (   ) (○)   **2** (   )
                              (△)

3 ✕   **4** (   )
                              (△)

5 빗자루, 칫솔   **6** (△)
                              (○)

7 (   )   **8** 지수
      (○)

9 예 오이는 파보다 더 짧습니다.

10 ㉠, ㉣   **11** •——•
                                 •
                                 •——•
                                 •

12 (△) (○) (   )   **13** 깁니다, 택시

14 ㉡   **15** (   ) (○)

16 (○) (   ) (   )   **17** (○) (△) (   )

18 ㉯   **19** (   ) (△)

20 ✕   **21** (△) (   ) (○)

22 예 출입문이 내 키보다 작아지면 허리를 숙이고 다녀야 합니다.

23 성화   **24** (○) (   )

25 (△) (   )   **26** •——•
                             •——•

27 ✕   **28** (   ) (   ) (△)

29 (   ) (   ) (○) **30** (△) (○) (   )

31 예 두 사람씩 비교하여 무거운 순서대로 써 보면 (정훈, 수진), (수진, 민지), (정훈, 민지)입니다. 따라서 가장 무거운 사람은 정훈입니다. ; 정훈

32 (○) (   )   **33** 무

34 사탕

1 위쪽 끝이 맞추어져 있으므로 아래쪽으로 더 나온 것이 더 깁니다.

2 오른쪽 끝이 맞추어져 있으므로 왼쪽으로 덜 나온 것이 더 짧습니다.

3 왼쪽 끝이 맞추어져 있으므로 오른쪽 끝을 비교합니다.
   ⇨ 바지가 오른쪽으로 더 나와 있으므로 바지가 더 길고 치마가 더 짧습니다.

4 왼쪽 끝이 맞추어져 있으므로 오른쪽 끝을 비교합니다.

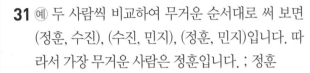

5 칫솔이 빗자루보다 더 짧습니다.

6 왼쪽 끝이 맞추어져 있으므로 오른쪽으로 더 나온 손이 더 깁니다.

7 양쪽 끝이 맞추어져 있을 때는 많이 구부러져 있을수록 더 깁니다.

8 지수네 모둠이 정우네 모둠보다 더 길게 만들었습니다.

9 [서술형 가이드] 파와 오이의 길이를 비교하는 문장을 바르게 썼는지 확인합니다.

평가 기준	파와 오이의 길이를 비교하여 문장으로 바르게 나타냄.	상
	파와 오이의 길이를 비교하였으나 문장이 어색함.	중
	문장을 쓰지 못함.	하

10 연필보다 더 짧은 것은 ㉠ 휴대전화, ㉣ 지우개입니다.

11 왼쪽 끝이 맞추어져 있으므로 오른쪽 끝을 비교합니다.

12 파란색 색연필이 가장 짧고, 빨간색 색연필이 가장 깁니다.

13 왼쪽 끝이 맞추어져 있으므로 오른쪽으로 가장 많이 나온 기차가 가장 길고, 오른쪽으로 가장 적게 나온 택시가 가장 짧습니다.

14 양쪽 끝이 맞추어져 있으므로 가장 많이 구부러진 것이 가장 깁니다.

15 아래쪽 끝이 맞추어져 있으므로 위쪽으로 더 많이 올라간 것이 더 높습니다.

16 냉장고가 가장 높습니다.

17 빌딩이 가장 높고, 집이 가장 낮습니다.

18 파란색 깃발은 빨간색 깃발보다 더 낮고 초록색 깃발보다 더 높습니다. ⇨ 빨간색 깃발과 초록색 깃발 사이인 ㉰에 놓아야 합니다.

19 아래쪽 끝이 맞추어져 있으므로 위쪽을 비교합니다.

20 아래쪽 끝을 맞추었을 때 위쪽으로 더 올라온 것이 키가 더 큽니다.

21 아래쪽 끝이 맞추어져 있으므로 위쪽으로 가장 적게 올라온 것이 키가 가장 작습니다.

22 서술형가이드 생활 주변의 물건에 대하여 새로운 시각으로 관찰하여 자신의 생각을 쓸 수 있는지 확인합니다.

평가기준	출입문이 키보다 작아진 상황을 생각하여 바르게 답을 씀.	상
	출입문이 키보다 작아진 상황을 생각하여 문장을 썼으나 어색함.	중
	답을 쓰지 못함.	하

23 문제분석 본문 121쪽

다음을 읽고 ③재범, 성화, 승우 중에서 키가 가장 큰 사람은 누구인지 쓰시오.

> ① • 재범이는 성화보다 더 작습니다.
> ② • 재범이는 승우보다 더 큽니다.

①재범이는 성화보다 더 작습니다.	큰 사람부터 쓰면 (성화, 재범)입니다.
②재범이는 승우보다 더 큽니다.	큰 사람부터 쓰면 (재범, 승우)입니다.
③재범, 성화, 승우 중에서 키가 가장 큰 사람은 누구인지 쓰시오.	①, ②의 결과를 보고 키가 가장 큰 사람을 찾습니다.

두 사람씩 키가 큰 순서대로 써 보면
(성화, 재범), (재범, 승우)입니다. 따라서 키가 가장 큰 사람은 **성화**입니다.

성화　　　재범　　　승우

24 직접 들어 보면 의자를 들 때 힘이 더 많이 듭니다.

25 탬버린이 피아노보다 더 가볍습니다.

26 농구공이 탁구공보다 더 무겁습니다.

27 종이 받침대가 얼마나 찌그러졌는지 관찰하여 더 많이 찌그러진 것 위에는 더 무거운 화분이, 더 적게 찌그러진 것 위에는 더 가벼운 클립이 있었다고 생각할 수 있습니다.

28 가장 가벼운 것은 참새입니다.

29 생각열기 같은 물건은 물건의 수가 많을수록 더 무겁습니다.

같은 바나나가 1개, 2개, 3개 있으므로 바나나 3개짜리가 가장 무겁습니다.

30 무거운 물건을 넣을수록 더 무거우므로 모래가 든 병이 가장 무겁고, 휴지가 든 병이 가장 가볍습니다.

31 서술형가이드 두 명씩 몸무게를 비교하여 가장 무거운 사람을 찾는 과정이 들어 있어야 합니다.

평가기준	두 명씩 몸무게를 비교하여 가장 무거운 사람을 찾아 답을 씀.	상
	두 명씩 몸무게를 비교하였으나 가장 무거운 사람을 찾지 못함.	중
	몸무게를 비교하지 못함.	하

32 시소에서는 더 무거운 동물이 아래로 내려갑니다.

더 무겁다　　　더 가볍다

33 호박이 있는 쪽이 아래로 내려가 있으므로 호박이 무보다 더 무겁습니다.

34 생각열기 같은 길이의 고무줄에 물건을 매달면 무거울수록 아래로 많이 늘어납니다.

가벼울수록 고무줄이 덜 늘어나므로 가장 가벼운 것은 **사탕**입니다.

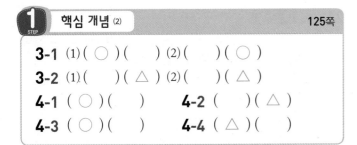

1 STEP 핵심 개념 (2)   125쪽

3-1 (1) (○) (   ) (2) (   ) (○)
3-2 (1) (   ) (△) (2) (   ) (△)
4-1 (○) (   )   **4-2** (   ) (△)
4-3 (○) (   )   **4-4** (△) (   )

3-1 두 물건을 겹쳤을 때 남는 부분이 있는 것이 더 넓습니다.

3-2 두 물건을 겹쳤을 때 남는 부분이 없는 것이 더 좁습니다.

4-1 그릇의 크기가 더 큰 것에 물을 더 많이 담을 수 있습니다.

4-2 그릇의 크기가 더 작은 것에 물을 더 적게 담을 수 있습니다.

4-3 그릇의 크기가 같으므로 물의 높이가 더 높은 것에 물이 더 많이 들어 있습니다.

4-4 그릇의 크기가 같으므로 물의 높이가 더 낮은 것에 물이 더 적게 들어 있습니다.

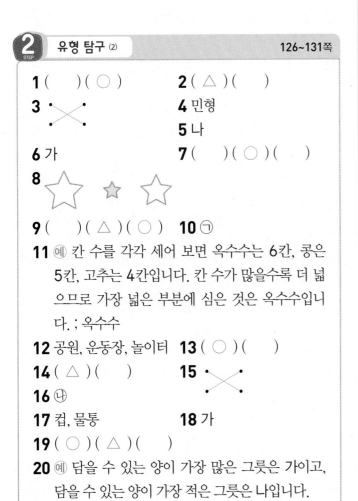

2 STEP 유형 탐구 (2)   126~131쪽

1 (   ) (○)
2 (△) (   )
3 (선 연결)
4 민형
5 나
6 가
7 (   ) (○) (   )
8 (별 그림)
9 (   ) (△) (○)
10 ㉠
11 ⑩ 칸 수를 각각 세어 보면 옥수수는 6칸, 콩은 5칸, 고추는 4칸입니다. 칸 수가 많을수록 더 넓으므로 가장 넓은 부분에 심은 것은 옥수수입니다. ; 옥수수
12 공원, 운동장, 놀이터
13 (○) (   )
14 (△) (   )
15 (선 연결)
16 ㉡
17 컵, 물통
18 가
19 (○) (△) (   )
20 ⑩ 담을 수 있는 양이 가장 많은 그릇은 가이고, 담을 수 있는 양이 가장 적은 그릇은 나입니다.

21 영수   **22** (○) (   )
23 (△) (○) (   )   **24** (   ) (○)
25 (2) (3) (1) **26** 현미
27 (○) (   )   **28** (그림)

29 (선 연결)   **30** (2) (1) (3)
                        31 가

32 ⑩ 물이 가장 많이 담긴 물통은 다입니다.

33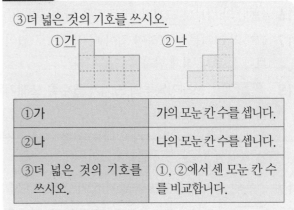

34 큰 컵에 ○표, 작은 컵에 ○표

35 ㉡

1 겹쳐 보았을 때 남는 부분이 있는 것을 찾습니다.

2 겹쳐 보았을 때 남는 부분이 없는 것을 찾습니다.

3 겹쳐 보았을 때 남는 부분이 있는 것이 더 넓습니다.
⇨ 달력이 더 넓고 색종이가 더 좁습니다.

4 넓이를 비교할 때는 완전히 겹쳐지도록 한 후 비교합니다.

5 생각열기 사진을 자르거나 접지 않고 액자에 넣으려면 사진보다 더 넓은 액자를 찾습니다.
사진보다 더 넓은 액자는 **나**입니다.

6 문제분석 본문 126쪽

③더 넓은 것의 기호를 쓰시오.
①가   ②나
(모눈 그림)

①가	가의 모눈 칸 수를 셉니다.
②나	나의 모눈 칸 수를 셉니다.
③더 넓은 것의 기호를 쓰시오.	①, ②에서 센 모눈 칸 수를 비교합니다.

가   나
(모눈 그림 가: 1~9, 나: 1~6)

가는 9칸이고 나는 6칸이므로 **가**가 더 넓습니다.

7 겹쳐 보면 가운데에 있는 모양이 가장 넓습니다.

8 서로 겹쳐 보면 제일 왼쪽에 있는 별이 가장 넓고, 가운데에 있는 별이 가장 좁습니다.

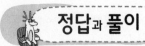

9 서로 겹쳐 보면 엽서가 가장 좁고, 서류 가방이 가장 넓습니다.

가장 좁다 ─── ─── 가장 넓다

10 넓이를 비교해 보면 ㉠이 가장 넓고 ㉡이 가장 좁습니다.

11 서술형 가이드 │ 칸 수가 많을수록 넓다는 것을 알고 각각의 칸 수를 센 후 비교하여 답을 구해야 합니다.

평가기준	각각의 칸 수를 세어 비교하여 답을 바르게 구함.	상
	칸 수를 세어 비교하였으나 답이 틀림.	중
	칸 수를 세어 넓이를 비교하지 못함.	하

12 두 개씩 넓이를 비교하여 더 넓은 것부터 써 보면 (공원, 운동장), (운동장, 놀이터)입니다. 따라서 넓은 것부터 차례로 써 보면 **공원, 운동장, 놀이터**입니다.

참고

두 개씩 비교한 것에서 공통으로 들어가는 운동장을 가운데에 연결되도록 씁니다.

(공원, 운동장)
(운동장, 놀이터) ⇨ 공원, 운동장, 놀이터

13 그릇의 크기를 비교하여 더 큰 것을 찾습니다.

14 그릇의 크기를 비교하여 더 작은 것을 찾습니다.

15 그릇의 크기가 클수록 담을 수 있는 양이 더 많습니다.

16 보기 의 컵보다 크기가 더 큰 컵을 찾습니다.

17 그릇의 크기를 비교하면 컵이 더 작으므로 **컵**이 물통보다 물을 더 적게 담을 수 있습니다.

18 생각열기 │ 쓰레기봉투의 크기가 클수록 쓰레기를 더 많이 담을 수 있습니다.

쓰레기봉투의 크기는 가가 나보다 더 크므로 선주가 산 쓰레기봉투는 **가**입니다.

19 그릇의 크기가 클수록 물을 더 많이 담을 수 있습니다.

20 서술형 가이드 │ 세 그릇의 크기를 비교하여 담을 수 있는 양이 가장 많은 그릇 또는 가장 적은 그릇을 문장으로 써야 합니다.

평가기준	그릇의 크기를 비교하여 담을 수 있는 양이 가장 많은 그릇 또는 가장 적은 그릇을 골라 문장으로 씀.	상
	바르게 비교하였으나 문장이 어색함.	중
	문장을 쓰지 못함.	하

21 해·법·순·서

① 담을 수 있는 주스의 양을 두 개씩 비교하여 더 많이 담을 수 있는 것부터 차례로 씁니다.
② ①의 결과에 맞게 가장 많이 담을 수 있는 것부터 차례로 씁니다.

두 개씩 비교하여 담을 수 있는 주스의 양이 더 많은 컵부터 차례로 써 보면 (영수, 지혜), (지혜, 희수)입니다. 따라서 영수, 지혜, 희수의 순서대로 주스를 많이 담을 수 있습니다.

⇨ 주스를 가장 많이 담을 수 있는 컵은 **영수**의 컵입니다.

다른 풀이

조건에 알맞게 그림을 그린 후 컵의 크기를 비교합니다.

   ⇨ 주스를 가장 많이 담을 수 있는 컵은 **영수**의 컵입니다.

영수 지혜 희수

22 생각열기 │ 컵의 모양과 크기가 같으므로 담긴 물의 높이를 비교합니다.

물의 높이가 높을수록 물이 더 많이 담긴 것입니다.

23 컵의 모양과 크기가 같으므로 담긴 우유의 높이를 비교합니다.

24 컵의 모양과 크기가 같으므로 보기 의 컵보다 담긴 물의 높이가 높은 것을 찾습니다.

25 병의 모양과 크기가 같으므로 담긴 물의 높이를 비교합니다.

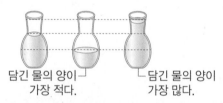

담긴 물의 양이 ─── ─── 담긴 물의 양이
가장 적다.   가장 많다.

26 생각열기 │ 남은 주스의 양이 가장 적은 사람이 주스를 가장 많이 마셨습니다.

현미의 컵에 주스가 가장 적게 남았으므로 **현미**가 주스를 가장 많이 마셨습니다.

27 담긴 물의 높이가 같으므로 그릇의 크기를 비교합니다.

⇨ 그릇의 크기가 클수록 담긴 물의 양이 많습니다.

28 담긴 물의 높이가 같으므로 그릇의 크기를 비교합니다.

더 적다   더 많다

29 담긴 물의 높이가 같으므로 그릇의 크기를 비교합니다.

30 생각열기 담긴 주스의 높이가 같으므로 그릇의 크기가 클수록 주스가 더 많이 담긴 것입니다.

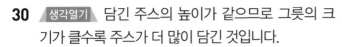

그릇의 크기가 가장 작으므로
담긴 주스의 양이 가장 적다.

그릇의 크기가 가장 크므로
담긴 주스의 양이 가장 많다.

31 담긴 주스의 높이가 같으므로 병이 클수록 담긴 주스의 양이 더 많습니다. ⇨ 가 병이 나 병보다 더 크므로 가 병에 들어 있는 주스가 더 많습니다.

32 서술형 가이드 담긴 물의 양을 비교하여 설명을 바르게 고쳤는지 확인합니다.

평가기준	담긴 물의 양을 비교하여 설명을 바르게 고침.	상
	담긴 물의 양을 비교하였으나 문장이 어색함.	중
	문장을 쓰지 못함.	하

'물이 가장 적게 담긴 물통은 가입니다.'도 답이 될 수 있습니다.

33 작은 컵에 물을 가득 담아 큰 컵으로 옮겨 담으면 물의 높이가 낮아집니다.

참고

큰 컵에 물을 가득 담아 작은 컵으로 옮겨 담으면 작은 컵에 물이 가득 찬 뒤 흘러 넘칩니다.

34 물이 흘러 넘쳤으므로 큰 컵에서 작은 컵으로 옮겨 담은 것입니다.

35 생각열기 물을 흘리지 않고 옮겨 담으려면 더 많이 담을 수 있는 컵으로 옮겨 담아야 하므로 더 큰 컵이 필요합니다.
보기 의 컵보다 더 큰 컵은 ㉡입니다.

해결의법칙 특강 창의·융합 132~133쪽

1 (○)( )	**2** (△)( )	**3** 2개	**4** 4개
5 ②	**6** ②	**7** 나	**8** 예

1 생각열기 똑같은 통에 줄이나 리본을 감으면 더 많이 감을수록 더 깁니다.

3바퀴 2바퀴

왼쪽에 줄을 더 많이 감았습니다.
⇨ 왼쪽의 줄이 더 깁니다.

2 아래쪽에 색 테이프를 더 많이 감았습니다.
⇨ 위쪽의 색 테이프가 더 짧습니다.

3 (사과 1개의 무게)=(귤 3개의 무게),
(바나나 1개와 사과 1개를 모은 무게)=(귤 5개의 무게)이므로 바나나 1개와 귤 3개를 모은 무게가 귤 5개의 무게와 같습니다.
따라서 바나나 1개의 무게는 귤 2개의 무게와 같습니다.

셀파 가·이·드

▶ 저울, 시소

양쪽의 무게가 같으면 어느 쪽으로도 기울어지지 않습니다.

4 (사과 1개의 무게)=(귤 3개의 무게)
(파인애플 1개와 사과 1개를 모은 무게)=(귤 7개의 무게)이므로 파인애플 1개와 귤 3개를 모은 무게가 귤 7개의 무게와 같습니다.
따라서 파인애플 1개의 무게는 귤 4개의 무게와 같습니다.

5 양쪽 끝이 맞추어져 있으므로 가장 덜 구부러진 길을 찾습니다.
⇨ ②번 과자를 지날 때 가장 짧은 길로 도착점까지 갈 수 있습니다.

6 양쪽 끝이 맞추어져 있으므로 가장 덜 구부러진 길이 가장 짧은 길입니다.
⇨ ②번 길이 가장 짧습니다.

7 가: 3칸, 나: 4칸 ⇨ **나**가 더 넓습니다.

8 면봉 10개로 칸 수가 4개보다 많은 모양을 만들어 봅니다.

> **셀파 가·이·드**
>
> ▶ 양쪽 끝이 맞추어져 있을 때 가장 짧은 것을 찾는 문제로 바꾸어 생각할 수 있습니다.

---

3 STEP 레벨 UP
134~135쪽

1 (예)   **2** 강현   **3** 지은   **4** 현정

5 (예) 양팔저울에서는 무거운 쪽이 아래로 내려가므로 노란 공이 빨간 공보다 더 무겁고 빨간 공이 파란 공보다 더 무겁습니다. 따라서 노란 공이 가장 무겁습니다. ; 노란 공   **6** 나

7   (예) 현주가 자른 모양 중 가장 넓은 조각은 ①이고, 은영이가 자른 모양 중 가장 넓은 조각은 ②입니다. ②가 ①보다 더 넓으므로 은영이의 것이 더 넓습니다. ; 은영

현주   은영

8 진수   **9** 동화책 2권   **10** 정미

---

1 양쪽 끝이 맞추어져 있을 때는 많이 구부러져 있을수록 더 깁니다.
⇨ (보기)의 줄넘기보다 줄이 더 많이 구부러지도록 그립니다.

2 위쪽 끝이 맞추어져 있으므로 아래쪽 끝을 비교하면 강현이가 가장 아래로 나와 있습니다. 따라서 **강현**이가 가장 큽니다.

3 칸 수를 세어 보면 수연: 5칸, 지은: 7칸, 철호: 6칸이므로 **지은**이의 땅이 가장 넓습니다.

4 현정이의 컵에 콜라가 더 적게 들어가므로 **현정**이의 병에 콜라가 더 많이 남습니다.

5 서술형가이드 저울 모양을 보고 세 공의 무게를 비교하여 가장 무거운 공을 찾을 수 있어야 합니다.

평가기준		
	두 공씩 무게를 비교하여 답을 바르게 씀.	상
	두 공씩 무게를 비교하였으나 답이 틀림.	중
	무게를 비교하지 못함.	하

> **셀파 가·이·드**
>
> ▶ 해·법·순·서
> ① 수연, 지은, 철호의 땅의 칸 수를 각각 세어 봅니다.
> ② 칸 수가 가장 많은 것을 찾습니다.

6 문제분석 ▶ 본문 135쪽

①물이 일정하게 나오는 3개의 수도꼭지로 가, 나, 다 세 그릇에 물을 동시에 받았습니다. 얼마 후 ②가에 물이 가득 찼습니다. 이때 나에는 아직 가득 차지 않았고, ③다는 물이 넘쳤습니다. ④물을 가장 많이 담을 수 있는 그릇은 어느 것입니까?

①물이 일정하게 나오는 3개의 수도꼭지로 가, 나, 다 세 그릇에 물을 동시에 받았습니다.	같은 시간동안 그릇에 담긴 물의 양이 같습니다.
②가에 물이 가득 찼습니다. 이때 나에는 아직 가득 차지 않았고	가에는 가득 차고 나에는 가득 차지 않았으므로 가보다 나에 더 많이 담을 수 있습니다.
③다는 물이 넘쳤습니다.	가는 가득 차고 다는 넘쳤으므로 다보다 가에 더 많이 담을 수 있습니다.
④물을 가장 많이 담을 수 있는 그릇은 어느 것입니까?	②, ③을 이용하여 가장 많이 담을 수 있는 그릇을 찾습니다.

다보다 가, 가보다 나에 더 많이 담을 수 있으므로 가장 많이 담을 수 있는 그릇은 **나**입니다.

7 서술형가이드 두 색종이에서 가장 넓은 조각을 각각 찾고 넓이를 비교하여 바르게 답을 구했는지 확인합니다.

평가기준	두 색종이에서 가장 넓은 조각을 각각 찾고 넓이를 비교하여 답을 바르게 구함.	상
	풀이 과정에서 실수하여 답이 틀림.	중
	답을 쓰지 못함.	하

8 두 명씩 앉은키를 비교하여 큰 사람부터 차례로 쓰면 (영희, 진수), (수민, 영희)입니다. 따라서 앉은키가 큰 사람부터 차례로 쓰면 수민, 영희, 진수입니다.
⇨ 앉은키가 가장 작은 **진수**가 가장 앞에 앉습니다.

9 문제분석 ▶ 본문 135쪽

①만화책 3권의 무게는 동화책 1권의 무게와 같습니다. ②동화책 2권과 만화책 5권 중 ③어느 것이 더 무겁습니까? (다만 같은 종류의 책은 무게가 모두 같습니다.)

①만화책 3권의 무게는 동화책 1권의 무게와 같습니다.	(동화책 1권의 무게) = (만화책 3권의 무게)
②동화책 2권과 만화책 5권 중	①의 관계를 이용하여 동화책 2권의 무게를 만화책의 무게로 나타냅니다.
③어느 것이 더 무겁습니까?	②를 이용하여 무게를 비교합니다.

(동화책 2권의 무게) = (동화책 1권의 무게) + (동화책 1권의 무게)
= (만화책 3권의 무게) + (만화책 3권의 무게)
= (만화책 6권의 무게)
⇨ **동화책 2권**이 만화책 5권보다 더 무겁습니다.

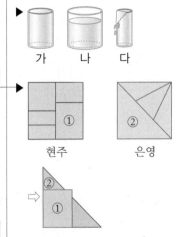

▶ 앉은키가 작을수록 앞에 앉으므로 가장 앞에 앉는 학생은 앉은키가 가장 작은 학생입니다.

10 문제분석 ▶ 본문 135쪽

③누구의 통에 음료수가 가장 많이 들어 있습니까?

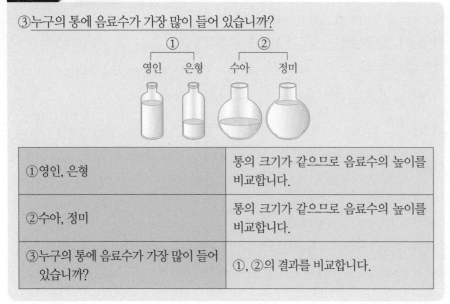

①영인, 은형	통의 크기가 같으므로 음료수의 높이를 비교합니다.
②수아, 정미	통의 크기가 같으므로 음료수의 높이를 비교합니다.
③누구의 통에 음료수가 가장 많이 들어 있습니까?	①, ②의 결과를 비교합니다.

① 영인, 은형: 통의 크기가 같으므로 음료수의 높이가 더 높은 영인이의 통에 더 많이 들어 있습니다.

② 수아, 정미: 통의 크기가 같으므로 음료수의 높이가 더 높은 정미의 통에 더 많이 들어 있습니다.

③ 영인, 정미: 음료수의 높이가 같으므로 통의 크기가 큰 정미의 통에 더 많이 들어 있습니다.

➪ 음료수가 가장 많이 들어 있는 통을 가지고 있는 사람은 **정미**입니다.

다른 풀이

(은형, 수아), (영인, 정미)를 각각 비교하여 풀 수 있습니다.
① 은형, 수아: 음료수의 높이가 같으므로 통의 크기가 큰 수아의 통에 더 많이 들어 있습니다.
② 영인, 정미: 음료수의 높이가 같으므로 통의 크기가 큰 정미의 통에 더 많이 들어 있습니다.
③ 수아, 정미: 통의 크기가 같으므로 음료수의 높이가 더 높은 정미의 통에 더 많이 들어 있습니다.

1회 단원 평가　136~138쪽

1 (　)
　(○)
2 (○)(　)
3 (○)(　)
4 (　)(△)
5 [선 잇기]
6 ㉯
7 (　)(○)(　)
8 수진
9 (○)(　)(△)
10 ③
11 (○)(　)(　)
12 예 자전거가 트럭보다 더 낮습니다.
13 ㉯
14 [그릇 그림]　예
15 승우
16 영민
17 선호
18 예 물이 흘러 넘칩니다.
19 예 칸 수가 많을수록 더 넓습니다. ㉮는 9칸, ㉯는 6칸이므로 ㉮가 ㉯보다 더 넓습니다. ; ㉮
20 은미

1 왼쪽 끝이 맞추어져 있으므로 오른쪽으로 더 나온 가위가 풀보다 더 깁니다.

2 아래쪽 끝이 맞추어져 있으므로 위쪽 끝을 비교합니다.

3 두 모양을 겹쳐 보면 왼쪽 모양이 남으므로 왼쪽 모양이 더 넓습니다.

4 그릇의 크기가 더 작은 것에 물을 더 적게 담을 수 있습니다.

5 길이: 더 길다, 더 짧다, 키: 더 크다, 더 작다, 넓이: 더 넓다, 더 좁다

6 양쪽 끝이 맞추어져 있으므로 곧은 길이 더 짧습니다.

7 담긴 물의 높이가 같으므로 그릇의 크기를 비교합니다.
➪ 크기가 가장 큰 가운데 그릇에 물이 가장 많이 담겨 있습니다.

8 물이 더 많이 들어 있는 것이 더 무겁습니다.
➪ 수진이의 컵이 더 무겁습니다.

9 가장 무거운 것은 사자이고 가장 가벼운 것은 쥐입니다.

10 ③ 공책은 달력보다 더 좁습니다.

11 아래쪽 끝이 맞추어져 있으므로 예슬이보다 위쪽으로 더 올라간 사람을 찾습니다.

12 [서술형 가이드] 트럭과 자전거의 높이를 비교하고 문장을 바르게 썼는지 확인합니다.

평가기준	트럭과 자전거의 높이를 비교하여 문장으로 바르게 나타냄.	상
	트럭과 자전거의 높이를 비교하였으나 문장이 어색함.	중
	문장을 쓰지 못함.	하

'트럭이 자전거보다 더 높습니다.'도 답이 될 수 있습니다.

13 개미 ㉮, ㉯, ㉰가 땅 위에서부터 간 길의 길이를 실로 재어 실의 길이를 비교해 보면 ㉯의 실의 길이가 가장 깁니다. 따라서 ㉯의 방이 가장 멉니다.

14
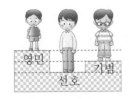
물의 높이가 왼쪽보다 높고 오른쪽보다 낮도록 그립니다.

15 광호는 3장 승우는 4장을 붙였으므로 **승우**가 색종이를 붙인 넓이가 더 넓습니다.

16 서 있는 곳의 높이를 비교하면 가장 높은 곳에 있는 사람은 **영민**입니다.

[주의]

가장 높은 곳에 있는 사람을 찾는 문제이므로 서 있는 곳(바닥)의 높이를 비교해야 합니다.

17 위쪽 끝이 맞추어져 있으므로 키가 가장 큰 사람은 가장 낮은 곳에 있는 사람입니다.
⇨ 가장 낮은 곳에 있는 사람은 선호이므로 **선호**의 키가 가장 큽니다.

18 [서술형 가이드] 담을 수 있는 양을 비교하여 무슨 일이 일어날지 생각하여 바르게 썼는지 확인합니다.

평가기준	물이 흘러 넘치는 상황을 바르게 서술함.	상
	무슨 일이 일어날지 서술하였으나 문장이 어색함.	중
	문장을 쓰지 못함.	하

19 [서술형 가이드] 칸 수가 많을수록 더 넓다는 것을 알고 ㉮와 ㉯의 칸 수를 비교하여 답을 구했는지 확인합니다.

평가기준	각각의 칸 수를 세어 답을 바르게 구함.	상
	칸 수를 세어 비교하였으나 답이 틀림.	중
	풀이 과정과 답을 쓰지 못함.	하

20 우유를 가장 적게 남긴 사람이 가장 많이 마신 사람입니다. ⇨ 남은 우유의 양이 가장 적은 **은미**가 우유를 가장 많이 마셨습니다.

2회 단원 평가 139~141쪽

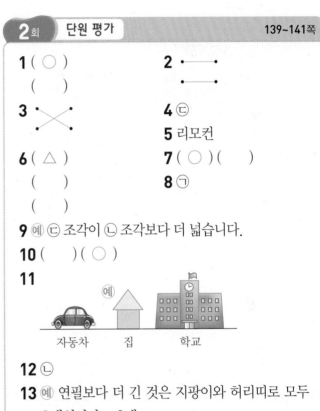

1 (○)
( )

2 (선 잇기)

3 (선 잇기)

4 ㉢

5 리모컨

6 (△)
( )
( )

7 (○)( )

8 ㉠

9 예 ㉢ 조각이 ㉡ 조각보다 더 넓습니다.

10 ( )(○)

11

자동차   집   학교

12 ㉡

13 예 연필보다 더 긴 것은 지팡이와 허리띠로 모두 2개입니다. ; 2개

14
(그림)

15 ㉢, ㉡, ㉠

16 ㉢

17 예 ㉮ 길은 7칸, ㉯ 길은 9칸이므로 ㉮ 길이 ㉯ 길보다 더 짧습니다. ; ㉮

18 강아지

19 ㉯

20 소나무

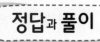
1 왼쪽 끝이 맞추어져 있으므로 오른쪽으로 더 나온 쪽의 줄이 더 깁니다.

2 남학생이 여학생보다 더 큽니다.

3 학교 운동장이 공원보다 더 넓습니다.

4 길이를 비교할 때 한쪽 끝을 모두 맞춥니다.

5 텔레비전이 가장 무겁고, **리모컨**이 가장 가볍습니다.

6 양쪽 끝이 맞추어져 있을 때에는 많이 구부러질수록 더 깁니다. ⇨ 가장 곧은 것을 찾아 △ 표 합니다.

7 사람이 많이 앉아있을수록 더 넓은 돗자리가 필요합니다.

8 세 조각을 서로 겹쳐 보면 ㉠ 조각이 가장 넓습니다.

9 서술형 가이드 두 조각의 넓이를 비교하고 바르게 문장을 써야 합니다.

평가기준	두 조각의 넓이를 비교하여 문장으로 바르게 나타냄.	상
	두 조각이 넓이를 비교하였으나 문장이 어색함.	중
	문장을 쓰지 못함.	하

'㉡ 조각이 ㉢ 조각보다 더 좁습니다.'도 답이 될 수 있습니다.

10 생각열기 고무줄이 아래로 더 많이 늘어난 것이 더 무겁습니다.

필통을 매단 고무줄보다 더 많이 늘어난 것은 사과를 매단 고무줄입니다.

⇨ 사과가 필통보다 더 무겁습니다.

11 생각열기 아래쪽 끝이 맞추어져 있으므로 위쪽 끝을 비교하여 그립니다.

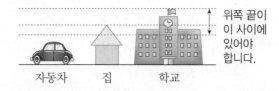

위쪽 끝이 이 사이에 있어야 합니다.

자동차 집 학교

12 보기 의 그릇보다 더 많은 양의 물을 담을 수 있는 그릇을 찾습니다.

13 서술형 가이드 연필과 나머지 물건들의 길이를 하나씩 비교하여 연필보다 더 긴 것을 모두 찾았는지 확인합니다.

평가기준	연필과 나머지 물건들의 길이를 비교하여 답을 바르게 구함.	상
	길이를 비교하였으나 답이 틀림.	중
	풀이 과정과 답을 쓰지 못함.	하

14 오른쪽 그림이 왼쪽 그림보다
① 머리카락이 더 짧습니다.
② 젓가락이 더 깁니다.
③ 접시가 더 넓습니다.
④ 식탁보가 더 넓습니다.

15 ㉠이 가장 넓고 ㉢이 가장 좁으므로 좁은 것부터 차례로 쓰면 ㉢, ㉡, ㉠입니다.

16 파란색 색연필은 빨간색 색연필보다 짧고, 노란색 색연필보다 깁니다.

⇨ 파란색 색연필은 빨간색 색연필과 노란색 색연필 사이인 ㉢에 놓아야 합니다.

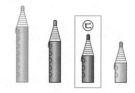

17 서술형 가이드 두 길의 길이를 각각 칸 수로 나타낸 후 비교하여 답을 구해야 합니다.

평가기준	두 길의 길이를 각각 칸 수로 나타낸 후 비교하여 답을 바르게 구함.	상
	길이를 칸 수로 나타내었으나 답이 틀림.	중
	풀이 과정과 답을 쓰지 못함.	하

18 두 동물씩 짝지어서 무거운 동물부터 적으면 (강아지, 고양이), (고양이, 토끼)입니다.
따라서 가장 무거운 동물은 **강아지**입니다.

19 솜을 채운 병이 물을 채운 병보다 더 가벼우므로 더 가벼운 병을 찾습니다. 양팔저울에서는 위로 올라간 쪽이 더 가벼우므로 솜을 채운 병은 ㉮입니다.

20 생각열기 두 개씩 비교한 것에서 공통으로 들어가는 사과나무를 가운데에 연결되도록 씁니다.
키가 큰 것부터 적으면

(사과나무, 감나무)
(소나무, 사과나무)   입니다.

⇨ 키가 가장 큰 것은 **소나무**입니다.

5. 50까지의 수

1 STEP 핵심 개념 (1) 145쪽

참고 모으기와 가르기

모으기와 가르기를 할 때 예를 들어 0과 10을 모으기 하여 10이 되는 것이나 10을 0과 10으로 가르기 하는 것은 부자연스럽고, 추상적인 사고를 요구하므로 이 단원에서는 다루지 않는 것이 바람직합니다. 다만 학생이 답으로 쓴 경우에는 정답으로 인정합니다.

1-1 10   **1-2** 10
2-1 14   **2-2** 십삼
3-1 14   **3-2** 7

1-2 사탕의 수는 9보다 1 큰 수이므로 10입니다.
2-1 10개씩 묶음 1개와 낱개 4개는 14입니다.
2-2 13은 십삼 또는 열셋이라고 읽습니다.
3-1 사과 7개와 귤 7개를 모으면 모두 14개입니다.

2 STEP 유형 탐구 (1) 146~151쪽

1 십, 열   **2** 예 (하트 12개)

3 10, 열, 십에 ○표
4 (1) 열에 ○표 (2) 십에 ○표
5 10   **6** 10   **7** 5, 5
8 (삼각형 8개) , 2
9 예 10은 3과 7로 가를 수 있으므로 연필을 필통에 3자루, 상자에 7자루 담았습니다. ; 7자루
10 14   **11** 16
12 (선잇기)   **13** (위부터) 십칠, 18, 열여덟
14 15개
15 19개   **16** 13, 14, 15
17 13, 12, 11

18 (별 모양 12~19)   **19** 17, 14
20 예 15부터 19까지의 수를 순서대로 쓰면 15-16-17-18-19입니다. 따라서 앞에서 둘째에 있는 수는 16입니다. ; 16
21 17번   **22** (동그라미 5개)
23 (위부터) 8, 15   **24** 예 (점 14개) ; 5, 9
25 15마리   **26** 8마리
27 (1) 12 (2) 17   **28** (1) 6 (2) 9
29 11, 십일, 열하나   **30** (선잇기)
31 예 1, 14 ; 2, 13 ; 3, 12
32 예 위의 수를 아래의 두 수로 가를 수 있습니다. ; 9
33 11자루   **34** 16장
35 5권

1 10은 십 또는 열이라고 읽습니다.
2 10개를 세어 색칠합니다.
3 사탕의 수를 세어 보면 10개입니다. 10은 십 또는 열이라고 읽습니다.
4 (1) 10살 ⇨ 열 살 (2) 10일 ⇨ 십 일
5 7보다 3 큰 수는 10입니다.
6 6과 4를 모으기 하면 10입니다.
7 구슬 10개를 5개, 5개로 가르기 했습니다.
8 △가 8개이므로 10이 되려면 △를 2개 더 그립니다. 8과 2를 모으기 하면 10입니다.
9 서술형 가이드 10을 3과 7로 가르기 할 수 있다는 것을 알고 상자에 있는 연필의 수를 구했는지 확인합니다.

평가기준		
10을 3과 7로 가르기 하여 답을 바르게 구함.	상
답을 구하였으나 풀이 과정을 쓰지 못함.	중
풀이 과정과 답을 쓰지 못함.	하

10 10개씩 묶음 1개와 낱개 4개는 14입니다.

11 생각열기 먼저 10개를 세어 묶어 봅니다.
10개씩 묶음 1개와 낱개 6개는 16입니다.

12 10개씩 묶음 1개와 낱개 몇 개인지 세어 봅니다.

13 10개씩 묶음 1개와 낱개 7개 ⇨ 17
10개씩 묶음 1개와 낱개 8개 ⇨ 18

14
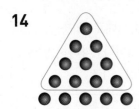
10개씩 묶어 보면 10개씩 묶음 1개와 낱개 5개이므로 바둑돌은 모두 15개입니다.

15 10개씩 묶음 1개와 낱개 9개는 19입니다.

16 11부터 15까지 순서대로 쓰면
11−12−13−14−15입니다.

17 15부터 순서를 거꾸로 하여 수를 쓰면
15−14−13−12−11입니다.

18 11−12−13−14−15−16−17−18−19
의 순서대로 선을 이어 봅니다.

19 19−18−⑰−16−15−⑭

20 서술형가이드 15부터 19까지의 수를 순서대로 쓰고 앞에서 둘째에 있는 수를 찾아야 합니다.

평가기준		
	15부터 19까지의 수를 순서대로 쓰고 답을 바르게 구함.	상
	수를 순서대로 썼으나 답을 구하지 못함.	중
	풀이 과정과 답을 쓰지 못함.	하

21 문제분석 ▶ 본문 149쪽

시우네 반 학생들이 ①앞에서부터 번호 순서대로 서 있습니다. ②시우는 몇 번입니까?

① 14번입니다.
앞
시우

①앞에서부터 번호 순서대로 서 있습니다. 14번입니다.	14부터 수의 순서대로 써 봅니다.
②시우는 몇 번입니까?	14부터 수의 순서대로 썼을 때 시우는 몇 번인지 확인합니다.

14부터 수를 순서대로 쓰면
14−15−16−⑰−18……입니다.
시우는 14번부터 시작하여 넷째에 있으므로 시우는 17번입니다.

22 13은 8과 5로 가르기 할 수 있습니다.
⇨ 빈 곳에 ◉를 5개 그려 넣습니다.

23 7과 8을 모으기 하면 15입니다.

24
보기와 같이 14개의 구슬 중 8개의 구슬을 보라색으로 색칠하면 연두색으로 색칠한 구슬은 6개가 됩니다.
⇨ 14는 8과 6으로 가르기 할 수 있습니다.

14개의 구슬 중 5개의 구슬을 보라색으로 색칠하면 연두색으로 색칠한 구슬은 9개가 됩니다.
⇨ 14는 5와 9로 가르기 할 수 있습니다.

참고
이외에도 여러 가지 방법으로 14를 가르기 할 수 있습니다.

14	1	2	3	4	5	6	7	8	…
	13	12	11	10	9	8	7	6	…

25 원숭이는 5마리, 오리는 10마리이므로 5와 10을 모으기 하면 15입니다.

26 원숭이가 5마리이므로 5와 어떤 수를 모으기 하면 13이 되는지 찾습니다.
⇨ 5와 8을 모으기 하면 13이므로 토끼는 8마리입니다.

27 (1) 4와 8을 모으기 하면 12입니다.
(2) 11과 6을 모으기 하면 17입니다.

28 (1) 13은 7과 6으로 가르기 할 수 있습니다.
(2) 19는 10과 9로 가르기 할 수 있습니다.

29 8과 3을 모으기 하면 11이고, 11은 **십일** 또는 **열하나**라고 읽습니다.

30 8과 9를 모으기 하면 17입니다.
13과 4를 모으기 하면 17입니다.

31 15를 여러 가지 방법으로 가르기 할 수 있습니다.

15	1	2	3	4	5	6	7	8	9	10	…
	14	13	12	11	10	9	8	7	6	5	…

32 서술형 가이드 모으기와 가르기를 이해하고 보기의 규칙을 찾아 답을 구했는지 확인합니다.

평가기준	규칙을 찾아 답을 바르게 구함.	상
	규칙을 찾았으나 답이 틀림.	중
	규칙을 찾지 못해 답을 구하지 못함.	하

18은 9와 9로 가르기 할 수 있으므로 빈 곳에 알맞은 수는 9입니다.

다른 풀이

아래의 두 수를 모으기 하면 위의 수가 됩니다. 9와 9를 모으기 하면 18이므로 빈 곳에 알맞은 수는 9입니다.

33 3 8 → 11

3과 8을 모으기 하면 11입니다.
⇨ 연필과 볼펜은 11자루입니다.

34 10 6 → 16

10과 6을 모으기 하면 16입니다.
⇨ 색종이는 16장입니다.

35 18 → 13 5

18은 13과 5로 가르기 할 수 있습니다.
⇨ 책 18권 중에 동화책은 5권입니다.

---

1 STEP **핵심 개념** (2)   153쪽

4-1 30		**4-2** 40	
4-3 이십, 스물		**4-4** 오십, 쉰	
5-1 25		**5-2** 3, 4, 34	

4-1 10개씩 묶음 3개는 30입니다.

4-2 10개씩 묶음 4개는 40입니다.

4-3 구슬이 10개씩 묶음 2개이므로 20입니다.
⇨ 이십, 스물

4-4 10개씩 묶음 5개는 50입니다. ⇨ 오십, 쉰

5-1 10개씩 묶음 2개와 낱개 5개는 25입니다.

5-2 10개씩 묶음 3개와 낱개 4개는 34입니다.

---

2 STEP **유형 탐구** (2)   154~157쪽

1
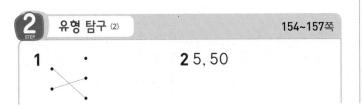

2 5, 50

---

3 4, 40   **4** 2, 20, 스물

5 예 서른은 10개씩 묶음이 3개입니다.

6

7 30개

8 오십, 쉰

9 20개

10 3개   **11** 3개, 2개

12 32개   **13** 2, 7, 27

14 (위부터) 4, 6, 22   **15** 29

16 35   **17** 21

18 43개   **19** 24개

20 예 보기와 같은 모양 1개를 만들려면 ▦이 10개 필요합니다. ▦은 24개이므로 보기와 같은 모양을 2개까지 만들 수 있습니다. ; 2개

21 사십칠, 마흔일곱   **22** (1) 41 (2) 24

23 삼십팔, 서른여덟   **24** 26, 44

25 삼십이, 서른둘

26 28, 이십팔, 스물여덟에 ○표
; 42, 사십이, 마흔둘에 △표

---

1 20(이십, 스물), 30(삼십, 서른)

2 10개씩 묶음 5개는 50입니다.

3 10개씩 묶음 4개는 40입니다.

4 10개씩 묶음 2개는 20이고, 이십 또는 스물이라고 읽습니다.

5 서술형 가이드 서른은 30이므로 10개씩 묶음 3개인 것을 알고 바르게 고쳤는지 확인합니다.

평가기준	서른이 10개씩 묶음 3개인 것을 알고 바르게 고침.	상
	틀린 부분을 찾았으나 문장이 어색함.	중
	틀린 부분을 찾지 못함.	하

다른 풀이

서른을 스물로 고쳐서 다음과 같이 쓸 수도 있습니다.
⇨ 스물은 10개씩 묶음이 2개입니다.

6 10개씩 묶음 4개 ⇨ 40(사십, 마흔)
10개씩 묶음 5개 ⇨ 50(오십, 쉰)

7 10개씩 묶음 3개는 30이므로 사과는 모두 30개입니다.

8 10개씩 묶음 5개는 50입니다. 50은 오십 또는 쉰이라고 읽습니다.

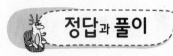
9 생각열기 10개씩 묶어 봅니다.

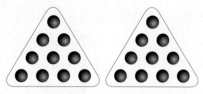

10개씩 묶음이 2개이므로 바둑돌은 모두 20개입니다.

10 문제분석 ▶ 본문 155쪽

①달걀 한 판에는 달걀이 서른 개 들어 있습니다. ②한 판에 있는 달걀을 10개씩 묶으면 묶음이 몇 개입니까?
①달걀 한 판에는 달걀이 서른 개 들어 있습니다.	서른 개를 수로 나타내어 봅니다.
②한 판에 있는 달걀을 10개씩 묶으면 묶음이 몇 개입니까?	①에서 구한 수를 보고 10개씩 묶음이 몇 개인지 구합니다.

서른 개는 30개이므로 10개씩 묶음이 3개입니다.

11 모형은 10개씩 묶음이 3개, 낱개 2개입니다.

12 생각열기 10개씩 묶음 ■개와 낱개 ▲개 ⇨ ■▲
10개씩 묶음 3개와 낱개 2개이므로 모형은 모두 32개입니다.

13 10개씩 묶음 2개와 낱개 7개는 27입니다.

14 47: 10개씩 묶음 4개와 낱개 7개
36: 10개씩 묶음 3개와 낱개 6개
22: 10개씩 묶음 2개와 낱개 2개

15 10개씩 묶음 2개와 낱개 9개는 29입니다.

16 생각열기 10개씩 묶어 봅니다.

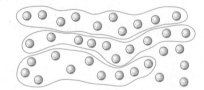

10개씩 묶음 3개와 낱개 5개는 35입니다.

17

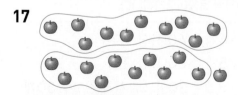

10개씩 묶음 2개와 낱개 1개는 21입니다.

18 10개씩 묶음 4개와 낱개 3개는 43입니다.
⇨ 지우개는 모두 43개입니다.

19

10개씩 묶음 2개와 낱개 4개는 24입니다.
⇨ 🟦은 모두 24개입니다.

20

서술형 가이드	모양 1개를 만드는 데 필요한 🟦의 수를 세어 🟦으로 모양을 몇 개까지 만들 수 있는지 구해야 합니다.

평가 기준	모양 1개를 만드는데 필요한 🟦의 수를 구하여 답을 구함.	상
	풀이 과정에서 실수하여 답이 틀림.	중
	풀이 과정과 답을 쓰지 못함.	하

21 4 7
사십 칠 ⇨ 사십칠
마흔 일곱 ⇨ 마흔일곱

22 (1) 사십 일   (2) 스물 넷
4 1 ⇨ 41   2 4 ⇨ 24

23 생각열기 10개씩 묶음의 수와 낱개의 수를 세어 그림이 나타내는 수를 찾습니다.
10개씩 묶음 3개, 낱개 8개는 38입니다.
⇨ 38은 삼십팔 또는 서른여덟이라고 읽습니다.

24 동화책 스물여섯 권: 26권
만화책 마흔네 권: 44권

25 10개씩 묶음이 3개이고 낱개가 2개인 수는 32입니다. 32는 삼십이 또는 서른둘이라고 읽습니다.

26 10개씩 묶음 2개, 낱개 8개 ⇨ 28, 이십팔, 스물여덟
10개씩 묶음 4개, 낱개 2개 ⇨ 42, 사십이, 마흔둘

---

1 STEP 핵심 개념 ⑶   159쪽

6-1 20
6-2 (위부터) 25, 26, 28, 29
6-3 30, 32   **6-4** 42
7-1 큽니다에 ○표   **7-2** 작습니다에 ○표
7-3 큽니다에 ○표   **7-4** 작습니다에 ○표

6-1 19보다 1 큰 수는 20입니다.

6-2 24보다 1 큰 수는 25, 25보다 1 큰 수는 26, 27보다 1 큰 수는 28, 28보다 1 큰 수는 29입니다.

6-3 30−31−32이므로 31보다 1 작은 수는 30이고, 31보다 1 큰 수는 32입니다.

6-4 41보다 1 큰 수는 42입니다.

7-1 10개씩 묶음의 수가 22는 2, 19는 1이므로 22는 19보다 큽니다.

7-2 10개씩 묶음의 수가 25는 2, 31은 3이므로 25는 31보다 작습니다.

7-3 24와 23은 10개씩 묶음의 수가 같으므로 낱개의 수를 비교합니다. 4가 3보다 크므로 24는 23보다 큽니다.

7-4 14와 16은 10개씩 묶음의 수가 같으므로 낱개의 수를 비교합니다. 4가 6보다 작으므로 14는 16보다 작습니다.

12 (1) 13 (2) 37, 39 **13** ·——·
14 36개
15 ⓔ 10개씩 묶음 4개와 낱개 2개인 수는 42입니다. 42보다 1 작은 수는 41입니다. ; 41
16 28 **17** 32
18 14번 **19** 33, 34
20 43 **21** 큽니다에 ○표
22 42에 ○표 **23** 39에 △표
24 31에 ○표, 13에 △표
25 26, 17 **26** 28에 ○표
27 정호
28 ( ) (×) / ⓔ 16은 40보다 작습니다.
29 작습니다에 ○표 **30** 35에 ○표
31 43에 △표
32 23에 ○표, 22에 △표
33 26 **34** 35, 39에 ○표
35 28, 29 **36** 감자
37 38 **38** 18
39 미영

1 1부터 40까지 수의 순서대로 씁니다.
2 41부터 50까지 수의 순서대로 씁니다.
3 36−37−38−39
4 17−18−19−20−21
5 생각열기 사물함에 순서대로 번호를 써 봅니다.

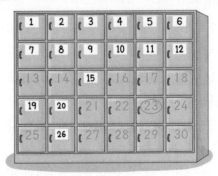

6 43−42−41−40−39
7 36−35−34−33−32
8 25−24−23−22−21−20이므로 맨 오른쪽에 있는 수 카드에 알맞은 수는 20입니다.

2 STEP 유형 탐구 (3) 160~165쪽

1 (위부터) 10, 13, 26, 27, 31, 39

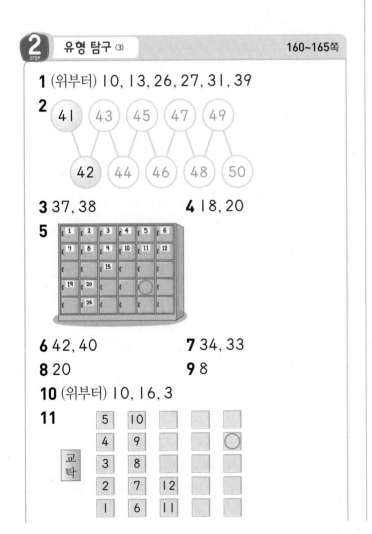

3 37, 38 **4** 18, 20
6 42, 40 **7** 34, 33
8 20 **9** 8
10 (위부터) 10, 16, 3

9

1	2	3	4	5
10	9	8	7	6

⤺ 모양 순서대로 썼습니다.

10

10	11	12	1
9	16	13	2
8	15	14	3
7	6	5	4

▣ 모양 순서대로 썼습니다.

11 해·법·순·서

① 1번부터 12번까지 수가 놓인 규칙을 찾습니다.
② 규칙에 맞게 빈 곳에 번호를 끝까지 써 봅니다.

5	10	15	20	25
4	9	14	19	24
3	8	13	18	23
2	7	12	17	22
1	6	11	16	21

교탁

↑↑↑↑↑ 모양 순서대로 수를 써 봅니다.

12 38보다 1 작은 수는 37, 38보다 1 큰 수는 39입니다.

13 34보다 1 작은 수는 33, 40보다 1 큰 수는 41입니다.

14 35보다 1 큰 수는 36입니다.

15 서술형 가이드 10개씩 묶음 4개와 낱개 2개인 수의 의미를 알고 그 수보다 1 작은 수를 바르게 구했는지 확인합니다.

평가기준	42를 먼저 구하고 42보다 1 작은 수를 바르게 구함.	상
	42는 구하였으나 답이 틀림.	중
	풀이 과정과 답을 쓰지 못함.	하

16 27-28-29이므로 27과 29 사이의 수는 28입니다.

17 31-32-33이므로 31과 33 사이의 수는 32입니다.

18 13-14-15이므로 13번과 15번 사이에는 14번이 서 있습니다.

19 32-33-34-35이므로 32번과 35번 백과사전 사이에는 33번과 34번 백과사전을 꽂아야 합니다.

20 해·법·순·서

① 41과 44 사이의 수를 구합니다
② ①의 수 중 42가 아닌 수를 구합니다.
41-42-43-44이므로 41과 44 사이의 수는 42와 43입니다. 나는 42가 아니므로 나는 43입니다.

21 10개씩 묶음의 수를 비교하면 3이 2보다 큽니다.
⇨ 31은 25보다 큽니다.

22 생각열기 10개씩 묶음의 수가 큰 쪽에 ○표 합니다.
10개씩 묶음의 수를 비교하면 4가 3보다 크므로 42가 39보다 큽니다.

23 생각열기 10개씩 묶음의 수가 작은 쪽에 △표 합니다.
10개씩 묶음의 수를 비교하면 3이 5보다 작으므로 39가 50보다 작습니다.

24 10개씩 묶음의 수를 비교하면 3이 1보다 크므로 31이 13보다 큽니다.

25 10개씩 묶음의 수를 비교하면 2가 1보다 큽니다.
⇨ 26은 17보다 큽니다.

26 10개씩 묶음의 수가 3보다 작은 것은 28입니다. 48과 50은 10개씩 묶음의 수가 3보다 큽니다.

27 36과 29의 10개씩 묶음의 수를 비교하면 36은 3, 29는 2이므로 36이 29보다 큽니다.
⇨ 정호가 우표를 더 많이 모았습니다.

28 서술형 가이드 10개씩 묶음의 수를 비교하여 틀리게 말한 사람을 찾고 바르게 고쳤는지 확인합니다.

평가기준	두 수의 크기를 비교하여 틀리게 말한 사람을 찾고 문장을 바르게 고침.	상
	틀리게 말한 사람을 찾았으나 문장이 어색함.	중
	틀리게 말한 사람을 찾지 못함.	하

29 10개씩 묶음의 수가 1로 같으므로 낱개의 수를 비교합니다. ⇨ 3은 5보다 작으므로 13은 15보다 작습니다.

30 10개씩 묶음의 수가 3으로 같으므로 낱개의 수를 비교합니다. ⇨ 5는 3보다 크므로 35는 33보다 큽니다.

31 10개씩 묶음의 수가 4로 같으므로 낱개의 수를 비교합니다. ⇨ 3은 7보다 작으므로 43은 47보다 작습니다.

32 10개씩 묶음의 수가 2로 같으므로 낱개의 수를 비교합니다. ⇨ 3은 2보다 크므로 23은 22보다 큽니다.

33 왼쪽 그림은 25, 오른쪽 그림은 26입니다. 25와 26의 낱개의 수를 비교하면 26이 더 큽니다.

34 10개씩 묶음의 수가 같으므로 낱개의 수가 2보다 큰 것을 찾으면 35, 39입니다.

35 10개씩 묶음이 2개인 수는 2■입니다.
27보다 커야 하므로 낱개의 수가 7보다 커야 합니다.
⇨ **28, 29**

36 문제분석 ▶ 본문 165쪽

감자와 고구마가 각각 다음과 같이 있습니다. ③감자
와 고구마 중 어느 것이 더 적습니까?

① 🥔 감자	마흔다섯 개
② 🍠 고구마	10개씩 4묶음과 낱개 8개

①감자 마흔다섯 개	감자의 수를 구합니다.
②고구마 10개씩 4묶음과 낱개 8개	고구마의 수를 구합니다.
③감자와 고구마 중 어느 것이 더 적습니까?	①과 ②에서 구한 수의 크기를 비교합니다.

감자 마흔다섯 개: 45개

고구마 10개씩 4묶음과 낱개 8개: 48개

10개씩 묶음의 수가 같고 낱개의 수는 5가 8보다 작으므로 45가 48보다 작습니다.

⇨ 더 적은 것은 **감자**입니다.

37

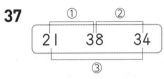

① 38이 21보다 큽니다.
② 38이 34보다 큽니다.
③ 34가 21보다 큽니다.

⇨ 큰 수부터 차례로 쓰면 38, 34, 21이므로 가장 큰 수는 **38**입니다.

38

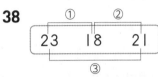

① 23이 18보다 큽니다.
② 21이 18보다 큽니다.
③ 23이 21보다 큽니다.

⇨ 큰 수부터 차례로 쓰면 23, 21, 18이므로 가장 작은 수는 **18**입니다.

39 26, 31, 29를 큰 수부터 차례로 쓰면 31, 29, 26이므로 가장 작은 수는 26입니다.

⇨ **미영**이가 가장 작은 수를 말하고 있습니다.

해결의 법칙 **특강** 창의·융합

166~167쪽

1 예 양쪽 ◯ 안의 수를 모으기 하면 가운데 ▨ 안의 수가 됩니다. **2** 15
3 주아 **4** 14, 15 **5** 26, 28 **6** 2
7 예 22부터 2씩 커집니다. **8** 46점, 37점 **9** 인호

1 서술형 가이드 양쪽 ◯ 안의 수를 모으기 하면 가운데 ▨ 안의 수가 된다는 규칙을 찾아 문장으로 썼는지 확인합니다.

평가기준	규칙을 찾아 바르게 씀.	상
	규칙을 찾았으나 문장이 어색함.	중
	규칙을 쓰지 못함.	하

셀파 가·이·드

▶ 15는 7과 8로 가를 수 있습니다.

▶ 15를 말하는 사람이 이깁니다.

2 7과 8을 모으기 하면 15입니다.

3 현수가 14까지 말한다면 주아가 그 다음 차례에 15를 말하므로 **주아**가 이기게 됩니다.

4 15를 말하는 사람이 이기므로 현수가 이기려면 다음 차례에 14, 15를 모두 말해야 합니다.

5 21-22-23-24-25-26-27-28이므로 빈 곳에 들어갈 수는 순서대로 26, 28입니다.

6 21-23-25-27 ⇨ 21부터 수가 2씩 커집니다.

7 서술형 가이드 22, 24, 26, 28을 보고 수가 2씩 커진 규칙을 찾아 문장으로 썼는지 확인합니다.

평가기준	규칙을 찾아 바르게 씀.	상
	규칙을 찾았으나 문장이 어색함.	중
	규칙을 쓰지 못함.	하

▶ 두 사람이 동전을 각각 10번씩 던 졌으므로 그림 면이 나온 횟수와 숫 자 면이 나온 횟수를 모으면 10이 됩니다.

인호 :

성미 :

8

	그림 면(10점)	숫자 면(1점)	점수
인호	4번	6번	46점
성미	3번	7번	37점

인호: 그림 면 4번과 숫자 면 6번 ⇨ 10점 4번과 1점 6번이므로 46점입니다.
성미: 그림 면 3번과 숫자 면 7번 ⇨ 10점 3번과 1점 7번이므로 37점입니다.

9 10개씩 묶음의 수를 비교하면 46은 4개, 37은 3개입니다. 4가 3보다 크므로 46이 37보다 큽니다. ⇨ 인호가 이겼습니다.

---

③ STEP **레벨 UP**   168~169쪽

1 ㄹ   **2** (위부터) 6, 8, 15   **3** 4개

4 예 ㄱ: 12와 3을 모으기 하면 15입니다. ㄴ: 8과 9를 모으기 하면 17입니다. 15와 17 중 17이 더 크므로 ㄴ이 더 큰 수입니다. ; ㄴ

5 4쪽   **6** 26   **7** 5, 7   **8** 19

9 16   **10** 50권

11 예 2, 3을 뽑아 만들 수 있는 수는 23, 32입니다. 2, 4를 뽑아 만들 수 있는 수는 24, 42입니다. 3, 4를 뽑아 만 들 수 있는 수는 34, 43입니다. 23, 32, 24, 42, 34, 43 중에서 가장 큰 수는 43입니다. ; 43

1 ㄹ 46: 사십육, 마흔여섯

2

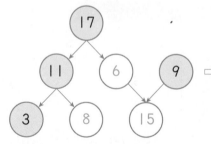 ⇨ 17은 11과 6으로 가르기 할 수 있습 니다.
11은 3과 8로 가르기 할 수 있습니다.
6과 9를 모으기 하면 15입니다.

3 낱개가 4보다 작으려면 ■는 0, 1, 2, 3 중 하나입니다.
⇨ 34보다 작은 3■는 30, 31, 32, 33으로 4개입니다.

4 서술형 가이드 ㄱ과 ㄴ의 수를 차례로 구한 후 두 수의 크기를 비교하여 더 큰 수를 구하는 풀 이 과정이 들어 있어야 합니다.

평가기준	ㄱ과 ㄴ의 수를 구한 후 두 수의 크기를 비교하여 답을 바르게 구함.	상
	ㄱ과 ㄴ의 수를 구하였으나 답이 틀림.	중
	ㄱ과 ㄴ의 수를 구하지 못함.	하

▶ 10개씩 묶음의 수가 3으로 같으므 로 낱개의 수를 비교하여 ■에 알맞 은 수를 구합니다.

5 생각열기 찢어지지 않은 쪽수 사이의 수를 써 봅니다.

38—39—40—41—42—43

38쪽과 43쪽 사이의 쪽들이 찢어졌습니다.

찢어진 부분은 39쪽, 40쪽, 41쪽, 42쪽으로 모두 4쪽입니다.

6 구하는 수를 ■▲ 라고 하면, 20보다 크고 30보다 작으므로 ■는 2입니다.

또 낱개가 5와 7 사이이므로 ▲ 는 6입니다.

⇨ 따라서 조건을 모두 만족하는 수는 26입니다.

셀파 가·이·드

▶ 해·법·순·서
① 구하는 수를 ■▲ 라고 합니다.
② 20보다 크고 30보다 작습니다.
  ⇨ ■를 구합니다.
③ 낱개가 5와 7 사이 ⇨ ▲를 구합니다.

7 문제분석 ▶ 본문 169쪽

①12를 두 수로 가르기 하였습니다. ②가르기 한 두 수의 차가 2일 때 두 수를 구하시오.

①12를 두 수로 가르기 하였습니다.	12를 가르기 할 수 있는 방법을 모두 찾습니다.
②가르기 한 두 수의 차가 2일 때 두 수를 구하시오.	①에서 구한 방법 중 두 수의 차가 2가 되는 경우를 찾습니다.

12를 여러 가지 방법으로 가르기 할 수 있습니다.

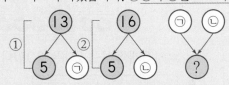

7—5＝2이므로 두 수의 차가 2가 되는 것은 두 수가 5와 7일 때입니다.

8 문제분석 ▶ 본문 169쪽

13과 16을 두 수로 가르기 하였습니다. ③㉠과 ㉡을 모으기 하면 얼마입니까?

①㉠	13을 가르기 하여 ㉠을 구합니다.
②㉡	16을 가르기 하여 ㉡을 구합니다.
③㉠과 ㉡을 모으기 하면 얼마입니까?	①과 ②에서 구한 두 수를 모으기 합니다.

13은 5와 8로 가르기 할 수 있습니다. ⇨㉠은 8입니다.

16은 5와 11로 가르기 할 수 있습니다. ⇨㉡은 11입니다.

8과 11을 모으기 하면 19입니다.

9 생각열기 ♥가 ★보다 몇 칸 뒤에 있는지 세어 봅니다.

♥는 ★보다 16칸 뒤에 있습니다. 따라서 ♥는 ★보다 16 큰 수입니다.

참고
수 배열표에서 1칸 뒤의 수는 1 크고 2칸 뒤의 수는 2 큽니다.
⇨ ■칸 뒤의 수는 ■ 큰 수입니다.

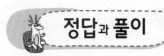

10 문제분석 ▶ 본문 169쪽

상록이는 ①깍두기공책 20권과 ②음악공책 30권을 샀습니다. 상록이는 ③모두 몇 권의 공책을 샀습니까?

①깍두기공책 20권	10권씩 묶음이 몇 개인지 구합니다.
②음악공책 30권	10권씩 묶음이 몇 개인지 구합니다.
③모두 몇 권의 공책을 샀습니까?	10권씩 묶음의 수를 더하여 전체 공책의 수를 구합니다.

20권은 10권씩 묶음이 2개이고, 30권은 10권씩 묶음이 3개입니다.
10권씩 묶음이 2+3=5(개)이므로 공책은 모두 50권입니다.

11 서술형가이드 3장의 숫자 카드로 만들 수 있는 몇십몇을 모두 구한 다음 크기를 비교하여 답을 구할 수 있어야 합니다.

평가기준	3장의 숫자 카드로 만들 수 있는 몇십몇을 모두 구하여 크기를 비교하고 답을 바르게 구함.	상
	몇십몇을 모두 구하였으나 답이 틀림.	중
	풀이 과정과 답을 쓰지 못함.	하

다른 풀이
① 구하는 수 몇십몇을 ■▲라고 합니다.
② 10개씩 묶음의 수가 클수록 큰 수이므로 ■는 가장 큰 수인 4가 되어야 합니다.
③ 남은 두 수를 ▲ 자리에 넣어 보면 42, 43이 되고 이 중 43이 42보다 크므로 가장 큰 수는 43입니다.

1회 단원 평가   170~172쪽

1 10, 열   **2** 1, 4, 14
3 2, 20   **4** 35
5 이십육, 스물여섯   **6** 2, 2
7 (위부터) 5, 6, 11   **8** 2통
9 1개   **10** (1) 10 (2) 18
11 (1) 8 (2) 4   **12** ㉠
13 수지
14

11	12	13	14	15	16	17	18	19	20
21	22	23	24	25	26	27	28	29	30
31	32	33	34	35	36	37	38	39	40

15 예 오른쪽으로 1칸 갈 때마다 1씩 커집니다.
16 외삼촌   **17** 46
18 27장   **19** 42
20 예 원래 있던 색종이는 10장씩 1묶음과 낱개 5장이므로 15장입니다. 15와 3을 모으면 18이므로 모두 18장입니다. ; 18장

1 9보다 1 큰 수는 10이고 십 또는 열이라고 읽습니다.
2 10개씩 묶음 1개와 낱개 4개는 14입니다.
3 생각열기 10개씩 묶음 ■개 ⇨ ■0

⇨ 10개씩 묶음 2개는 20입니다.

4

10개씩 묶음 3개
⇨ 와 낱개 5개는 35
입니다.

5

10개씩 묶음 2개와 낱개 6개이므로 26입니다.
⇨ 26은 이십육 또는 스물여섯이라고 읽습니다.

6 10은 8보다 2 크고, 8은 10보다 2 작습니다.
7 5와 6을 모으기 하면 11입니다.

8 수박은 8통, 감은 10개이므로 수박의 수와 감의 수가 같아지려면 수박이 2통 더 있어야 합니다.

9 사과는 9개, 감은 10개이므로 사과의 수와 감의 수가 같아지려면 사과가 1개 더 있어야 합니다.

10 4와 6을 모으기 하면 10이고, 7과 11을 모으기 하면 18입니다.

11 10은 2와 8로 가르기 할 수 있고, 13은 9과 4로 가르기 할 수 있습니다.

12 10개씩 묶음의 수를 비교하면 15가 가장 작습니다. 나머지 두 수 29와 20의 크기를 비교하면 10개씩 묶음의 수는 같고 9가 0보다 크므로 29가 더 큽니다.
⇨ 가장 큰 수는 29입니다.

13 10층은 십 층이라고 읽습니다.
⇨ 10을 바르게 읽은 사람은 **수지**입니다.

14 11부터 수의 순서대로 써넣습니다.

15 [서술형 가이드] 오른쪽으로 1칸씩 갈 때마다 1씩 커지는 규칙을 찾아 써야 합니다.

평가 기준	규칙을 찾아 바르게 씀.	상
	규칙을 찾았으나 문장이 어색함.	중
	규칙을 쓰지 못함.	하

16 [생각열기] 수가 더 클수록 나이가 많으므로 두 수의 크기를 비교합니다.
10개씩 묶음의 수를 비교하면 4가 3보다 크므로 41이 36보다 큽니다. 따라서 **외삼촌**의 나이가 이모의 나이보다 더 많습니다.

17 45와 48 사이의 수는 46, 47입니다. 이중 낱개가 6개인 수는 46입니다.

18 10개씩 묶음 2개와 낱개 7개는 27입니다.

19 [해·법·순·서]
① 숫자 카드를 1번씩 사용하여 만들 수 있는 몇십몇을 모두 구합니다.
② ①에서 구한 수의 크기를 비교하여 더 큰 수를 찾습니다.
2, 4로 만들 수 있는 수: 24, 42
⇨ 24, 42 중 더 큰 수는 42입니다.

20 [서술형 가이드] 원래 있던 색종이의 수를 구한 후 오늘 사 온 색종이의 수와 모아서 답을 구해야 합니다.

평가 기준	원래 있던 색종이의 수를 구하여 답을 바르게 구함.	상
	풀이 과정에서 실수하여 답이 틀림.	중
	풀이 과정과 답을 쓰지 못함.	하

[2회] 단원 평가　　　　　　173~175쪽

1 47　　　　**2** 사십, 마흔
3 10, 4　　　**4** 38, 40
5 33에 ○표　　**6** 27에 △표
7 ·······(교차선)　　**8** ·······(교차선)
9 (1) 14 (2) 13　　**10** (1) 6 (2) 9
11 (　) (○)

12
15	16	17	18	19	20	21
22	23	24	25	26	27	28
29	30	31	32	33	34	35

13 ① [예] 42는 33보다 큽니다.
　② [예] 33은 42보다 작습니다.
14 3개　　　　**15** (△) (　)
16 10개　　　**17** 26
18 8
19 [예] 40보다 크고 47보다 작은 수는 41, 42, 43, 44, 45, 46으로 모두 6개입니다. ; 6개
20 12

1 10개씩 묶음 4개와 낱개 7개는 47입니다.

2 10개씩 묶음 4개는 40입니다.
⇨ 40은 **사십** 또는 **마흔**이라고 읽습니다.

3

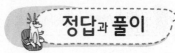

|칸 2칸 3칸 4칸 5칸
0 | 2 3 4 ⑤ ⑥ 7 8 9 ⑩
|칸 2칸 3칸 4칸

5보다 5 큰 수는 5에서 5칸 오른쪽에 있는 10입니다. 10은 6에서 4칸 오른쪽에 있으므로 6보다 4 큽니다.

다른 풀이

모으기와 가르기를 이용합니다.
5와 5를 모으기 하면 10이므로 5보다 5 큰 수는 10입니다.
10은 6과 4로 가르기 할 수 있으므로 10은 6보다 4 큽니다.

4 39보다 | 작은 수는 38, 39보다 | 큰 수는 40입니다.

5 10개씩 묶음의 수가 3으로 같으므로 낱개의 수를 비교합니다. 3이 |보다 크므로 33이 31보다 큽니다.

6 10개씩 묶음의 수를 비교하면 2가 3보다 작으므로 27이 32보다 작습니다.

7

(그림)	10개씩 묶음 2개와 낱개 5개 ⇨ 25
(그림)	10개씩 묶음 3개와 낱개 |개 ⇨ 31
(그림)	10개씩 묶음 3개와 낱개 3개 ⇨ 33

8 10개씩 묶음 |개: 10(십, 열)
10개씩 묶음 3개: 30(삼십, 서른)
10개씩 묶음 5개: 50(오십, 쉰)

9 (1) 9와 5를 모으기 하면 14입니다.
(2) ||과 2를 모으기 하면 13입니다.

10 (1) 10은 6과 4로 가르기 할 수 있습니다.
(2) 17은 8과 9로 가르기 할 수 있습니다.

11
9 5   7 8
↓   ↓
14   15

⇨ 모으기를 하여 15가 되는 쪽은 7과 8이 들어 있는 오른쪽 주머니입니다.

12 15부터 35까지의 수를 순서에 맞게 써넣습니다.

13 서술형 가이드 두 수의 크기를 비교하여 문장으로 쓸 수 있어야 합니다.

평가기준	두 수의 크기를 비교하여 문장을 바르게 씀.	상
	두 수의 크기를 비교하였으나 문장이 어색함.	중
	문장을 쓰지 못함.	하

14 30은 10개씩 묶음이 3개입니다.

15 해·법·순·서

① 서른다섯과 마흔을 각각 수로 나타냅니다.
② 두 수의 크기를 비교합니다.
서른다섯: 35, 마흔: 40
10개씩 묶음의 수를 비교하면 3이 4보다 작으므로 35가 40보다 작습니다.

16 남은 사탕의 수 5와 먹은 사탕의 수 5를 모으기 하면 10이므로 처음에 가지고 있던 사탕은 10개입니다.

17 24-25-26이므로 25번은 24번과 26번 사이에 서야 합니다. ⇨ ㉠에 알맞은 수는 26입니다.

18 해·법·순·서

① 🥔에 알맞은 수를 구합니다.
② 🍎에 알맞은 수를 구합니다.
③ ①과 ②에서 구한 두 수의 합을 구합니다.
35는 10개씩 묶음 3개와 낱개 5개입니다.
⇨ 🥔는 3이고 🍎는 5입니다. 따라서 🥔와 🍎의 합은 3+5=8입니다.

19 서술형 가이드 40보다 크고 47보다 작은 수를 모두 구하고 수를 바르게 세었는지 확인합니다.

평가기준	40보다 크고 47보다 작은 수를 모두 구하고 수를 세어 답을 바르게 구함.	상
	풀이 과정에서 실수하여 답이 틀림.	중
	풀이 과정과 답을 쓰지 못함.	하

20 생각열기 2장의 숫자 카드를 뽑아 만들 수 있는 수를 모두 구한 후 크기를 비교해 봅니다.

① 4, 2를 뽑을 때 : 42, 24
② 2, |을 뽑을 때 : 21, 12
③ 4, |을 뽑을 때 : 41, 14
⇨ 42, 24, 21, 12, 41, 14 중 10개씩 묶음의 수가 가장 작은 것은 12와 14입니다. 12와 14의 낱개의 수를 비교하면 2가 4보다 작으므로 12가 가장 작습니다.

모든 유형을
다 담은
해결의 법칙

차례 ───────── 1-1

초등학교   학년   반   번   이름:

점수   확인

1 수를 세어 □ 안에 써넣으시오.

2 순서에 알맞게 수를 써 보시오.

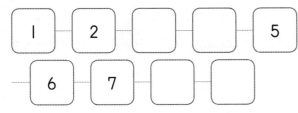

3 수를 세어 알맞은 것에 ○표 하시오.

(오 , 칠 , 구 , 육)

4 더 큰 수에 ○표, 더 작은 수에 △표 하시오.

5 왼쪽에서부터 알맞게 색칠하시오.

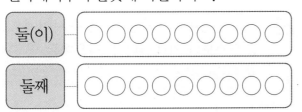

6 딸기의 수를 □ 안에 써넣으시오.

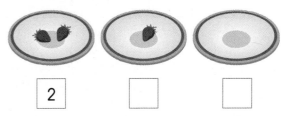

7 일곱째에 맞는 그림을 찾아 ○표 하시오.

첫째

8 수만큼 △를 그리고 알맞은 말에 ○표 하시오.

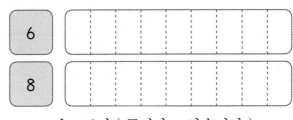

6은 8보다 (큽니다 , 작습니다).

9 그림을 보고 두 수의 크기를 비교하려고 합니다. □ 안에 알맞은 수를 써넣으시오.

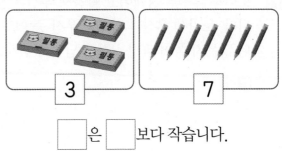

□ 은 □ 보다 작습니다.

10 1 작은 수와 1 큰 수를 써 보시오.

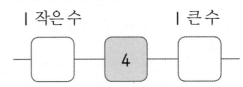

11 3보다 작은 수에 모두 색칠하시오.

| 1 | 2 | 3 | 4 | 5 |

| 6 | 7 | 8 | 9 |

서술형

12 보기 와 같이 수를 넣어 문장을 써 보시오.

┌─ 보기 ─────────────────────────┐
  ⑦ ⇨ 분필이 7개 있습니다.
└───────────────────────────────┘

⑧ ⇨ _____

_____

13 □ 안에 알맞은 수를 써넣으시오.

(1) ☐ 은 2보다 1 큰 수입니다.

(2) ☐ 은 4보다 1 작은 수입니다.

서술형

14 노란색 우산은 3개이고 빨간색 우산은 5개입니다. 노란색 우산과 빨간색 우산 중 어느 것이 더 많은지 풀이 과정을 쓰고 답을 구하시오.

[풀이]

_____

_____

[답]

15 5보다 1 큰 수를 두 가지 방법으로 읽어 보시오.

(   ), (   )

16 가장 작은 수에 ◯표 하시오.

| 8   4   6 |

창의·융합

17 장선, 민주, 안나가 가위바위보를 하였습니다. 펼친 손가락의 수가 가장 큰 사람은 누구입니까?

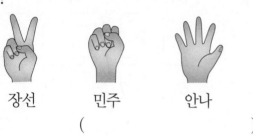

장선   민주   안나

(   )

18 8보다 1 큰 수는 왼쪽에서 몇째입니까?

| 4   7   5   8   6   9   3 |

(   )

19 은지는 수학 시험에서 7등을 하였습니다. 은지보다 높은 점수를 얻은 학생은 모두 몇 명입니까? (단, 같은 점수를 얻은 학생은 없습니다.)

(   )

20 정윤이는 아파트의 5층과 8층 사이에 살고 있고 7층보다 아래입니다. 정윤이는 몇 층에 살고 있습니까?

(   )

1. 9까지의 수

점수 | 확인

초등학교   학년   반   번   이름:

---

1 수를 세어 □ 안에 써넣으시오.

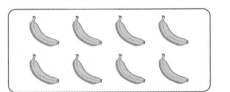

□

2 수를 세어 두 가지 방법으로 읽어 보시오.

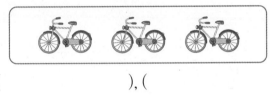

(   ), (   )

3 더 큰 수에 ○표, 더 작은 수에 △표 하시오.

| 8 | 9 |

4 책의 수를 오른쪽에서 찾아 선으로 이어 보시오.

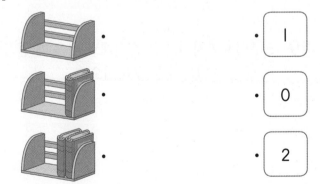

5 □ 안에 알맞은 수를 써넣으시오.

8보다 I 작은 수는 □입니다.

---

6 여섯째에 맞는 그림을 찾아 ○표 하시오.

첫째

7 그림을 보고 두 수의 크기를 비교하려고 합니다. □ 안에 알맞은 수를 써넣으시오.

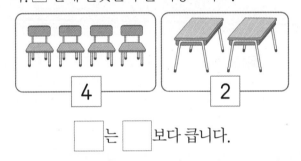

□ 는 □ 보다 큽니다.

8 왼쪽의 수만큼 묶어 보고 묶지 않은 것을 세어 오른쪽에 수를 써넣으시오.

9 I 작은 수와 I 큰 수를 써 보시오.

I 작은 수   I 큰 수

□ — 3 — □

10 8보다 I 큰 수를 나타내는 것에 ○표 하시오.

| 6 | 일곱 | 7 | 아홉 |

11 순서를 거꾸로 하여 수를 써 보시오.

| 9 | | | 6 | |

서술형

12 장미는 6송이 있고 국화는 9송이 있습니다. 장미와 국화 중 어느 것이 더 적은지 풀이 과정을 쓰고 답을 구하시오.

[풀이]

[답]

13 □ 안에 알맞은 수를 써넣으시오.

4는 □보다 1 큰 수입니다.

창의·융합

14 다음을 읽고 □ 안에 알맞은 수를 써넣으시오.

난 연필 한 자루를 더 살 거야.

진호

진호가 가지고 있는 연필의 수는 6입니다. 연필 한 자루를 더 사면 진호가 가지고 있는 연필의 수는 6보다 1 큰 수인 □이 됩니다.

15 가장 큰 수에 ○표 하시오.

7   5   9

서술형

16 7보다 1 작은 수를 두 가지 방법으로 읽으려고 합니다. 풀이 과정을 쓰고 답을 구하시오.

[풀이]

[답]

17 2보다 크고 5보다 작은 수는 모두 몇 개입니까?

(   )

18 가장 작은 수는 오른쪽에서 몇째입니까?

| 4 | 2 | 3 | 8 | 5 |

(   )

19 5부터 9까지의 수를 순서대로 썼을 때 왼쪽에서 둘째에 있는 수를 구하시오.

(   )

20 다음을 모두 만족하는 수를 구하시오.

• 4와 9 사이에 있는 수입니다.
• 6보다 작은 수입니다.

(   )

1. 9까지의 수

초등학교   학년   반   번   이름:

1 그림을 보고 알맞은 수를 넣어 문장을 써 보시오.

[문장]

2 은서와 흥식이 중 <u>잘못</u> 말한 사람의 이름을 쓰고 잘못 말한 내용을 바르게 고치시오.

> 은서: 아무것도 없는 것을 0이라 써.
> 흥식: 2보다 1 작은 수는 0이야.

[이름]

[바르게 고치기]

정윤이와 장선이 중 더 큰 수를 말한 사람은 누구인지 알아보려고 합니다. 물음에 답하시오. [**3 ~ 5**]

일곱 또는 칠이라고 읽어.

여덟 또는 팔이라고 읽어.

정윤   장선

3 정윤이가 말한 수를 쓰시오.

(   )

4 장선이가 말한 수를 쓰시오.

(   )

5 정윤이와 장선이 중 더 큰 수를 말한 사람은 누구인지 풀이 과정을 쓰고 답을 구하시오.

[풀이]

[답]

그림을 보고 왼쪽의 수만큼 묶었을 때 묶지 않은 것을 세어 수를 쓰려고 합니다. 물음에 답하시오. [**6 ~ 7**]

7	● ● ● ● ● ● ● ●

6 왼쪽의 수만큼 묶어 보시오.

7 왼쪽의 수만큼 묶었을 때 묶지 않은 것을 세어 수를 쓰려고 합니다. 풀이 과정을 쓰고 답을 구하시오.

[풀이]

[답]

8 빨간색 구슬은 8개이고 파란색 구슬은 6개입니다. 빨간색 구슬과 파란색 구슬 중 어느 것이 더 적은지 풀이 과정을 쓰고 답을 구하시오.

[풀이]

[답]

9 7보다 큰 수에 모두 색칠하려고 합니다. 색칠해야 할 수는 무엇인지 풀이 과정을 쓰고 답을 구하시오.

1	2	3	4	5
6	7	8	9	

[풀이]

[답]

10 다음 수를 두 가지 방법으로 읽으려고 합니다. 풀이 과정을 쓰고 답을 구하시오.

> 5보다 1 작은 수

[풀이]

[답]

2. 여러 가지 모양

초등학교   학년   반   번   이름:

점수 | 확인

📖 왼쪽과 같은 모양에 ◯표 하시오. [1 ~ 2]

1

(　　)(　　)(　　)

2

(　　)(　　)(　　)

3 다음 모양을 찾아 ◯표 하시오.

(, ,)

4 모양이 <u>아닌</u> 것에 ×표 하시오.

(　　) (　　) (　　)

5 같은 모양을 찾아 선으로 이어 보시오.

---

6 다음에서 설명하는 모양을 찾아 ◯표 하시오.

> 평평한 부분 없이 둥글어서 잘 굴러갑니다.

(, , )

7 모양이 다른 하나에 ◯표 하시오.

(　　) (　　) (　　)

📖 그림을 보고 물음에 답하시오. [8 ~ 10]

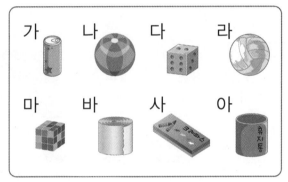

8 🟦 모양을 모두 찾아 쓰시오.

(　　　　　　　)

9 🔵 모양을 모두 찾아 쓰시오.

(　　　　　　　)

서술형

10 나와 같은 모양을 찾아 쓰려고 합니다. 풀이 과정을 쓰고 답을 구하시오.

[풀이]

[답]

11 그림에서 사용된 모양을 모두 찾아 ○표 하시오.

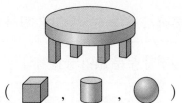

( , ,)

12 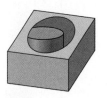 모양만 사용하여 만든 모양을 찾아 ○표 하시오.

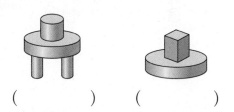

( ) ( )

13 상자 안의 물건을 보고 알맞은 모양을 찾아 ○표 하시오.

(, ,)

14 **13**번 모양의 특징을 쓰시오.

[특징]

15 , , 모양의 수를 세어 □ 안에 써 넣으시오.

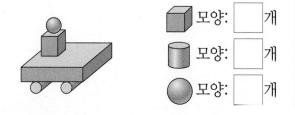

모양: □ 개

모양: □ 개

모양: □ 개

16 쌓을 수 있는 물건에 모두 ○표 하시오.

( ) ( ) ( )

창의·융합
17 다른 부분을 모두 찾아 ○표 하시오.

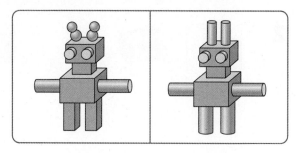

오른쪽 모양을 보고 물음에 답하시오. [**18 ~ 20**]

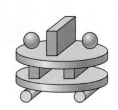

18 , , 모양의 수를 세어 □ 안에 써 넣으시오.

모양: □ 개

모양: □ 개

모양: □ 개

19 가장 많이 사용된 모양을 찾아 ○표 하시오.

( , ,)

20 가장 적게 사용된 모양을 찾아 ○표 하시오.

( , ,)

2. 여러 가지 모양

B형

초등학교   학년   반   번   이름:

점수	확인

1 왼쪽과 같은 모양에 ○표 하시오.

(   )(   )(   )

2 다음 모양을 찾아 ○표 하시오.

(, , ○)

3 ⚫ 모양이 <u>아닌</u> 것에 ×표 하시오.

(   ) (   ) (   )

4 다음에서 설명하는 모양을 찾아 ○표 하시오.

> 눕히면 잘 굴러가고 세우면 쌓을 수 있습니다.

(, , ○)

5 모양이 다른 하나는 어느 것입니까? (   )

①   ②   ③

④   ⑤

📖 그림을 보고 물음에 답하시오. [**6 ~ 8**]

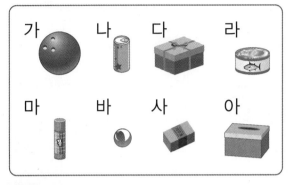

가 나 다 라
마 바 사 아

6 ⬜ 모양을 모두 찾아 쓰시오.

(   )

7 ⬛ 모양을 모두 찾아 쓰시오.

(   )

8 ⚫ 모양을 모두 찾아 쓰시오.

(   )

서술형

9 오른쪽 물건이 ⬛ 모양이 <u>아닌</u> 이유를 쓰시오.

[이유]

_____

_____

10 그림에서 사용된 모양을 모두 찾아 ○표 하시오.

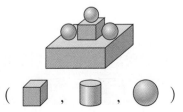

(⬜ , ⬛ , ○)

11 오른쪽 그림에서 사용되지 않은 모양을 찾아 ○표 하시오.

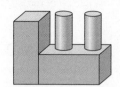

()

12 상자 안의 물건의 특징을 쓰시오.

[특징]

_____

13 정윤이와 은서가 모양을 만들었습니다. 두 사람이 모두 사용한 모양을 찾아 ○표 하시오.

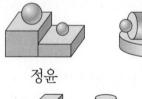

정윤   은서

()

📖 오른쪽 모양을 보고 물음에 답하시오. [**14 ~ 15**]

14 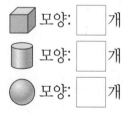 모양의 수를 세어 □ 안에 써넣으시오.

          모양: □ 개

          모양: □ 개

          모양: □ 개

15 사용된 모양의 수가 다른 하나에 ○표 하시오.

()

16 다른 부분을 모두 찾아 ○표 하시오.

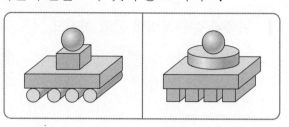

17 보기 의 모양을 모두 사용하여 만든 모양을 찾아 ○표 하시오.

보기

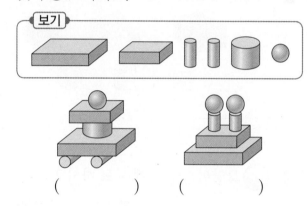

(   )   (   )

📖 오른쪽 모양을 보고 물음에 답하시오. [**18 ~ 20**]

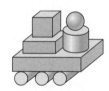

18 🔲, 🔵, ⚪ 모양의 수를 세어 □ 안에 써넣으시오.

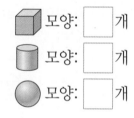

          모양: □ 개

          모양: □ 개

          모양: □ 개

19 가장 많이 사용된 모양을 찾아 ○표 하시오.

()

20 가장 적게 사용된 모양을 찾아 ○표 하시오.

()

2. 여러 가지 모양

초등학교   학년   반   번   이름:

점수 | 확인

1 모양이 다른 하나를 찾아 쓰려고 합니다. 풀이 과정을 쓰고 답을 구하시오.

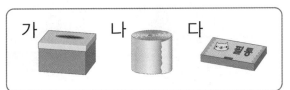

[풀이]

_____

_____

_____

_____

[답]

2 잘못 말한 사람의 이름을 쓰고 잘못 말한 내용을 바르게 고치시오.

> 유성: ⬤ 모양은 모든 부분이 둥글어.
>
> 수지: ⬛ 모양은 평평한 부분과 둥근 부분이 다 있어.

[이름]

[바르게 고치기]

_____

_____

_____

그림을 보고 물음에 답하시오. [**3** ～ **5**]

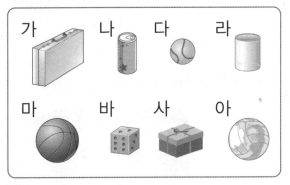

3 ⬛ 모양을 모두 찾아 쓰시오.

(   )

4 ⬕ 모양을 모두 찾아 쓰시오.

(   )

5 다와 같은 모양을 모두 찾아 쓰려고 합니다. 풀이 과정을 쓰고 답을 구하시오.

[풀이]

_____

_____

_____

[답]

6 현철이와 정현이 중 상자 안의 물건의 특징을 바르게 말한 사람은 누구인지 풀이 과정을 쓰고 답을 구하시오.

둥근 부분도 있고 평평한 부분도 있어.

뾰족한 부분이 있고 잘 쌓을 수 있어.

현철

정현

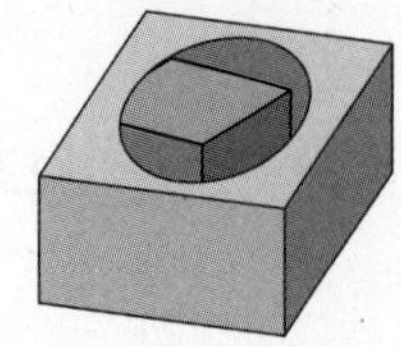

[풀이]

[답]

7 오른쪽 물건이 🔲 모양이 아닌 이유를 쓰시오.

[이유]

정윤이와 은서가 모양을 만들었습니다. ⬤ 모양을 더 많이 사용한 사람은 누구인지 알아보려고 합니다. 물음에 답하시오. [**8 ~ 10**]

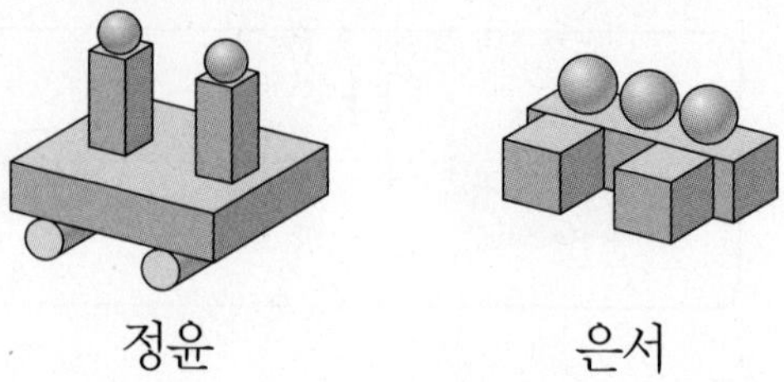

정윤

은서

8 정윤이가 만든 모양에서 ⬤ 모양은 몇 개입니까?

(   )

9 은서가 만든 모양에서 ⬤ 모양은 몇 개입니까?

(   )

10 ⬤ 모양을 더 많이 사용한 사람은 누구인지 풀이 과정을 쓰고 답을 구하시오.

[풀이]

[답]

3. 덧셈과 뺄셈

1 가르기를 해 보시오.

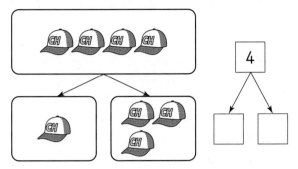

2 모으기를 해 보시오.

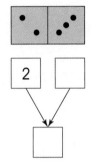

📖 모으기와 가르기를 해 보시오. [**3 ~ 4**]

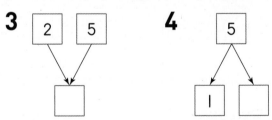

3　**4**

5 그림을 보고 알맞은 뺄셈식을 쓰시오.

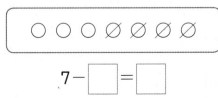

7 − □ = □

6 먹고 남은 사과는 몇 개인지 뺄셈식을 쓰고 읽어 보시오.

[쓰기]　5 − 1 = □

[읽기]　5 빼기 1은 □ 와 같습니다.

7 덧셈을 해 보시오.

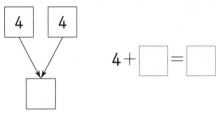

4 + □ = □

8 그림을 보고 이야기를 만들었습니다. □ 안에 알맞은 수를 써넣으시오.

나뭇가지에 새 2마리가 있었는데 □ 마리가 더 날아와서 모두 □ 마리가 되었습니다.

9 식에 알맞게 ○를 그려 덧셈을 해 보시오.

5 + 3 = □ ⇨

📖 덧셈과 뺄셈을 해 보시오. [**10 ~ 11**]

10　3 + 4 = □　　**11**　7 − 3 = □

12 그림을 보고 덧셈식을 쓰시오.

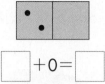

$\square$ +0= $\square$

13 $\square$ 안에 +, −를 알맞게 써넣으시오.

5 $\square$ 2=7

14 합이 다른 하나에 ○표 하시오.

| 2+4=□ | 4+1=□ | 3+3=□ |

(   ) (   ) (   )

15 차가 5가 되는 뺄셈식은 어느 것입니까?
.... (   )

① 7−1=□   ② 5−0=□
③ 5−1=□   ④ 5−5=□
⑤ 7−5=□

16 모으기 하여 9가 되는 두 수를 찾아 쓰시오.

| 4, 6, 8, 3 |

(   )

서술형

17 풀이 4개, 가위가 5개 있습니다. 풀과 가위는 모두 몇 개인지 덧셈식으로 나타내고 답을 구하시오.

[식]

[답]

18 그림을 보고 남은 초콜릿은 몇 개인지 뺄셈식을 쓰시오.

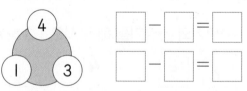

초콜릿 1개를 먹었습니다.

8− $\square$ = $\square$

19 세 수로 뺄셈식을 만들어 보시오.

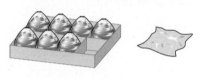

$\square$ − $\square$ = $\square$
$\square$ − $\square$ = $\square$

창의·융합   서술형

20 ⬤ 모양은 ⬭ 모양보다 몇 개 더 많은지 뺄셈식으로 나타내고 답을 구하시오.

[식]

[답]

3. 덧셈과 뺄셈

초등학교   학년   반   번   이름:

1 모으기를 해 보시오.

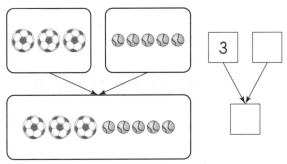

2∼3 모으기와 가르기를 해 보시오. [**2∼3**]

2   [1] [6]

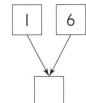

3   [6]

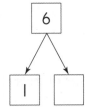
[1]

4 지우개와 풀은 모두 몇 개인지 덧셈식을 쓰고 읽어 보시오.

[쓰기] 2+ ☐ = ☐

[읽기] 2와 ☐ 의 합은 ☐ 입니다.

5 뺄셈을 해 보시오.

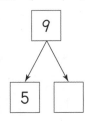

[9]
[5] [☐]

9−5= ☐

6∼7 덧셈과 뺄셈을 해 보시오. [**6∼7**]

6 9+0= ☐   **7** 4−4= ☐

8 식에 알맞게 그림을 그려 뺄셈을 해 보시오.

8−7= ☐

9∼10 그림을 보고 덧셈식을 쓰시오. [**9∼10**]

9

3+ ☐ = ☐

10

☐ +5= ☐

11 합과 차가 같은 것끼리 선으로 이어 보시오.

5−2=☐	·	·	3+5=☐
8−0=☐	·	·	1+4=☐
6−1=☐	·	·	0+3=☐

12 □ 안에 +, −를 알맞게 써넣으시오.

$$9\ \boxed{}\ 1 = 8$$

13 차가 더 작은 뺄셈식에 ◯표 하시오.

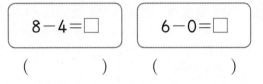

$8-4=\square$	$6-0=\square$
( )	( )

14 모으기 하여 8이 되는 두 수를 찾아 쓰시오.

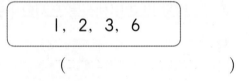

1, 2, 3, 6

(   )

15 줄에 매달려 있는 깃발은 몇 개인지 뺄셈식을 쓰시오.

$$6 - \boxed{} = \boxed{}$$

16 빨간 구슬이 8개, 파란 구슬이 5개 있습니다. 빨간 구슬은 파란 구슬보다 몇 개 더 많은지 뺄셈식으로 나타내고 답을 구하시오.

[식]

[답]

17 그림을 보고 복숭아는 모두 몇 개인지 덧셈식을 쓰시오.

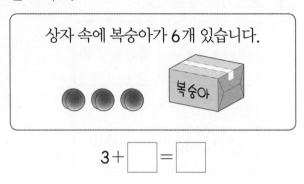

상자 속에 복숭아가 6개 있습니다.

$$3 + \boxed{} = \boxed{}$$

18 합이 같은 덧셈식을 빈 곳에 써넣으시오.

$7+1$	$6+2$	$5+3$	

19 정윤이와 정현이는 구슬 6개를 똑같이 나누어 가지려고 합니다. 한 명이 몇 개씩 가지면 되는지 풀이 과정을 쓰고 답을 구하시오.

[풀이]

[답]

20 빵 8개를 가 바구니보다 나 바구니에 더 많게 가르기 해 보시오. (단, 바구니에 빵이 적어도 1개는 있어야 합니다.)

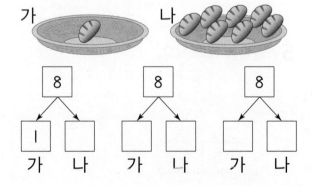

가   나

8	8	8

1					
가	나	가	나	가	나

3. 덧셈과 뺄셈

초등학교   학년   반   번   이름:

1 토끼 인형과 곰 인형은 모두 몇 개인지 덧셈식
으로 나타내고 답을 구하시오.

[식]

[답]

2 야구방망이는 야구공보다 몇 개 더 많은지 뺄
셈식으로 나타내고 답을 구하시오.

[식]

[답]

3 아라와 진호 중 차가 0인 뺄셈식을 쓴 사람은
누구인지 풀이 과정을 쓰고 답을 구하시오.

$4-4=\square$ $1-0=\square$

아라   진호

[풀이]

[답]

4 □ 안에 +, −를 알맞게 써넣으려고 합니다.
풀이 과정을 쓰고 답을 구하시오.

$5\boxed{}1=6$

[풀이]

[답]

5 희완이와 은서 중 합이 더 작은 덧셈식을 말한
사람은 누구인지 풀이 과정을 쓰고 답을 구하
시오.

$2+6=\square$ $0+9=\square$

희완   은서

[풀이]

[답]

6 그림을 보고 풍선은 모두 몇 개인지 덧셈식을 쓰려고 합니다. □ 안에 알맞은 수를 써넣고 어떤 방법으로 풀었는지 설명하시오.

[식]

$2 + \boxed{} = \boxed{}$

[방법]

_____

_____

_____

7 차가 같은 뺄셈식을 빈 곳에 써넣으려고 합니다. 풀이 과정을 쓰고 뺄셈식을 쓰시오.

| $7-3$ | $9-5$ | $5-1$ | |

[풀이]

_____

_____

_____

[식]

_____

⬚ 모양과 ◯ 모양은 모두 몇 개인지 구하려고 합니다. 물음에 답하시오. [**8 ~ 10**]

8 ⬚ 모양은 몇 개입니까?

( )

9 ◯ 모양은 몇 개입니까?

( )

10 ⬚ 모양과 ◯ 모양은 모두 몇 개인지 풀이 과정을 쓰고 답을 구하시오.

[풀이]

_____

_____

_____

[답]

1 더 긴 것에 ○표 하시오.

(   )

(   )

2 담을 수 있는 양이 더 적은 것에 △표 하시오.

(   )   (   )

3 그림을 보고 알맞은 말에 ○표 하시오.

호박   가지

호박은 가지보다
더 (가볍습니다 , 무겁습니다).

4 그림을 보고 □ 안에 알맞은 말을 써넣으시오.

공책   수첩

□ 은 □ 보다 더 넓습니다.

5 관계있는 것끼리 선으로 이어 보시오.

   ·

·   더 좁다

   ·

·   더 넓다

6 무게와 관계있는 말에 ○표 하시오.

더 높다 , 더 가볍다 , 더 좁다

7 더 짧은 것에 △표 하시오.

(   )

(   )

📖 그림을 보고 알맞은 말에 ○표 하시오.
[8 ~ 9]

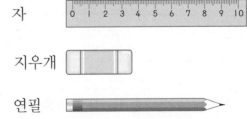

자

지우개

연필

8 연필은 지우개보다 더 (짧습니다 , 깁니다).

9 자가 가장 (짧습니다 , 깁니다).

📖 그림을 보고 알맞은 말에 ○표 하시오.
[10 ～ 11]

하마   닭   병아리

10 하마는 닭보다
더 (가볍습니다 , 무겁습니다).

11 병아리가 가장 (가볍습니다 , 무겁습니다).

12 키가 가장 큰 사람에 ○표 하시오.

(   ) (   ) (   )

13 가장 넓은 것에 ○표, 가장 좁은 것에 △표 하시오.

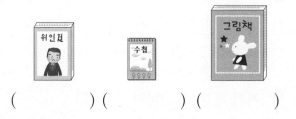

(   ) (   ) (   )

14 그릇에 담긴 물의 양이 가장 많은 것에 ○표, 가장 적은 것에 △표 하시오.

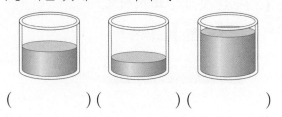

(   ) (   ) (   )

15 재호와 근우 중 더 무거운 사람은 누구입니까?

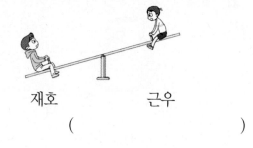

재호   근우

(   )

16 가위보다 더 긴 것에 모두 ○표 하시오.

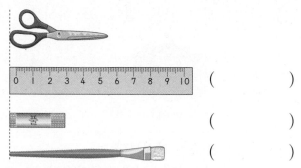

(   )

(   )

(   )

서술형
17 파와 당근의 길이를 비교하여 문장을 완성하시오.

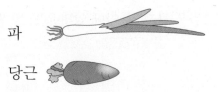

파

당근

[문장] 파는 당근보다

📖 그림을 보고 알맞은 말에 ○표 하시오.

[18 ~ 19]

18

풀 크레파스

풀은 크레파스보다
더 (짧습니다 , 깁니다 , 좁습니다).

19

색종이 스케치북

색종이는 스케치북보다
더 (깁니다 , 좁습니다 , 넓습니다).

20 오른쪽 컵보다 담을 수 있는 양이 더 많은 것을 모두 찾아 쓰시오.

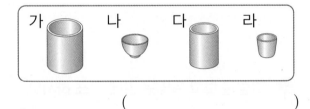

가 나 다 라

( )

서술형
21 가와 나 중 어느 것이 더 넓은지 풀이 과정을 쓰고 답을 구하시오.

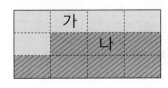

[풀이]

[답]

22 물이 많이 담긴 것부터 차례로 1, 2, 3을 쓰시오.

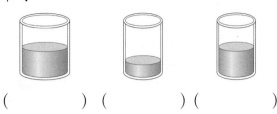

( ) ( ) ( )

창의·융합
23 다음은 은서와 정윤이가 모양과 크기가 같은 컵에 물을 가득 담아 마시고 남은 것입니다. 물을 더 많이 마신 사람은 누구입니까?

은서 정윤

( )

24 모양과 크기가 같은 병 2개에 각각 솜과 쇠구슬을 가득 넣고 양팔 저울에 올려놓았습니다. 아래로 내려가는 쪽은 무엇을 넣은 병입니까?

솜 쇠구슬

( )

25 현수는 은주보다 더 무겁고 해리는 은주보다 더 가볍습니다. 현수, 은주, 해리 중 가장 무거운 사람은 누구입니까?

( )

1 더 가벼운 것에 △표 하시오.

(   )   (   )

2 그림을 보고 알맞은 말에 ○표 하시오.

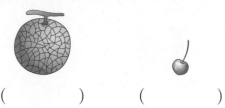

달력   수첩

달력은 수첩보다
더 (좁습니다 , 넓습니다).

3 그림을 보고 □ 안에 알맞은 말을 써넣으시오.

버스

기차

□ 는 □ 보다 더 깁니다.

4 담을 수 있는 양이 더 많은 것에 ○표 하시오.

(   )   (   )

5 더 긴 것에 ○표 하시오.

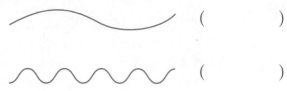

(   )

(   )

📖 그림을 보고 알맞은 말에 ○표 하시오.

[6 ~ 7]

참외   수박   딸기

6 참외는 딸기보다
더 (가볍습니다 , 무겁습니다).

7 수박이 가장 (가볍습니다 , 무겁습니다).

📖 그림을 보고 알맞은 말에 ○표 하시오.

[8 ~ 9]

공책   수학책   동화책

8 공책은 수학책보다
더 (좁습니다 , 넓습니다).

9 동화책이 가장 (좁습니다 , 넓습니다).

10 가장 긴 것에 ○표 하시오.

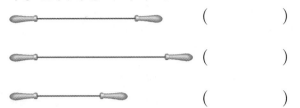
(   )
(   )
(   )

11 키가 가장 작은 사람에 △표 하시오.

(   ) (   ) (   )

12 그릇에 담긴 물의 양이 가장 많은 것에 ○표, 가장 적은 것에 △표 하시오.

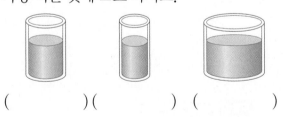
(   ) (   ) (   )

13 관계있는 것끼리 선으로 이어 보시오.

• 가장 넓다
• 가장 좁다

14 관계없는 말 하나를 찾아 ○표 하시오.

> 더 넓다 , 길이 , 더 좁다 , 넓이

15 연필보다 더 긴 것에 모두 ○표 하시오.

연필 (   ) (   ) (   ) (   )

16 코끼리와 다람쥐의 무게를 비교하여 문장을 완성하시오.

코끼리   다람쥐

[문장] 코끼리는 다람쥐보다

17 ☐보다 넓고 ☐보다 좁은 ☐ 모양을 그려 넣으시오.

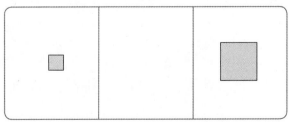

18 그림을 보고 알맞은 말에 ◯표 하시오.

냉장고　　　　　　전화기

냉장고는 전화기보다
더 (무겁습니다 , 좁습니다 , 가볍습니다).

19 키가 큰 사람부터 차례로 1, 2, 3을 쓰시오.

(　　　) (　　　) (　　　)

20 보기 보다 더 넓은 것에 ◯표 하시오.

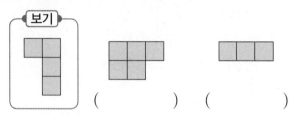

(　　　) (　　　)

21 현수, 소희, 태우 중 가장 가벼운 사람은 누구입니까?

현수　　소희　　태우　　소희

(　　　　　　　　)

22 지리산, 한라산, 설악산 중 가장 낮은 산은 무엇입니까?

지리산은 한라산보다 더 낮고 설악산은 지리산보다 더 낮습니다.

(　　　　　　　　)

23 (　　) 안에 키가 큰 사람부터 차례로 이름을 쓰시오.

영수는 경미보다 키가 더 크고 소라는 경미보다 키가 더 작습니다.

(　　　)－(　　　)－(　　　)

24 다음은 정윤, 정현, 은서가 모양과 크기가 같은 컵에 물을 가득 담아 마시고 남은 것입니다. 물을 가장 많이 마신 사람은 누구입니까?

정윤　　　　정현　　　　은서

(　　　　　　　　)

서술형 　창의·융합

25 물의 양을 비교하여 설명하시오.

가　　　　　나　　　다

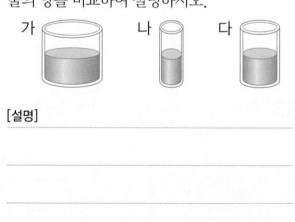

[설명]

1 칫솔과 치약 중 어느 것이 더 긴지 설명하고 답을 구하시오.

치약
칫솔

[설명]

[답]

2 양팔 저울을 이용하여 주사위와 구슬의 무게를 비교한 것입니다. 어느 것이 더 무거운지 설명하고 답을 구하시오.

주사위　구슬

[설명]

[답]

3 공책과 문제집의 넓이를 비교하여 문장을 완성하시오.

공책　　　　문제집

[문장] 공책은 문제집보다

가와 나 중 어느 것이 더 좁은지 구하려고 합니다. 물음에 답하시오. [**4 ~ 6**]

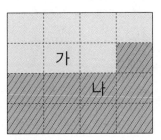

가
나

4 가는 몇 칸입니까?

(　　　　　　)

5 나는 몇 칸입니까?

(　　　　　　)

6 가와 나 중 더 어느 것이 더 좁은지 풀이 과정을 쓰고 답을 구하시오.

[풀이]

[답]

그림을 보고 진호와 은서가 말한 내용입니다. 물음에 답하시오. [**7 ~ 8**]

가   나   다

진호: 가 병에 담긴 주스의 양이 가장 많아.
은서: 나 병에 담긴 주스의 양은 다 병에
　　 담긴 주스의 양보다 더 많아.

7 잘못 말한 사람의 이름을 쓰고 <u>잘못</u> 말한 내용을 바르게 고치시오.

[이름]

[바르게 고치기]

8 가, 나, 다 중 담긴 주스의 양이 가장 적은 병을 찾으려고 합니다. 풀이 과정을 쓰고 답을 구하시오.

[풀이]

[답]

9 책상과 의자를 비교하여 문장을 완성하시오.

책상   의자

[문장] 책상은 의자보다

10 길이를 비교하여 설명하시오.

필통

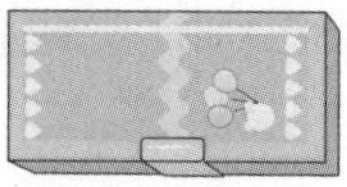

연필

막대

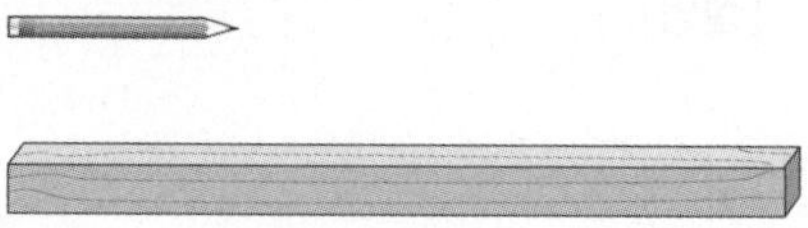

[설명]

5. 50까지의 수

점수　확인

초등학교　학년　반　번　이름:

1 수를 세어 □ 안에 써넣으시오.

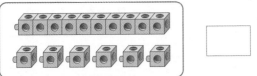

□

2~3 □ 안에 알맞은 수를 써넣으시오.

2 10개씩 묶음 2개와 낱개 3개를 □ 이라고 합니다.

3 40은 10개씩 묶음 □ 개입니다.

4 같은 수끼리 선으로 이어 보시오.

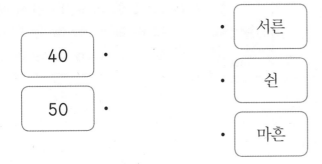

・ 서른

・ 쉰

・ 마흔

40 ・

50 ・

5 알맞은 말에 ○표 하시오.

36은 39보다 (큽니다 , 작습니다).

6 더 큰 수에 ○표 하시오.

| 41 | 39 |

7 잘못 짝 지어진 것은 어느 것입니까?
.... (　　)

① 마흔셋 — 43　　② 서른넷 — 34
③ 스물여덟 — 28　　④ 쉰셋 — 35
⑤ 마흔여섯 — 46

8 빈 곳에 알맞은 수를 써넣으시오.

□ — 43 — 44 — □ — 46

9~10 □ 안에 알맞은 수를 써넣으시오.

9
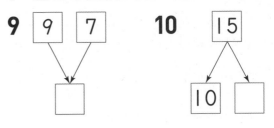

9　7 → □

10
15 → 10 , □

11 수를 세어 두 가지 방법으로 읽어 보시오.

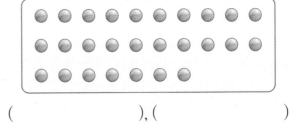

(　　　　　) , (　　　　　)

12 나머지와 다른 하나에 ○표 하시오.

삼십	13	서른

(   ) (   ) (   )

13 10이 되도록 ○를 그리고 □ 안에 알맞은 수를 써넣으시오.

6과 □ 를 모으면 10이 됩니다.

14 〔보기〕와 같이 몇십몇을 이용한 문장을 만들어 보시오.

┌─〔보기〕─────────────
│ (21) ⇨ 지금까지 동화책을 21권 읽었습니다.
└──────────────────

(33) ⇨ _____

_____

15 가장 작은 수에 △표 하시오.

24	31	26

16 은서가 먹은 사탕은 10개씩 묶음 3개와 낱개 6개입니다. 은서가 먹은 사탕은 몇 개입니까?

(   )

17 모으기를 하여 12가 되는 두 수를 모두 찾아 쓰시오.

2, 7, 4, 5, 8

(   )

18 딸기를 희완이는 28개 땄고 아라는 41개 땄습니다. 희완이와 아라 중 딸기를 더 적게 딴 사람은 누구인지 풀이 과정을 쓰고 답을 구하시오.

[풀이]

_____

_____

[답]

19 주어진 ●로 〔보기〕의 모양을 몇 개까지 만들 수 있습니까?

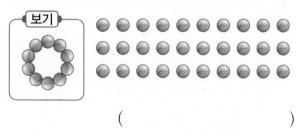

(   )

20 재호 어머니께서 오이 32개, 감자 24개, 가지 38개를 사 오셨습니다. 오이, 감자, 가지 중 재호 어머니께서 가장 많이 사 오신 채소는 무엇입니까?

(   )

1 수를 세어 □ 안에 써넣으시오.

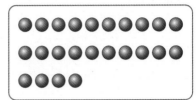

📖 □ 안에 알맞은 수를 써넣으시오. [**2 ~ 3**]

2 10개씩 묶음 3개와 낱개 1개를 □ 이라고 합니다.

3 48은 10개씩 묶음 4개와 낱개 □ 개입니다.

4 같은 수끼리 선으로 이어 보시오.

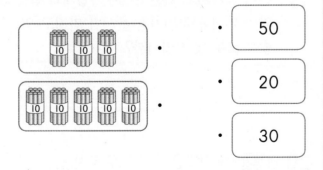

· 50

· 20

· 30

5 알맞은 말에 ○표 하시오.

41은 34보다 (큽니다 , 작습니다).

6 잘못 짝 지어진 것은 어느 것입니까?
·· ( )

① 이십칠 — 27   ② 스물 — 20
③ 쉰 — 40   ④ 서른다섯 — 35
⑤ 열여덟 — 18

7 빈 곳에 알맞은 수를 써넣으시오.

📖 □ 안에 알맞은 수를 써넣으시오. [**8 ~ 9**]

8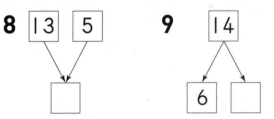

9

10 다음 수를 두 가지 방법으로 읽어 보시오.

10개씩 묶음 4개와 낱개 7개인 수

( ), ( )

11 구슬은 몇 개입니까?

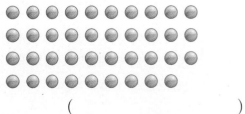

( )

12 나머지와 다른 하나는 어느 것입니까?
.... (   )

① 9보다 1 작은 수   ② 십
③ 8보다 2 큰 수   ④ 열
⑤ 7보다 3 큰 수

서술형

13 더 작은 수를 나타내는 것은 어느 것인지 풀이 과정을 쓰고 답을 구하시오.

> 스물다섯, 삼십팔

[풀이]

[답]

14 가장 큰 수에 ○표 하시오.

> 31   29   35

창의·융합

15 민주의 일기를 보고 10을 어떻게 읽어야 하는지 알맞은 말에 ○표 하시오.

> 제목: 우리 집 감나무
>
> 날짜: ○○○○년 ○월 ○○일
> 우리 집 마당에는 심은 지 10(십 , 열)년이
> 지난 감나무가 있다. 감나무에 감이
> 10(십 , 열)개나 열렸다.

서술형

16 접시에 있는 떡은 오십 개입니다. 접시에 있는 떡은 10개씩 묶음 몇 개인지 풀이 과정을 쓰고 답을 구하시오.

[풀이]

[답]

17 은주의 사물함 번호는 43번이고 현종이의 사물함 번호는 은주의 번호보다 1 큰 수입니다. 현종이의 사물함 번호는 몇 번입니까?
(   )

18 현수의 신발장 번호는 36번이고 안나의 신발장 번호는 29번입니다. 현수와 안나 중 신발장 번호의 수가 더 작은 사람은 누구입니까?
(   )

19 은서가 가지고 있는 구슬은 10개씩 묶음 2개와 낱개 14개입니다. 은서가 가지고 있는 구슬은 모두 몇 개입니까?
(   )

20 보기 에 알맞은 수를 모두 쓰시오.

> 보기
> • 10개씩 묶음 4개와 낱개 5개인 수보다 큰 수
> • 50보다 작은 수

(   )

5. 50까지의 수

초등학교   학년   반   번   이름:

점수 | 확인

1 잘못된 부분을 찾아 바르게 고치시오.

> 사십은 10개씩 묶음 3개입니다.

[바르게 고치기]

_____

_____

2 수를 세어 두 가지 방법으로 읽으려고 합니다. 풀이 과정을 쓰고 답을 구하시오.

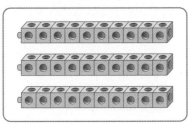

[풀이]

_____

_____

_____

[답]

_____

3 영지 어머니께서 사 오신 달걀은 10개씩 묶음 1개와 낱개 4개입니다. 영지 어머니께서 사 오신 달걀은 몇 개인지 풀이 과정을 쓰고 답을 구하시오.

[풀이]

_____

_____

_____

[답]

_____

4 보기 를 보고 □ 안에 알맞은 수나 말을 써넣으시오.

보기

20 ⇨ • 10개씩 묶음 2개는 20입니다.
       • 사탕이 10개씩 묶음이 2개 있으면 20개입니다.

40 ⇨ • 10개씩 묶음 [ ]개는 [ ] 입니다.

       • 구슬이 10개씩 묶음이 [ ]개 있으면 [ ]개입니다.

5 정현이의 출석 번호는 41번이고 정윤이의 출석 번호는 정현이의 번호보다 1 작은 수입니다. 정윤이의 출석 번호는 몇 번인지 풀이 과정을 쓰고 답을 구하시오.

[풀이]

_____

_____

_____

_____

[답]

_____

정호와 은서 중 더 작은 수를 말한 사람은 누구인지 알아보려고 합니다. 물음에 답하시오.
[6~8]

10개씩 묶음 2개와 낱개 2개인 수

10개씩 묶음 3개와 낱개 1개인 수

정호   은서

6 정호가 말한 수를 쓰시오.

(   )

7 은서가 말한 수를 쓰시오.

(   )

8 정호와 은서 중 더 작은 수를 말한 사람은 누구인지 풀이 과정을 쓰고 답을 구하시오.

[풀이]

[답]

9 바구니에 들어 있는 사과는 10개씩 묶음 3개와 낱개 11개입니다. 바구니에 들어 있는 사과는 모두 몇 개인지 풀이 과정을 쓰고 답을 구하시오.

[풀이]

[답]

10 가장 큰 수를 구하는 풀이 과정을 쓰고 답을 구하시오.

44   26   37

[풀이]

[답]

정답과 풀이

1. 9까지의 수

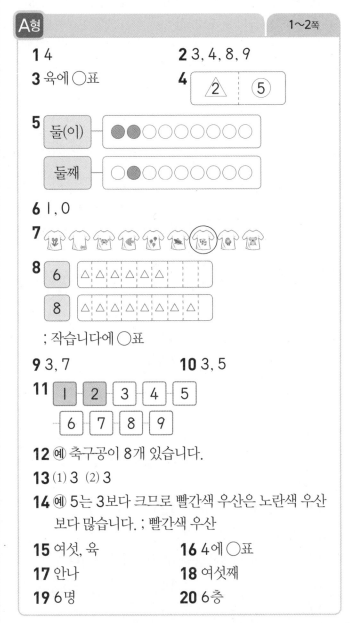

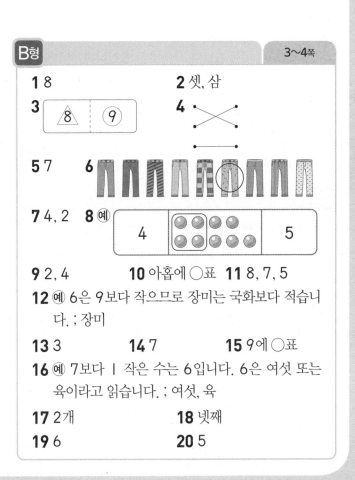

1 4   **2** 3, 4, 8, 9

3 육에 ○표   **4** ② / ⑤

5 둘(이) — ●● ○○○○○○○○
     둘째 — ○● ○○○○○○○○

6 1, 0

7 (일곱째 티셔츠에 ○표)

8 6 △△△△△△
     8 △△△△△△△△
     ; 작습니다에 ○표

9 3, 7   **10** 3, 5

11 1 2 3 4 5 — 6 7 8 9

12 예 축구공이 8개 있습니다.

13 (1) 3 (2) 3

14 예 5는 3보다 크므로 빨간색 우산은 노란색 우산보다 많습니다. ; 빨간색 우산

15 여섯, 육   **16** 4에 ○표

17 안나   **18** 여섯째

19 6명   **20** 6층

---

3 빵의 수는 6입니다. 6은 여섯 또는 **육**이라고 읽습니다.

4 5는 2보다 큽니다.

5 둘(이)은 수를 나타내므로 ○ 2개를 색칠하고, 둘째는 순서를 나타내므로 왼쪽에서 둘째에 있는 ○ 1개를 색칠합니다.

8 6은 8보다 △가 적으므로 6은 8보다 작습니다.

9 필통의 수는 3, 연필의 수는 7입니다. 필통이 연필보다 적으므로 3은 7보다 작습니다.

10 4보다 1 작은 수는 3입니다.
4보다 1 큰 수는 5입니다.

11 3보다 작은 수는 1, 2입니다.

13 (1) 2보다 1 큰 수는 3입니다.
(2) 4보다 1 작은 수는 3입니다.

15 5보다 1 큰 수는 6입니다. 6은 여섯 또는 육이라고 읽습니다.

16 수를 작은 수부터 순서대로 써 보면 4, 6, 8이므로 가장 작은 수는 4입니다.

17 펼친 손가락의 수를 세어 보면 장선이는 2, 민주는 0, 안나는 5입니다. 가장 큰 수는 5이므로 펼친 손가락의 수가 가장 큰 사람은 **안나**입니다.

18 8보다 1 큰 수는 9입니다. 9는 왼쪽에서 **여섯째**입니다.

19 1등—2등—3등—4등—5등—6등—7등
7등보다 높은 점수를 얻은 학생은 1등부터 6등까지이므로 모두 **6명**입니다.

20 5와 8 사이에 있는 수는 6, 7이고 이 중 7보다 작은 수는 6입니다. 따라서 정윤이는 **6층**에 살고 있습니다.

1 8   **2** 셋, 삼

3 ⑧ / ⑨   **4** (선 잇기)

5 7   **6** (여섯째 바지에 ○표)

7 4, 2   **8** 예 4 (점 6개) / (점 4개) 5

9 2, 4   **10** 아홉에 ○표   **11** 8, 7, 5

12 예 6은 9보다 작으므로 장미는 국화보다 적습니다. ; 장미

13 3   **14** 7   **15** 9에 ○표

16 예 7보다 1 작은 수는 6입니다. 6은 여섯 또는 육이라고 읽습니다. ; 여섯, 육

17 2개   **18** 넷째

19 6   **20** 5

3 9는 8보다 큽니다.

4 아무것도 없는 것을 0이라 씁니다.

7 의자의 수는 4, 책상의 수는 2입니다. 의자가 책상보다 많으므로 4는 2보다 큽니다.

8 4만큼 묶고 묶지 않은 것을 세어 보면 하나, 둘, 셋, 넷, 다섯이므로 5라고 씁니다.

9 3보다 1 작은 수는 2입니다.
3보다 1 큰 수는 4입니다.

10 8보다 1 큰 수는 9입니다. 9는 **아홉** 또는 구라고 읽습니다.

11 순서를 거꾸로 하여 수를 써 보면 9, 8, 7, 6, 5입니다.

13 수를 순서대로 썼을 때 4의 바로 앞의 수는 3이므로 4는 3보다 1 큰 수입니다.

14 6보다 1 큰 수는 7입니다.

15 수를 작은 수부터 순서대로 써 보면 5, 7, 9이므로 가장 큰 수는 9입니다.

17 2보다 크고 5보다 작은 수는 3, 4이므로 모두 2개입니다.

18 수를 작은 수부터 순서대로 써 보면 2, 3, 4, 5, 8이므로 가장 작은 수는 2입니다. 2는 오른쪽에서 **넷째**입니다.

19 5부터 9까지의 수를 순서대로 써 보면 5, 6, 7, 8, 9입니다. 왼쪽에서 둘째에 있는 수는 6입니다.

20 4와 9 사이에 있는 수를 순서대로 써 보면 5, 6, 7, 8입니다. 이중 6보다 작은 수는 5입니다.

C형
5~6쪽

1 예 친구 4명이 함께 놀고 있습니다.

2 흥식 ; 예 2보다 1 작은 수는 1이야.

3 7   **4** 8

5 예 정윤이가 말한 수: 7, 장선이가 말한 수: 8
8은 7보다 크므로 더 큰 수를 말한 사람은 장선이입니다. ; 장선

6 예

7	⣿⣿

7 예 7만큼 묶고 묶지 않은 것을 세어 보면 하나, 둘이므로 2라고 씁니다. ; 2

8 예 6은 8보다 작으므로 파란색 구슬은 빨간색 구슬보다 적습니다. ; 파란색 구슬

9 예 7보다 큰 수는 8, 9입니다. 따라서 색칠해야 할 수는 8, 9입니다. ; 8, 9

10 예 5보다 1 작은 수는 4입니다. 4는 넷 또는 사라고 읽습니다. ; 넷, 사

3 7은 일곱 또는 칠이라고 읽습니다.

4 8은 여덟 또는 팔이라고 읽습니다.

---

2. 여러 가지 모양

A형
7~8쪽

1 (　)(○)(　)   **2** (　)(　)(○)

3 ⬤에 ○표   **4** (　)(×)(　)

5 (선 잇기)

6 ⬤에 ○표

7 (　)(　)(○)

8 다, 마, 사

9 가, 바, 아

10 예 나는 ⬤ 모양입니다. ⬤ 모양을 더 찾으면 라입니다. ; 라

11 ▱, ▮에 ○표   **12** (○)(　)

13 ▮에 ○표

14 예 평평한 부분과 둥근 부분이 다 있습니다.

15 2, 2, 1   **16** (　)(○)(○)(○)

17

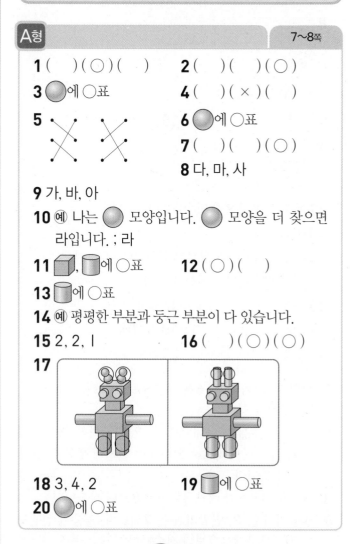

18 3, 4, 2   **19** ▮에 ○표

20 ⬤에 ○표

7 풀, 두루마리 휴지: ▮ 모양
필통: ▱ 모양

8 주사위, 큐브, 크레파스 상자는 ⬛ 모양입니다.

9 음료수 캔, 두루마리 휴지, 휴지통은 🔵 모양입니다.

12 오른쪽 모양은 ⬛, 🔵 모양을 사용했습니다.

13 평평한 부분과 둥근 부분이 다 있으므로 🔵 모양입니다.

14 🔵 모양의 특징을 씁니다.

16 쌓을 수 있는 모양은 ⬛, 🔵 모양입니다.

19 모양의 수를 작은 수부터 차례로 써 보면 2, 3, 4이므로 가장 큰 수는 4입니다. 따라서 가장 많이 사용된 모양은 🔵 모양입니다.

20 모양의 수를 작은 수부터 차례로 써 보면 2, 3, 4이므로 가장 작은 수는 2입니다. 따라서 가장 적게 사용된 모양은 ⚪ 모양입니다.

6 선물 상자, 지우개, 티슈 상자는 ⬛ 모양입니다.

7 음료수 캔, 참치 캔, 풀은 🔵 모양입니다.

8 볼링공, 구슬은 ⚪ 모양입니다.

12 평평한 부분과 뾰족한 부분이 없으므로 ⚪ 모양입니다.

13 정윤: ⬛, ⚪ 모양을 사용했습니다.
은서: 🔵, ⚪ 모양을 사용했습니다.
따라서 두 사람이 모두 사용한 모양은 ⚪ 모양입니다.

15 ⬛, 🔵, ⚪ 모양의 수를 써 보면 2, 4, 2이므로 사용된 모양의 수가 다른 하나는 🔵 모양입니다.

19 모양의 수를 작은 수부터 차례로 써 보면 1, 3, 4이므로 가장 큰 수는 4입니다. 따라서 가장 많이 사용된 모양은 🔵 모양입니다.

20 모양의 수를 작은 수부터 차례로 써 보면 1, 3, 4이므로 가장 작은 수는 1입니다. 따라서 가장 적게 사용된 모양은 ⚪ 모양입니다.

B형   9~10쪽

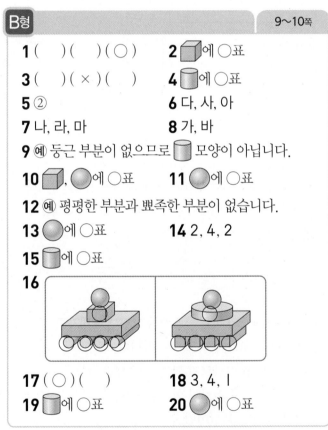

1 ( ) ( ) (○)   **2** ⬛에 ○표

3 ( ) (×) ( )   **4** 🔵에 ○표

5 ②   **6** 다, 사, 아

7 나, 라, 마   **8** 가, 바

9 예 둥근 부분이 없으므로 🔵 모양이 아닙니다.

10 ⬛, ⚪에 ○표   **11** ⚪에 ○표

12 예 평평한 부분과 뾰족한 부분이 없습니다.

13 ⚪에 ○표   **14** 2, 4, 2

15 🔵에 ○표

16

17 (○) ( )   **18** 3, 4, 1

19 🔵에 ○표   **20** ⚪에 ○표

1 서류 가방은 ⬛ 모양, 컵은 🔵 모양, 배구공은 ⚪ 모양입니다.

2 택배 상자, 동화책, 주사위는 ⬛ 모양입니다.

3 두루마리 휴지는 🔵 모양입니다.

5 ①, ③, ④, ⑤ ⬛ 모양   ② 🔵 모양

C형   11~12쪽

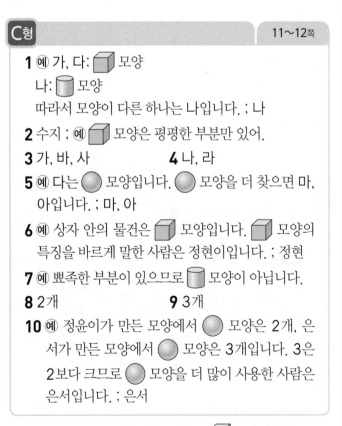

1 예 가, 다: ⬛ 모양
나: 🔵 모양
따라서 모양이 다른 하나는 나입니다. ; 나

2 수지 ; 예 ⬛ 모양은 평평한 부분만 있어.

3 가, 바, 사   **4** 나, 라

5 예 다는 ⚪ 모양입니다. ⚪ 모양을 더 찾으면 마, 아입니다. ; 마, 아

6 예 상자 안의 물건은 ⬛ 모양입니다. ⬛ 모양의 특징을 바르게 말한 사람은 정현이입니다. ; 정현

7 예 뾰족한 부분이 있으므로 🔵 모양이 아닙니다.

8 2개   **9** 3개

10 예 정윤이가 만든 모양에서 ⚪ 모양은 2개, 은서가 만든 모양에서 ⚪ 모양은 3개입니다. 3은 2보다 크므로 ⚪ 모양을 더 많이 사용한 사람은 은서입니다. ; 은서

3 서류 가방, 주사위, 선물 상자는 ⬛ 모양입니다.

4 음료수 캔, 컵은 🔵 모양입니다.

6 현철이는 🔵 모양의 특징을 말했습니다.

3. 덧셈과 뺄셈

1 1, 3   **2** (위부터) 3, 5

3 7   **4** 4

5 4, 3   **6** 4, 4

7 (왼쪽부터) 8 ; 4, 8   **8** 4, 6

9 8 ; 예

○	○	○	○	○
○	○	○		

10 7   **11** 4

12 2, 2   **13** +

14 ( )(○)( )   **15** ②

16 6, 3   **17** $4+5=9$; 9개

18 1, 7

19 $\boxed{4}-\boxed{1}=\boxed{3}$, $\boxed{4}-\boxed{3}=\boxed{1}$

20 $8-2=6$; 6개

1 모자 4개를 1개와 3개로 가를 수 있습니다.

2 2와 3을 모으기 하면 5가 됩니다.

3 2와 5를 모으기 하면 7이 됩니다.

4 5는 1과 4로 가르기 할 수 있습니다.

5 ○ 7개에서 4개를 지우면 남은 ○는 3개입니다.

7 4와 4를 모으기 하면 8이 됩니다.

9 ○ 5개에 3개를 더 그리면 ○ 8개가 됩니다.

12 도미노의 왼쪽과 오른쪽 칸의 점의 개수를 더합니다.

13 왼쪽 2개의 수보다 결과가 크므로 □ 안에 +를 써넣습니다.

> **참고**
> • 덧셈은 왼쪽 2개의 수보다 결과가 커집니다.
> • 뺄셈은 가장 왼쪽의 수보다 결과가 작아집니다.
> • 같은 수가 왼쪽에 있는데 결과가 0이면 뺄셈입니다.

14 $2+4=6$, $4+1=5$, $3+3=6$

15 ① $7-1=6$ ② $5-0=5$ ③ $5-1=4$
     ④ $5-5=0$ ⑤ $7-5=2$

16 6과 3을 모으기 하면 9가 됩니다.

18 상자 속에 초콜릿이 8개 있었는데 초콜릿 1개를 먹어서 남은 초콜릿은 7개입니다. ⇨ $8-1=7$

20 🛢️ 모양: 2개, ⚪ 모양: 8개
따라서 ⚪ 모양이 🛢️ 모양보다 $8-2=6$(개) 더 많습니다.

1 (위부터) 5, 8   **2** 7

3 5   **4** 6, 8 ; 6, 8

5 (왼쪽부터) 4, 4

6 9   **7** 0

8 1 ;

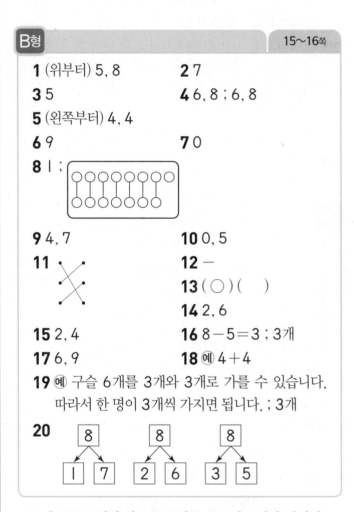

9 4, 7   **10** 0, 5

11   **12** −

13 (○)( )

14 2, 6

15 2, 4   **16** $8-5=3$; 3개

17 6, 9   **18** 예 $4+4$

19 예 구슬 6개를 3개와 3개로 가를 수 있습니다.
따라서 한 명이 3개씩 가지면 됩니다. ; 3개

20

8		8		8
1 7		2 6		3 5

1 축구공 3개와 야구공 5개를 모으면 8개가 됩니다.

2 1과 6을 모으기 하면 7이 됩니다.

3 6은 1과 5로 가르기 할 수 있습니다.

5 9는 5와 4로 가르기 할 수 있습니다.

6 (어떤 수)$+0=$(어떤 수)

7 (어떤 수)$-$(어떤 수)$=0$

8 짝을 지었을 때 짝이 없는 ○는 1개입니다.

9~10 도미노의 왼쪽과 오른쪽 칸의 점의 개수를 더합니다.

11 $5-2=3$, $3+5=8$, $8-0=8$, $1+4=5$, $6-1=5$, $0+3=3$

12 가장 왼쪽의 수보다 결과가 작으므로 □ 안에 −를 써넣습니다.

13 $8-4=4$, $6-0=6$
4는 6보다 작습니다.

14 2와 6을 모으기 하면 8이 됩니다.

15 깃발 6개 중 2개가 떨어져서 줄에 매달려 있는 깃발은 4개입니다.
⇨ $6-2=4$

17 복숭아 3개와 상자 속에 들어 있는 복숭아 9개를 모으면 9개가 됩니다.
⇨ $3+6=9$

18 $7+1=8$, $6+2=8$, $5+3=8$이므로 합이 8이 되는 덧셈식을 씁니다.

20 8을 더 작은 수와 더 큰 수로 가르기 하면 1과 7, 2와 6, 3과 5로 가르기 할 수 있습니다.

C형 17~18쪽

1 $4+3=7$; 7개

2 $6-2=4$; 4개

3 ⑨ $4-4=0$, $1-0=1$
따라서 차가 0인 뺄셈식을 쓴 사람은 아라입니다.
; 아라

4 ⑨ 왼쪽 2개의 수보다 결과가 크므로 □ 안에 +를 써넣습니다. ; +

5 ⑨ 희완: $2+6=8$, 은서: $0+9=9$
8은 9보다 작으므로 합이 더 작은 덧셈식을 말한 사람은 희완입니다. ; 희완

6 3, 5
; ⑨ 모형을 2개, 3개를 놓고 세었습니다.

7 ⑨ $7-3=4$, $9-5=4$, $5-1=4$이므로 차가 4가 되는 뺄셈식을 씁니다.
; ⑨ $8-4$

8 5개 **9** 3개

10 ▦ 모양 5개와 ⬤ 모양 3개를 더합니다.
⇨ $5+3=8$; 8개

---

1 토끼 인형: 4개, 곰 인형: 3개

2 야구방망이: 6개, 야구공: 2개

---

6 2와 3을 모으기 했습니다.

설명하는 방법은 여러 가지입니다.

> **참고**
> 손가락, 구체물, 그림 그리기, 수판에 놓기, 모으기 등을 활용하여 덧셈을 하였다는 것을 확인합니다.

8~9 ▦, ⬤ 모양을 / 표시하면서 하나씩 세어 봅니다.

---

4. 비교하기

A형 19~21쪽

1 ( )
(◯)

2 ( ) (△)

3 무겁습니다에 ◯표 **4** 공책, 수첩

5 ✕

6 더 가볍다에 ◯표 **7** (△)
( )

8 깁니다에 ◯표 **9** 깁니다에 ◯표

10 무겁습니다에 ◯표 **11** 가볍습니다에 ◯표

12 (◯) ( ) ( ) **13** ( ) (△) (◯)

14 ( ) (△) (◯) **15** 재호

16 (◯)
( )
(◯)

17 ⑨ 더 깁니다. **18** 깁니다에 ◯표

19 좁습니다에 ◯표 **20** 가, 다

21 ⑨ 가는 5칸, 나는 7칸입니다. 7은 5보다 크므로 나는 가보다 더 넓습니다. ; 나

22 1, 3, 2 **23** 은서

24 쇠구슬 **25** 현수

---

1 왼쪽 끝이 맞추어져 있으므로 오른쪽으로 더 많이 나온 것이 더 깁니다.

정답과 풀이

4 한쪽 끝을 맞추어 겹쳐 보면 공책은 수첩보다 더 넓습니다.

5 500원짜리 동전은 10원짜리 동전보다 더 넓습니다. 10원짜리 동전은 500원짜리 동전보다 더 좁습니다.

6 두 가지 물건의 무게를 비교하는 말에는 '더 무겁다, **더 가볍다**' 등이 있습니다.

7 양쪽 끝이 맞추어져 있으므로 더 적게 구부러진 것이 더 짧습니다.

8 왼쪽 끝이 맞추어져 있으므로 오른쪽으로 더 많이 나온 연필이 지우개보다 더 **깁니다.**

9 왼쪽 끝이 맞추어져 있으므로 오른쪽으로 가장 많이 나온 자가 가장 **깁니다.**

11 하마가 가장 무겁고 병아리가 가장 **가볍습니다.**

12 아래쪽 끝이 맞추어져 있으므로 위쪽으로 가장 많이 올라온 사람의 키가 가장 큽니다.

13 한쪽 끝을 맞추어 겹쳐 봅니다.

14 그릇의 모양과 크기가 같으므로 물의 높이를 비교합니다.

15 시소가 아래로 내려가면 더 무거운 것입니다.

16 왼쪽 끝이 맞추어져 있으므로 가위보다 오른쪽으로 더 많이 나온 것을 모두 찾아봅니다.

18 풀과 크레파스의 길이를 비교합니다.

19 색종이와 스케치북의 넓이를 비교합니다.

20 오른쪽 컵보다 크기가 더 큰 컵을 모두 찾아봅니다.

22
 가   나   다

가 그릇과 다 그릇은 담긴 물의 높이가 같으므로 그릇의 크기를 비교합니다.
나 그릇과 다 그릇은 모양과 크기가 같으므로 물의 높이를 비교합니다.

23 남은 물의 양이 더 적은 것이 물을 더 많이 마신 것입니다. 은서가 정윤이보다 남은 물의 양이 더 적으므로 물을 더 많이 마신 사람은 **은서**입니다.

24 양팔 저울이 아래로 내려가면 더 무거운 것입니다. 쇠구슬을 넣은 병이 솜을 넣은 병보다 더 무거우므로 아래로 내려가는 쪽은 **쇠구슬**을 넣은 병입니다.

25 무거운 사람부터 차례로 쓰면 **현수**, 은주, 해리입니다.

B형
22~24쪽

1 (   )(△)   **2** 넓습니다에 ○표
3 기차, 버스   **4** (   )(○)
5 (   )   **6** 무겁습니다에 ○표
  (○)   **7** 무겁습니다에 ○표
8 넓습니다에 ○표   **9** 넓습니다에 ○표
10 (   )   **11** (   )(   )(△)
  (○)   **12** (   )(△)(○)
  (   )
13 ·   **14** 길이에 ○표

15 (   )(○)(○)(   )
16 ⑩ 더 무겁습니다.
17

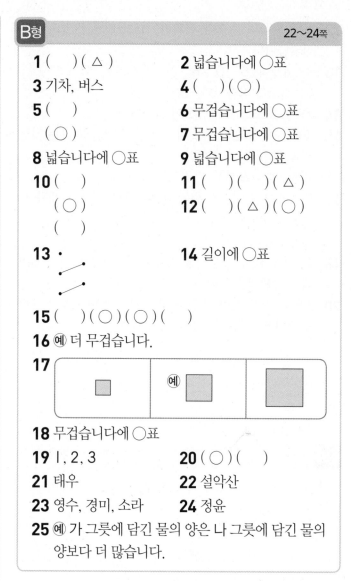

18 무겁습니다에 ○표
19 1, 2, 3   **20** (○)(   )
21 태우   **22** 설악산
23 영수, 경미, 소라   **24** 정윤
25 ⑩ 가 그릇에 담긴 물의 양은 나 그릇에 담긴 물의 양보다 더 많습니다.

---

8 한쪽 끝을 맞추어 겹쳐 보면 공책은 수학책보다 더 **넓습니다.**

9 한쪽 끝을 맞추어 겹쳐 보면 동화책이 가장 **넓습니다.**

10 왼쪽 끝이 맞추어져 있으므로 오른쪽으로 가장 많이 나온 것이 가장 깁니다.

11 아래쪽 끝이 맞추어져 있으므로 위쪽으로 가장 적게 올라온 사람의 키가 가장 작습니다.

12 물의 높이가 같으므로 그릇의 크기를 비교합니다.

14 두 가지 물건의 넓이를 비교하는 말에는 '더 넓다, 더 좁다' 등이 있습니다.

15 아래쪽 끝이 맞추어져 있으므로 연필보다 위쪽으로 더 많이 나온 것을 모두 찾아봅니다.

17 왼쪽 모양과 한쪽 끝을 맞추어 겹쳤을 때는 남고 오른쪽 모양과 한쪽 끝을 맞추어 겹쳤을 때는 모자라도록 □ 모양을 그립니다.

18 냉장고와 전화기의 무게를 비교합니다.

19 위쪽 끝이 맞추어져 있으므로 아래쪽을 비교합니다.

20 보기 ㉠ ㉡

보기 는 4칸이고 ㉠은 5칸, ㉡은 3칸입니다. 5는 4보다 크므로 보기 보다 더 넓은 것은 ㉠입니다.

21 시소가 아래로 내려가면 더 무거운 것입니다. 현수는 소희보다 무겁고 태우는 소희보다 가볍습니다. 따라서 가벼운 사람부터 차례로 쓰면 **태우**, 소희, 현수입니다.

22 높은 산부터 차례로 쓰면 한라산, 지리산, **설악산**입니다.

23 키가 큰 사람부터 차례로 쓰면 **영수**, 경미, 소라입니다.

24 남은 물의 양이 가장 적은 것이 물을 가장 많이 마신 것입니다. 정윤이가 남은 물의 양이 가장 적으므로 물을 가장 많이 마신 사람은 **정윤**이입니다.

25 답은 여러 가지입니다.
예 가 그릇에 담긴 물의 양은 다 그릇에 담긴 물의 양보다 더 많습니다. /
가 그릇에 담긴 물의 양이 가장 많습니다. /
나 그릇에 담긴 물의 양이 가장 적습니다.

C형 　　　　　　　　　　25~26쪽

1 예 왼쪽 끝이 맞추어져 있으므로 오른쪽으로 더 많이 나온 칫솔이 치약보다 더 깁니다. ; 칫솔

2 예 양팔 저울이 아래로 내려가면 더 무거운 것입니다. 따라서 구슬은 주사위보다 더 무겁습니다. ; 구슬

3 예 더 좁습니다.

4 7칸　　　　　　　**5** 9칸

6 예 가는 7칸, 나는 9칸입니다. 7은 9보다 작으므로 가는 나보다 더 좁습니다. ; 가

7 진호 ; 예 나 병에 담긴 주스의 양이 가장 많아.

8 예 병의 모양과 크기가 같으므로 주스의 높이가 가장 낮은 병에 담긴 주스의 양이 가장 적습니다. 따라서 담긴 주스의 양이 가장 적은 병은 다 병입니다. ; 다

9 예 더 높습니다.

10 예 필통은 연필보다 더 깁니다.

---

10 답은 여러 가지입니다.
예 필통은 막대보다 더 짧습니다. /
막대가 가장 깁니다. /
연필이 가장 짧습니다.

5. 50까지의 수

A형 　　　　　　　　　　27~28쪽

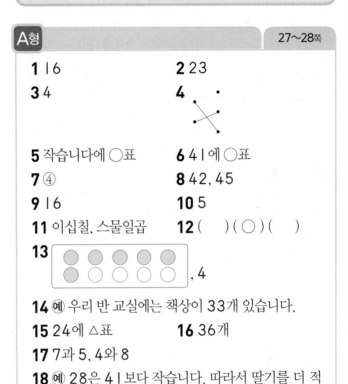

1 16　　　　　　　**2** 23
3 4　　　　　　　**4**
5 작습니다에 ○표　　**6** 41에 ○표
7 ④　　　　　　　**8** 42, 45
9 16　　　　　　　**10** 5
11 이십칠, 스물일곱　　**12** (　) (○) (　)
13 , 4
14 예 우리 반 교실에는 책상이 33개 있습니다.
15 24에 △표　　　　**16** 36개
17 7과 5, 4와 8
18 예 28은 41보다 작습니다. 따라서 딸기를 더 적게 딴 사람은 희완이입니다. ; 희완
19 3개　　　　　　　**20** 가지

6 10개씩 묶음의 수를 비교하면 41은 39보다 큽니다.

> 참고
> 두 수의 크기를 비교하려면 먼저 두 수를 10개씩 묶음을 나타낸 수를 비교한 뒤에 낱개로 나타낸 수를 비교합니다.

7 ④ 쉰셋―53

8 43보다 1 작은 수는 42, 44보다 1 큰 수는 45입니다.

9 9와 7을 모으기 하면 16이 됩니다.

10 15는 10과 5로 가르기 할 수 있습니다.

11 구슬은 27개입니다. 27은 **이십칠** 또는 **스물일곱**이라고 읽습니다.

12 삼십, 서른을 수로 나타내면 30입니다.

15 10개씩 묶음의 수를 먼저 비교하면 31이 가장 큽니다. 24와 26의 낱개의 수를 비교하면 24는 26보다 작습니다. 따라서 가장 작은 수는 24입니다.

16 10개씩 묶음 3개와 낱개 6개는 36개입니다.

17 7과 5를 모으기 하면 12가 됩니다.
4와 8을 모으기 하면 12가 됩니다.

19 보기 의 모양은 구슬 10개로 이루어져 있습니다. 주어진 구슬은 30개이고 30개는 10개씩 묶음 3개이므로 보기 의 모양을 3개까지 만들 수 있습니다.

20 10개씩 묶음의 수를 먼저 비교하면 24가 가장 작습니다. 32와 38의 낱개의 수를 비교하면 38은 32보다 큽니다. 따라서 가장 큰 수는 38입니다.

14 10개씩 묶음의 수를 먼저 비교하면 29가 가장 작습니다. 31과 35의 낱개의 수를 비교하면 35는 31보다 큽니다. 따라서 가장 큰 수는 35입니다.

15 10년은 십 년이라고 읽습니다. 10개는 열 개라고 읽습니다.

17 43보다 1 큰 수는 44입니다. 따라서 현종이의 사물함 번호는 44번입니다.

18 29는 36보다 작습니다. 따라서 신발장 번호의 수가 더 작은 사람은 안나입니다.

19 낱개 14개는 10개씩 묶음 1개와 낱개 4개입니다. 따라서 은서가 가지고 있는 구슬은 10개씩 묶음 3개와 낱개 4개이므로 모두 34개입니다.

20 10개씩 묶음 4개와 낱개 5개인 수는 45입니다. 45보다 크고 50보다 작은 수는 46, 47, 48, 49입니다.

B형 29~30쪽

1 24 **2** 31

3 8

4 (선 잇기) **5** 큽니다에 ○표

6 ③

7 15, 16, 17

8 18 **9** 8

10 사십칠, 마흔일곱 **11** 39개

12 ①

13 예 스물다섯: 25, 삼십팔: 38
25는 38보다 작으므로 더 작은 수를 나타내는 것은 스물다섯입니다. ; 스물다섯

14 35에 ○표

15 10(십, 열)년, 10(십, 열)개

16 예 오십 개는 50개입니다. 50개는 10개씩 묶음 5개입니다. ; 5개

17 44번 **18** 안나

19 34개 **20** 46, 47, 48, 49

6 ③ 쉰 - 50

8 13과 5를 모으기 하면 18이 됩니다.

9 14는 6과 8로 가르기 할 수 있습니다.

10 10개씩 묶음 4개와 낱개 7개인 수는 47입니다. 47은 **사십칠** 또는 **마흔일곱**이라고 읽습니다.

12 ① 8 ②, ③, ④, ⑤ 10

C형 31~32쪽

1 예 사십은 10개씩 묶음 4개입니다.

2 예 10개씩 묶음 3개는 30입니다. 30은 삼십 또는 서른이라고 읽습니다. ; 삼십, 서른

3 예 10개씩 묶음 1개와 낱개 4개는 14개입니다. 따라서 영지 어머니께서 사 오신 달걀은 14개입니다. ; 14개

4 4, 40 ; 4, 40

5 예 41보다 1 작은 수는 40입니다. 따라서 정윤이의 출석 번호는 40번입니다. ; 40번

6 22

7 31

8 예 정호가 말한 수: 22, 은서가 말한 수: 31
22는 31보다 작습니다. 따라서 더 작은 수를 말한 사람은 정호입니다. ; 정호

9 예 낱개 11개는 10개씩 묶음 1개와 낱개 1개입니다. 따라서 바구니에 들어 있는 사과는 10개씩 묶음 4개와 낱개 1개이므로 모두 41개입니다. ; 41개

10 예 10개씩 묶음의 수를 비교하여 큰 수부터 써 보면 44, 37, 26입니다. 따라서 가장 큰 수는 44입니다. ; 44

수학 문제해결력 강화 교재

AI인공지능을 이기는 인간의 **독해력** + **창의·사고력 UP**

수학도
독해가 힘이다

새로운 유형

문장제, 서술형, 사고력 문제 등
까다로운 유형의 문제를
쉬운 해결전략으로 연습

취약점 보완

연산·기본 문제는 잘 풀지만,
문장제나 사고력 문제를 힘들어하는
학생들을 위한 맞춤 교재

체계적 시스템

문제해결력 – 수학 사고력 –
수학 독해력 – 창의·융합·코딩으로
이어지는 체계적 커리큘럼

수학도 독해가 필수!
(초등 1~6학년 / 학기용)

단원평가
문제 집

난이도 별점
쉬움 ★
보통 ★★★
어려움 ★★★★★
최상위 ★★★★★★★

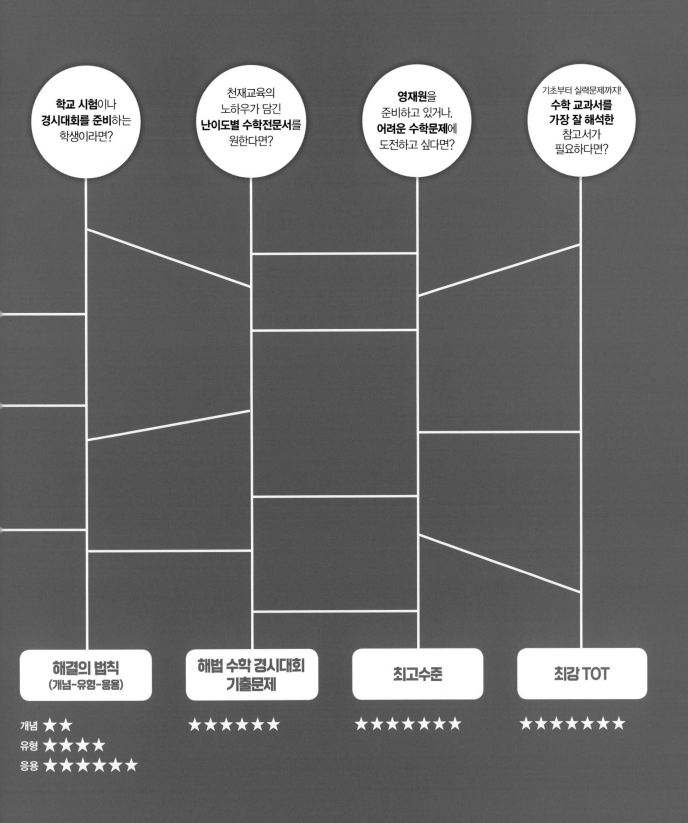

학교 시험이나
경시대회를 준비하는
학생이라면?

천재교육의
노하우가 담긴
난이도별 수학전문서를
원한다면?

영재원을
준비하고 있거나,
어려운 수학문제에
도전하고 싶다면?

기초부터 실력문제까지!
**수학 교과서를
가장 잘 해석한**
참고서가
필요하다면?

해결의 법칙
(개념-유형-응용)

**해법 수학 경시대회
기출문제**

최고수준

최강 TOT

개념 ★★
유형 ★★★★
응용 ★★★★★★

★★★★★★

★★★★★★★

★★★★★★★

...

수학 심화 문제 해결서

상위권 실력 완성

최고수준
수학

한 문제에 울고 웃는
상위권을 위한 수학교재
(초등 1~6학년 / 학기별)

정답은
이안에
있어!